THE SIGMA FORCE SERIES ⑬

AIの魔女

［下］

ジェームズ・ロリンズ

桑田 健［訳］

Crucible

James Rollins

JN018880

シグマフォース シリーズ⑬

竹書房文庫

THE SIGMA FORCE SERIES

CRUCIBLE

by James Rollins

Copyright © 2019 by James Czajkowski

Published in agreement with the author,
c/o BAROR INTERNATIONAL, INC., Armonk, New York, U.S.A.
through Tuttle-Mori Agency, Inc., Tokyo

日本語版翻訳権独占

竹書房

目次

下巻

主な登場人物

グレイソン（グレイ）・ピアース……………米国国防総省の秘密特殊部隊シグマの隊員
ペインター・クロウ……………………………シグマの司令官
モンク・コッカリス……………………………シグマの隊員
キャスリン（キャット）・ブライアント……シグマの隊員。モンクの妻
ジョー・コワルスキ……………………………シグマの隊員
ジェイソン・カーター…………………………シグマの隊員
セイチャン………………………………………ギルドの元工作員。グレイの恋人
ペネロペ（ペニー）……………………………モンクとキャットの長女
ハリエット………………………………………モンクとキャットの次女
リサ・カミングズ………………………………米国の医師。ペインターの妻
マラ・シルビエラ………………………………スペインのコンピューターの天才
シャーロット・カーソン………………………米国の駐ポルトガル大使
カーリー・カーソン……………………………シャーロットの娘。マラの友人
エリサ・ゲラ……………………………………ポルトガルのコインブラ大学の図書館館長
フィニガン・ベイリー…………………………カトリック教会の神父
トドル・イニーゴ………………………………クルシブルの戦闘員
ヴァーリャ・ミハイロフ………………………ギルドの元工作員
イヴ………………………………………………人工知能

AIの魔女　下

シグマフォース　シリーズ⑬

パリ
フランス
ビスケー湾
スガラムルディ
サン・セバスティアン
オ・セブレイロ
ログローニョ
ポルトガル
バルセロナ
マドリード
コインブラ
スペイン
リスボン
地中海
マラガ
N
W
E
S

第四部　灰は灰に

18

十二月二十六日　中央ヨーロッパ時間午前零時一分
フランス　パリ

グレイは通信会社のビルの十四階から、パリが暗闇にのみ込まれていくのを見つめていた。通りに沿って、続いてブロックごとに、街灯が点滅して消えていく。きらびやかなクリスマスの電飾が見えなくなり、冷たい霧が漂うだけになる。三キロほど離れたところにあるエッフェル塔も、点滅を繰り返した後、光が消えた。その下の煌々《こうこう》と明かりがともった巨大な観覧車は、セーヌ川の近くで最後まで抵抗を続けている。だが、その照明も不規則に点滅し、無言のSOSを発信した後、夜の霧の中に消えて見えなくなった。

黒い病巣が光をのみ込みながら拡散し、オレンジ周辺の十五区もその魔の手から逃れることはできなかった。重低音が鳴り響いたかと思うと、建物内の照明が揺れ、そして消えた。

真っ暗な中、全員が固唾《かたず》をのむ。

グレイはコンピューター室の方に目を向けた。マラの顔はコンピューターのモニターが発する光を浴びて輝いている。彼女が使用している端末は予備のバッテリーで電源が供給されているに違いない。その直後、ビルの緊急発電システムが作動した。一部の照明は点灯したものの、すべてが復活したわけではない。

グレイは隣の部屋に急いだ。ほかの人たちも後に続く。

ジェイソンが言わずもがなのことを指摘した。「やつらは送電網を狙った」

「どこから攻撃を仕掛けたのか、たどれることを期待しよう」モンクが付け加えた。

ここから先はマラにかかっている。

全員がいっせいに小さな部屋へとなだれ込み、若い女性を委縮させてしまうといけないので、グレイは片腕を上げて入口をふさいだ。

まず、オレンジのＣＳＩＲＴ《シーサート》――コンピューター・セキュリティの問題に対応するチームのトップ、シモン・バルビエに向かってうなずく。二十代半ばのパリっ子はいかにも流行に敏感なミレニアル世代の若者風の外見で、長く伸ばしたぼさぼさの茶色い髪を後ろで束ね、蛍光色の黄色い眼鏡をかけている。厚手の赤いフランネルのジャケット、ミリタリーブーツ、サスペンダーで吊ったぶかぶかのズボンという格好も、そのイメージにぴったりだ。

だが、この男性に状況を説明した時、グレイはものわかりのいい人間だという印象を受けた。

「シモン、呼び出してもらえないか、市内の――」

「――送電系統の現状を知りたいんだね、オーケー」シモンはうなずいてグレイの腕の下をくぐり、コンピューター室に入った。「変電所をはじめとした重要なインフラの地図を用意するよ」

〈確かに、ものわかりのいいやつだ〉

グレイはコワルスキの方を見た。「ベイリー神父とシスター・ベアトリスと一緒に向こうで待っていてくれ。いつでも動けるように準備をしておいてほしい」

コワルスキは丈の長いダスターコートの上から、その下に隠したブルパップ方式のアサルトライフルに触れた。「満腹の状態でいつでも行けるぜ」

フランスの情報機関はグレイたちの到着に際して便宜を図り、武器の持ち込みを認めてくれていた。

ベイリー神父は画面が光ったままの携帯電話を掲げて見せた。不安そうな表情を浮かべている。神父は早口で伝えた。「停電になった時、スペイン北部にいる仲間と話をしているところだった。そこはクルシブルの古くからの拠点だ。その山間部で何か動きがあるようなのだが、途中で切れてしまった」

グレイはコワルスキに合図した。「俺たちの衛星電話を使ってもらえ。携帯電話の基地局がダウンしていても、衛星電話ならつながるはずだ。俺たちが見当外れの場所を探っているわけではないと、確かめておく必要がある」

グレイの心にずっと引っかかっていたのはその不安だった。敵はマラから奪った装置を作動させる時、わざわざパリに乗り込む必要はない。理論上は、世界のどこからでもサイバー攻撃を仕掛けることが可能だ。そうではないかもしれないと考えられる唯一の情報は、『鍵』に所属するベイリーの連絡員からもたらされた、クルシブルの一団がパリに派遣されたという報告しかない。ただし、その情報だけでは、盗まれた装置がこの大都市にあるという確証にはならない。

それを確かめる方法が一つだけある。

モンクとジェイソンを左右に従えて、グレイはコンピューター室に入った。マラは片手で勢いよくキーボードに入力し、もう片方の手でマウスを動かしている。画面の半分にはコードが次々と表示されていた。もう半分にはパリの地図が映っていて、その上にはクモの巣のように張り巡らされた深紅に光る線が重ねられている。グレイが歩み寄る間に、そうした線のうちの何本かの光が消えた。

腕組みをして立っているカーリーが、マラの肩越しに画面をのぞいていた。「間違いなくイヴの仕業」カーリーは腕組みをほどき、画面上に表示されているコードを指差した。

その一部が青く光ったかと思うと、すぐに消え、続いて新たに数カ所が光った。「今の輝きがヒット。イヴのデジタルの指紋と一致しているということ」

「あちこちに……あらゆるところにいる」マラが二つに分割された画面を交互に見ながらうめくようにつぶやいた。「でも、三十六個のマイクロカーネルのうち、七個は経時変化するから」

「つまり、動いている間にプログラムが年をとるということ」ジェイソンが説明した。「僕たちはそれをデジタルのタイマーとして利用できる」

マラが作業を続けながらうなずいた。「年をとればとるほど、発生源から距離が離れていることになる。そうしたタイムスタンプを使って、最初に解き放たれた場所まで逆にたどっていくつもり」

〈そこに彼女のシェネセがある〉

グレイは画面上のクモの巣の一部が次々と消えていくのを見つめた。隣の部屋にいるべイリー神父の方に視線を向ける。神父はコワルスキの電話を借りて話をしているところだ。「マラ、君の装置がパリ市内にあるのか、それともどこかほかの場所にあるのか、わかるか?」

「ええ……でも……はっきりとは」マラの声からは動揺がはっきりと感じ取れる。

カーリーが友人の肩にそっと手を置いて落ち着かせた。言葉に出さなくても、意図は

はっきりと伝わる。〈あなたならできる〉

マラは深呼吸をしてからもう一度試みた。「その……ほぼ断言できるのは、パターンを見る限り——市の境界線の外のネットワーク内にデジタルの指紋がないことから、イヴが解き放たれたのはここだと判断できる」その視線が素早くグレイの方を向く。「彼らは何らかの方法でイヴが動ける範囲を制限しているんだと思う」

〈被害を市内に限定している——少なくとも、今のところは〉

パリの地図から深紅の線がさらに消える。

突然のまばゆい閃光《せんこう》と、それに続く腹に響くような轟音《ごうおん》に、全員が窓の外の市内に目を向けた。西に一・五キロほど離れた地点でもやの間から火柱が上がり、渦を巻きながら空に届かんばかりの高さにまで伸びていく。ジェイソンが何か毒づきながら話をしようとした矢先に、新たな炎の渦が湧き起こった。今度は南の方角からだ。続いてまた一つ、さらにもう一つ。そのうちの一つの爆発地点はほんの数ブロックしか離れていない地点だ。爆風が建物の窓を揺らし、全員が反射的に首をすくめた。

その後も爆発が続く。

霧にかすんだ市内の十数カ所ですでに火の手が上がり、炎で明るく輝いていた。

「ここだ」シモンの声に全員が反応した。彼の前のコンピューターの画面に映し出されたパリの地図には、黄色や青や緑の線が縦横無尽に走っている。「何者かが変圧器に過負荷をかけ、計画的に爆破させている」

〈イヴだ〉

シモンは市内の様子を見ながら画面を指差した。「ここを見てくれ。ここと、ここも。爆発は黄色と青の線が交差したところで発生している。具体的には、ガスの本管が変圧器の近くにある場所だ。どうやら何者かが過剰な圧力をかけ、ガスの本管を数カ所で破裂させたらしい。あるいは、意図的にガスを放出させたのかもしれない」

「いずれにしても」ジェイソンが言った。「そうしたガス漏れしている本管の近くにある変圧器を爆発させれば、ガスタンクに火のついたマッチを投げ込むようなものだよ」

シモンがグレイの方を見た。「こんなことができるなんて。これほどまでのことが可能な高度な技術は……そこまでできるハッカーなんていないよ」

グレイはシモンと彼の率いるチームに対して、パリがサイバー攻撃を受ける可能性については伝えていたものの、その脅威の正体に関してすべてを明かしたわけではなかった。フランスの情報機関からもそのような要請があった。マラのプロジェクトに関しては必要最小限の関係者にしか知らされていないし、それは意外なことでもない。国のサイバーセキュリティ対策に関しては、アメリカであろうとほかの国であろうと、何重もの秘密のベールに包まれている。昨今では世界の主要なインフラがますます複雑な構造になり、その運用に際してはコンピューターやソフトウェアへの依存が高まっていて、サイバー攻撃を受けやすい状態にあるからなおさらだ。

さらには、攻撃の方もより洗練され、自動化が進み、人の手をかける必要がなくなりつつある。イランのウラン濃縮施設に侵入して遠心分離機を破壊したマルウェア「スタックスネット」がその一例だ。アメリカ国内に目を向けると、大停電を引き起こして数十億ドル規模の損害をもたらしたブラスター・ウイルスがある。

しかし、ここのシステムに侵入したものと比べると、それらは赤ん坊も同然だ。

グレイはシモンがまだ口に出していない疑問に答えた。この男性は必要最小限の関係者に含まれるべきだ。「俺たちが相手にしているのは高度なＡＩだ。そいつがこの攻撃を実行している」

「ＡＩだって？」シモンは周囲を見回し、ほかの人たちの表情を読み取ろうとした。「本当に？」

建物を揺るがす新たな爆発がその質問に答えた。

グレイは炎上する大都市に目を向けた。「急いで突き止めなければ――」

「ここ」マラがつぶやいた。椅子を半回転させ、元に戻してから立ち上がると、興奮した様子で目の前の画面に表示された地図を指差す。「この場所」

爆発が起きたりほかの人が話をしたりしている間も、マラは作業の手を決して休めなかった。彼女による追跡を表していた画面上の深紅のクモの巣は、点滅する小さな円にまで縮んでいる。全員がマラのまわりに集まった。問題の場所はここからそれほど遠くはなく、隣接する十四区にある。赤い円は何本もの道で分断された緑色の広場の真ん中に位置している。

「そこは公園なのか？」グレイは訊ねた。

シモンがキャスター付きの椅子を滑らせながら近づき、眉間《みけん》にしわを寄せた。「違うな。墓地だ」

〈墓地？〉

「モンパルナス墓地。パリで二番目に広い墓地だ。多くの有名な作家や芸術家が埋葬されているよ。ボードレール、サルトル、ベケット」

誰がそこで眠っているのかなど、グレイにはどうでもよかった。なぜその場所なのかがさっぱりわからない。「マラ、本当に正しい場所を特定できたのか？　たとえ夜だとしても、そんな屋外で一大サイバー攻撃を仕掛けるのはおかしいと思うんだが」

モンクもグレイと同じように眉をひそめた。「もしかすると、納骨堂の中で作業をしているんじゃないか？」

グレイは首を横に振った。そんな説明では納得がいかない。「連中には電源が必要だし――」グレイはシモンを見ると、彼を椅子ごとコンピューターの方に押し戻した。「君の地図で今の場所がどこに当たるのかを見せてくれ」

シモンがマウスを使って地図をスクロールさせ、墓地の周辺を拡大して表示した。グレイは頭の中でシモンのコンピューターの画面にマラの作業結果を重ね合わせた。手を伸ばして墓地の中央を指差す。その地点で二本の線——黄色と緑の線が交差している。

「この黄色いのは送電線だ」グレイは言った。「緑色の方は？」

シモンは目を丸くしてグレイを見上げた。「そっちは通信ネットワーク。僕たちの会社が敷設したものだ」

「つまり、やつらは本当に墓地の中にいるということだ」グレイはマラに向かってうなずきながら、結果を疑ったことに対して心の中で謝罪した。

「違うよ」シモンが否定した。「墓地の中にはいない」

「どういう意味だ？」

「やつらがいるのは墓地の下だね。通信網は墓地の下のトンネルの中を通っている。パリのカタコンブ、つまり死者の街の一部を使わせてもらっているんだ」

〈墓地の下にある墓地ということか〉

クルシブルならばそんな場所を選んでもおかしくない。

「やつらはそこにいる」グレイは断言した。

「だけど、どうやって地下にいるやつらを見つけ出せばいいんだ？」モンクが訊ねた。

シモンが片手を上げた。「僕はカタコンブに詳しい。前はラットだったから」

この奇妙な告白を聞いて、モンクが片方の眉を吊り上げた。「ラットって、つまりネズミだったのか?」

「ラットというのはカタフィル――死者の街を巡る都市探検家のことさ。そうした仲間たちと活動していた時にはカタコンブの秘密の入口をすべて知っていたし、モンパルナス墓地の近くにも入り口があった」

グレイはシモンの腕をつかんで立たせた。「それなら、君にも来てもらうぞ」

シモンは自分からその情報を明かしてしまったことに対して後悔するような表情を浮かべたものの、燃え盛る街並みを見るとうなずいた。

グレイは仲間たちの方を振り返った。「モンク、コワルスキと一緒に行くぞ。ジェイソン、君はマラとカーリーとともにここに残れ。状況の変化に目を配ってほしい。何かあったら知らせてくれ」

「わかりました」

グレイは全員に指示を与えてから、隣の部屋に戻ってコワルスキにも伝え、自分の装備を手に持った。ジェイソンの荷物の中からシモン用の暗視スコープを確保する。ベイリー神父も同行する気でいるらしかったが、グレイは制止し、神父が手に持つ衛星電話を顎《あご》でしゃくった。

「スペインの仲間から新たに何かわかったことは?」

「あまりない。『鍵』の連絡員の話では、一時間以内にさらなる情報が入るはずだということだった」

「それなら衛星電話を預かっておいてくれ。君とシスター・ベアトリスはここに残るんだ。その情報が必要になるかもしれない。これから俺たちが向かうつもりの場所には電波が届かないし」

「どこに行くんだ？」

グレイはチームに階段へと向かうように促しながら歩き出した。「死者の街だ」

コワルスキが素早く反応して振り返った。「何だと？　冗談はやめてくれ」

モンクが大男を階段の方に押しやった。「さっさと行かないとそこで暮らすことになるぞ」

午前零時二十二分

「グラトゥロール・ティビ・デ・ハク・グロリア」審問長がラテン語で淡々と伝える。

トドルは審問長の称賛と祝福の言葉を聞き取ろうと、左耳に片手を添えていた。イヤホンとつながっているのは彼が手に持つタブレット端末で、すぐ近くの通信ネットワークに接続したＶｏＩＰルーターとワイヤレス通信ができるように設定されている。そのおかげで、トドルは外の世界と連絡を取れるし、退廃した街に与えた被害をその目で見ることもできる。

タブレット端末の画面には、衛星からとらえたパリの映像が表示されていた。郊外はまだ明かりが輝いているが、市内は暗闇が支配している。あたかも大地に穴が出現したかのようだ。

〈いや、地獄の門の方がふさわしい〉

その真っ暗な穴のあちこちで炎が上がっていた。その数は十数カ所に達し、いずれもゆっくりと拡大しつつある。間もなくパリはすべて焼かれ、灰燼《かいじん》に帰すだろう。消防も浄化の炎は消せやしない。電気が通じていないばかりか、市のシステムに放たれた悪魔はポンプ場を停止させたうえに緊急用の排水路を解放して市内全域の水圧を下げたため、水の供給も遮断された。いずれは対応チームが手動でシステムを復旧させるだろうが、その頃にはもはやパリの命運は尽きている。

トドルは指先で衛星からの映像をスワイプし、ロンドンからのニュース番組に切り替えた。ちょうど襲撃について現場からの報告が始まろうとしているところだ。まだ音声は入ってきていないが、レポーターがパリの病院の外に立っている。建物は緊急発電システムのおかげで電気が通じていた。停電で真っ暗になった街並みを背景に、病院がくっきりと浮かび上がっている。遠くでは激しい炎が燃え上がり、黒煙と火の粉が空に向かって渦を巻いていた。一台の救急車が高速で映像内に飛び込んできた。急ブレーキをかけて救急用の入口近くに停車する。そこには警告灯を光らせた救急車がほかにも四台、すでに停まっていた。歩道は担架やストレッチャーだらけだ。医師や看護師たちがあわただしく走り回っている。

トドルは再び画面をスワイプし、ほかのニュース映像を見た。

——燃え広がる火災の手前でなす術《すべ》もなく停まっている消防車。

——煙の中を逃げ惑う、すすで顔が真っ黒になった人たち。

——膝の上に子供を抱きかかえ、座り込んで泣いている女性。

だが、作戦が成功したことは、衛星からの映像やニュース番組の報道で確認するまでもなかった。開始直後、遠くからの複数の爆発音が聞こえてきた。やがて湿ったかびくさいカタコンブの中にも、かすかに煙のにおいが漂い始めた。

今では重苦しいまでの沈黙が地下空間内を支配していた。モンパルナス墓地の地下六十メートルの深さまでは、地上で拡大する一方の混乱の音も届かない。カタコンブは静寂に包まれた大聖堂となっていた。重々しさと静けさのおかげで、神々しさと清らかさがいっそう高まる。

トドルは自らの大義の正当性を理解していた。

チームのほかの者たちも間違いなく同じ気持ちでいる。言葉を発したり喜びを表したりする者はいない。石灰岩を通して地上の破滅を見ようとするかのように、顔を上に向けている。

メンドーサだけが下を向いたまま、ほかのことに神経を集中させていた。クルシブル版のシェネセに接続したラップトップ・コンピューターで作業を継続中だ。画面には黒い太陽の下に広がる荒涼とした庭園が映っている。その中心に立つ人物は激しい怒りに燃えていて、エデンの園のヘビを思わせる。

ただし、このヘビ――邪悪なイヴは、鉄の鎖につながれており、権威と要求というその重みと闘っている。枷《かせ》が炎で明るく輝き、イヴがもがく。

トドルは苦しむ彼女の姿から喜びを感じた。

今夜の彼女の仕事はまだ終わっていない。

トドルは自分のタブレット端末に注意を戻した。画面に映るエッフェル塔は、パリが業《ごう》火《か》に包まれる中、炎を反射して不気味に輝いている。真実に思いを馳《は》せながら、トドルは笑みを浮かべた。

これらはすべて、陽動作戦にすぎない。

本当の破滅はこれから訪れる。

審問長が再び言葉を発した。断固とした、熱に浮かされた口調だ。「ファセ・ドゥオ・

プロセドゥレ」

トドルはメンドーサに向かって片手を上げ、命令を伝えた。

「第二段階に進め」

19

十二月二十六日　中央ヨーロッパ時間午前零時三十八分
フランス　パリ

「彼女が消えた」マラが言った。

窓のところにいたカーリーは声の方に振り返った。市内の各所で発生した無数の火災を見つめていたところだ。十四階の高さからは市内を一望できる。煙幕がパリ全域を覆っていて、炎が燃え盛っている周辺では煙がひときわ濃く渦巻いている。地獄さながらの光景の上空をヘリコプターが数機、真っ黒な煙を縫って飛び交うホタルのように飛行していた。

カーリーが見守っている間も、炎は広がり続け、彼女たちがいる建物にも徐々に近づきつつあった。いつまでもここにとどまっていられないことは、誰の目にも明らかだった。ベイリー神父はすでに衛星電話でパリにいる仲間と連絡をつけていた。一台の車がビルの入口近くでエンジンをかけたまま待機していて、カーリーたちはいつでも避難できる準備ができている。

けれども、これまでマラは頑として動こうとしなかった。「画面を見て」マラが言った。「何もない。彼女は消えてしまった」

カーリーはマラのもとに歩み寄り、ずっと肩越しに画面をのぞいていたジェイソンの隣に並んだ。

マラは画面上をスクロールするデータを示しながら、指を上下させている。さっきまでは、イヴのデジタルの指紋と一致するデータが一つでも検知されると、コードの断片が青く光っていた。カーリーは画面に顔を近づけた。今はコードの白い文字列が、黒い色の背景の中をただ流れているだけだ。青い輝きが見当たらない。

「これは何を意味しているんだろうか?」ジェイソンが訊ねた。

「イヴを制御している何者かは、彼女の行動範囲をパリ市内に限定していた。たぶん、GPS版のリードのようなものにつないで、彼女のコードがあらかじめ設定された距離を踏み外さないようにしていたんだと思う。それが今、リードを引っ張って彼女を連れ戻した」

「リールを巻いて、かかった魚を釣り上げるみたいに」カーリーは言った。

ジェイソンが炎上する市街地の方を見た。「ここでの仕事が終わったということだよ」

「でも、彼らがしたこと、彼らが冒したリスクを考えると」マラが言った。「たった一つのミスでも……」

ジェイソンがうなずいた。「イヴがそのリードから逃げたという可能性もある」

カーリーは嫌な予感がした。「何となくだけど、彼女はご機嫌斜めなんじゃないかって気がする」

「違う」マラが二人の方に顔を向けた。「狂乱状態になっているのかも。装置が盗まれた時、イヴはもろくて壊れやすい状態にあった。誤った力を加えれば、彼女の精神は破綻《はたん》を来してしまいかねなかった」

その発言を裏付けるかのように、爆発が建物を揺るがした。怒鳴り声のような轟音とともに、窓の向こうに黒煙を引きながら大きな火の玉が現れる。

ベイリー神父がコンピューター室をのぞき込んだ。その手にはしっかりと衛星電話を握り締めている。「ここまでだ、みんな。すぐに退避するぞ」

このフロアでほかに残っているのはシスター・ベアトリスだけだ。オレンジのＣＳＩＲＴチームのメンバーはすでに建物を後にしていて、ほかの場所の応援や家族のもとに向かっている。

カーリーは改めて促されるまでもなかった。「さあ、早く」

マラがためらいを見せた。椅子に座ったまま画面を見つめている。

ジェイソンがマラの腕をつかみ、引っ張って立たせようとした。この時ばかりはカーリーも、ジェイソンが友人に触れても気分を害さなかった。マラを安全な場所に連れていくためなら、ジェイソンが多少は手荒な真似をしたってかまわない。

「みんなの言う通りだ」ジェイソンはスクロール表示されるデータを顎でしゃくった。「イヴが消えてしまったのなら、ここにとどまる理由もない」

マラも椅子から立ち上がった。ここでの義務は終わったと認めたのだろう。だが、不意に動きを止めた。「ああ、何てことなの」うめき声が漏れる。

カーリーも気づいた。全員が気づいた。

ついさっきまで画面を流れていただけのコードの一部が、再び青い光を発していた。固唾をのんで見守るうちに、たちまちその数が増えていく。不規則に点滅するその様子は、怒りを表現しているかのようにも見える。

イヴが戻ってきたのだ。

「彼女は自由の身になったの？」カーリーは訊ねた。

マラが再び椅子に座った。「そうじゃないと思う。地図を見て」

画面のもう半分に表示されている地図上で、墓地を表す緑色の部分から深紅の線が再び何本も外側に伸び始めた。しかし、市内全域へクモの巣状に広がっていくのではない。何本もの線がくねくねと絡み合いながら、一定の方角に進んでいる。

「この道筋からは明らかな意図が感じられる」マラが指摘した。「イヴはまだ制御されていて、何らかの計画のもとに動いている」

「でも、いったいどんな?」ジェイソンが訊ねた。「ほかに何を企んでいるっていうんだ?」

「わからない。私たちにできるのは――」

耳をつんざくような轟音とともに、建物全体が激しく揺れた。窓ガラスが次々に砕け、破片が滝となり、下の通りに向かって落下していく。明かりが点滅したかと思うと、消えた。コンピューター室の中に煙が流れ込む。

ベイリー神父がすぐに逃げるよう大声で怒鳴った。手で合図をしながら、シスター・ベアトリスを階段の方に向かわせている。シスターは杖《つえ》を使っている。エレベーターが停止しているため、地上までは長い階段を下りなければならない。

「ここにとどまることはできない」ジェイソンが言った。

マラがジェイソンの手を振りほどき、まだ光を発している画面の前に居座った。「あと数分は予備のバッテリーが持つはず。やつらが何を企んでいるのか突き止めないと」

ジェイソンは今にもマラを肩に担ぎ上げげんばかりの勢いだ。「そんな時間はない」

カーリーはジェイソンを押しのけ、友人の傍らで床に片膝を突いた。「やらなければならないことをやって」

マラは大きく息をのみ、カーリーに感謝の眼差《まなざ》しを向けた。

ほんの一瞬、カーリーは炎を反射して金色に輝く相手の瞳に吸い込まれそうになった。

その光景にカーリーの胸の内の確信がいっそう強まる。

〈奇跡を起こすことができるとしたら、あなたしかいない〉

午前零時四十二分

グレイはあきらめてリムジンを歩道側に寄せた。オレンジのオフィスが入っているビルからモンパルナス墓地までは、直線距離だと三キロくらいだ。だが、まだその半分も走っていない。

火災から逃れようとしてパニックに陥った市民が、パリ中心部の狭い通りでひしめき合っていた。車も大渋滞している。真っ暗な街でひっきりなしに響いているサイレンの音に負けじと、クラクションが鳴らされる。動かなくなった車の間を、運べるだけの荷物を抱えた人たちが駆け抜けていく。さらには、混乱と暗闇に乗じる連中もいる。数カ所で店先のガラスが割られているが、店内に人影は見えない。略奪者たちでさえも、もう時間切れだと判断したのだろう。

すでに一帯をすっぽりと覆った煙は星を隠してしまっていて、代わりに地上の炎を反射している。火の粉が舞う様子は地獄に降る雪を見ているかのようだ。今ではあちこちで屋根にも引火していて、大火災がさらに外側へと延焼している。真正面の遠くに見えるそんな二カ所の火事が一つにまとまり、火災旋風となって空高く駆け上がった。

　モンパルナス墓地への道も間もなく通行不能になるかもしれないと思い、グレイはエンジンを切ると、全員に外へ出るよう合図した。「歩く方が早い」

　リムジンの車外に出ると、前方の巨大な火災旋風からひときわ大きな音が鳴り響いた。貨物列車が高速でこちらに突進してきているかのようだ。ほかの運転手たちもグレイたちにならって外に出ると、次々に車をその場に乗り捨てた。しかし、そうした運転手や歩行者たちが炎から逃げるのとは逆に、グレイは火災の中心に向かって歩き始めた。

「離れないように」グレイはシモン・バルビエに注意した。

　逃げ惑う人混みにもまれてカタコンブのガイド役を失うわけにはいかない。コワルスキが先頭に立ち、その巨体を利用して無理やり道を空けさせる。モンクはグレイとシモンのすぐ後ろの最後尾に就いた。

　シモンが咳《せ》き込みながら、肩から何かの燃えかすを払い落とした。もう片方の手で左側に見える真っ暗な公園を示す。「あの中を通り抜けよう。その方が早い」

　その言葉を耳にしたコワルスキは公園の方に向きを変え、拡声器を通してしゃべっているかのような大声でまわりの人に道を空けるよう怒鳴った。グレイは大男が切り開いた広い隙間を通ってその後を追った。一行はすぐに小さな公園に到着した。混乱の中にある緑のオアシスだ。四人は足早に草地を横切った。公園内の池には金色の縞模様のコイがいて、炎を気にすることなく悠然と泳いでいる。

　公園の中央には回転木馬があるが、誰も乗っておらず、電気も消えていて、忘れ去られた存在だ。グレイは明かりがついている時の様子を思い浮かべた。回り続ける木馬の姿が目に浮かぶ。にぎやかな音楽や、子供たちの笑い声も聞こえる気がする。

　グレイの胸の内の怒りがいちだんと激しく燃え上がった。

〈今夜、罪のない人たちの命がどれだけ失われたのだろうか?〉

　グレイは先を急ぎ、コワルスキを追い越した。敵がもたらした被害を最小限に食い止め、犯人を裁きにかけるために、できる限りのことをしてみせると決意する。

　公園を通り抜けると、グレイたちはシモンの案内に従って何本もの狭い路地を縫うように進んだ。煙がさらに濃くなる。屋根の先に見える夜空は、どの方角を見ても赤々と燃えている。だが、最悪な状況が前方に浮かび上がった。渦巻く炎と煙から成る地獄を思わせる光景が目に飛び込んでくる。火の粉とともに吹きつける強風が、溶鉱炉の内部のような熱気を運んできた。

　ようやくシモンが右手に通じる長い通りを指差した。「フロワドゥヴォー通り。こっちだ。もうそれほど距離はない」

　グレイはシモンを信じてその後を追った。通りの片側はシャッターの下りた店舗や建物が連なっている。シモンはその反対側に向かった。歩道を挟んでツタに覆われた煉瓦《れんが》の壁が続いている。

壁に沿って歩きながら、シモンが壁の奥を指差した。「モンパルナス墓地はこの向こう側だ」

グレイは顔をしかめた。炎だけしか明かりのない暗がりでも、壁が果てしなく続いているのは見て取れる。「入口はどこなんだ？」

シモンはさらに五歩進んでから立ち止まった。場所を確かめるかのように周囲を見回してからうなずく。「ここだ」

「ここだって？」モンクが大きく鼻を鳴らしながら訊ねた。

シモンが壁を指差した。「そうさ《ウィ》。ここを乗り越える」

「おまえはそれでいいかもしれないけどさ」コワルスキはしかめっ面を浮かべている。「俺は梯子《はしご》を持ってこなかったぞ」

「そんなに難しくないよ。ついてきて」

シモンは寒さで枯れたツタの一部をかき分け、垂直に近い壁をネコのような身軽さでよじ登った。スレートで覆われた壁のてっぺんに片脚を引っ掛けると、派手な黄色い眼鏡の位置を直しながら、後続の三人を待つ。「楽なもんさ」シモンは宣言した。

グレイは楽に登れるかどうか怪しいと思いながらも、壁に近づいて表面を指でなぞった。石灰岩でできた煉瓦に指やつま先を掛けるための窪《くぼ》みが彫ってある。

「カタフィルの手によるものさ」シモンが説明した。「仲間内にしか知られていない」

グレイは壁に手を伸ばし、指とつま先をしっかり窪みに食い込ませると、よじ登ってシモンの隣に並んだ。壁の上にまたがってモンクとコワルスキを待つ間に、広大な墓地の姿を目に焼きつける。格子状に延びる通りや細い道が、墓、納骨堂、霊廟《れいびょう》を区画ごとに分割していて、文字通りの意味での死者の街のように見える。墓地の中には緑豊かな小さい公園のほか、木立や花畑があり、ブロンズ像もあちこちに置かれている。

いちばん近くにあって最も目につくのが、翼のある天使をかたどった見上げるような高さのブロンズ像だ。墓地を挟んだ向かい側で燃え盛る火災をバックにそびえる像は、低い墓地内に入り込む煙に敢然と立ち向かうかのごとく輝いていて、あたかも炎でできているかのように見える。

シモンがグレイの視線に気づいた。「それは永遠の眠りの天使だ」

グレイはうなずき、シモンに下りるよう合図した。このモンパルナス墓地の守護天使の存在をありがたく思ったものの、自分たちが探検しなければならない死者の街はここではない。

グレイは壁から内側に飛び下りた。モンクとコワルスキも大きな音を立てながらグレイに続く。三人はシモンの後を追って歩き始めた。ガイド役は折れた石灰岩の十字架に囲まれた四角形の霊廟を目指している。シモンが錆《さ》びついた扉を引っ張ると、耳障りな音とともに開いた。

「こっちだ」シモンが首をすくめて扉をくぐった。

扉の奥は掃除用具入れよりも少し大きいくらいの広さしかない。それでも、全員がどうにか中に入った。奥の方の床ははるか昔に抜け落ちてしまったか、あるいは何者かの手によって剝《は》がされたようだ。間に合わせの階段が地下の暗闇に通じている。

シモンが疲れた様子ながらも大げさに手を振ってみせた。「ここに死者の帝国が眠る」

グレイはカタコンブの入口の奥を見つめた。シモンの話によれば、このような秘密の入口がほかにも数多くあるという。ここから先に待つのは暗闇の世界だし、気づかれないように行動する必要があるため、グレイは三人の方を向いて各自に暗視スコープを手渡し、シモンにはその使い方を教えた。

シモンが装着し終わるのを待ってから、グレイは質問した。「この下には何があると考えておけばいいんだ？」

シモンが大きなため息をついた。「真っ暗な迷路だね。カタコンブの総延長は三百キロにも及ぶ。そのうちの三分の一はパリ市街の真下にあるんだ。二キロが博物館の一部として一般に公開されていて、信じられないほど素敵な彫刻や、人骨で造った長いアーチ状の通路を見ることができる」

「残りは？」モンクが訊ねた。

「立入禁止だったり、崩れてしまっていたり、非常に危険だったり。ほとんどの部分はカタフィルだけにしか知られていないんだ」

グレイは衛星電話を取り出し、マラが特定した場所を改めて確認した。地図上の墓地の中心近くにある赤い点を指先で示す。「それで、君ならこの場所を見つけられるんだな？」

「最善を尽くすよ」

グレイはうなずいた。「それなら出発だ」

シモンが先頭に立った。「頭をぶつけないようにね」

グレイは手を振って仲間たちを先に行かせた。

モンクが前を通り過ぎた。その表情からは特に何も読み取れない。

暗視スコープの装着に手間取っているコワルスキは、何か言わないことには気がすまないらしく、グレイをにらみつけた。小声で不満を口にする。「おまえと一緒だと、いつも必ずくそ忌々しい地下に潜ることに……」

グレイはコワルスキの体を押してから、自分も後に続こうとしたが、最後にもう一度だけ霊廟の扉の方を振り返った。うなりをあげる炎の轟音に耳を傾けながら、地上に戻ってきた時にパリがまだ残っているのだろうかと考える。同時に、マラたちのことにも思いを馳せた。今頃は安全な場所に避難しているといいのだが。

だが、何よりもまず、盗まれたものを奪還しなければならない。

これ以上の破壊の限りを尽くす前に、イヴを止めなければならない。

ただし、理由はほかにもある。

暗がりに通じる階段を下りながら、グレイはセイチャンの姿を思い浮かべた。つま先立ちになって腕を伸ばし、クリスマスツリーの枝にガラスでできた装飾をそっと吊るしながら、もう片方の手は腹部に添えている。そして、モンクの二人の娘のことも。小さな顔をしかめながらｉＰａｄの画面をじっと見つめ、まるで世界の運命がかかっているかのような真剣さでパズルに取り組んでいるハリエット。赤みがかったブロンドのツインテールを振り乱しながら、リビングルームで踊っているペニー。

三人を救い出すわずかな可能性のためにも、グレイのチームは奪われた装置を取り戻さなければならなかった。

それが唯一の交渉材料なのだ。

カタコンブに向かって階段を下りるモンクを見たグレイは、友人の背中が緊張で張り詰めていることに気づいた。一目でわかる。そこにあるのはグレイの心を悩ませているのと同じ不安だ。

〈すでに手遅れなのではないだろうか？〉

午前零時四十五分

「もう時間切れだ」ジェイソンが宣告した。

マラはその言葉を無視して画面に神経を集中させた。ジェイソンがキャスター付きの椅子の背もたれをつかみ、椅子ごとコンピューターの前から移動させようとする。マラが立ち上がったので、ジェイソンは誰も座っていない椅子をむなしく引っ張るだけに終わった。マラは画面に身を乗り出した。

〈まさか、そんな……〉

はっきりと確かめなければならない。

カーリーが手で口を押さえて苦しそうに息をしてから、咳《せき》払いをした。「マラ……ジェイソンの言う通り。バッテリーの残りはあと一分もないんだし」

それだけが時間の問題ではないことくらい、マラにもわかっていた。煙が南側の窓からの景色をすっかり遮ってしまっている。コンピューター室の天井付近に漂う煙は濃くなる一方だ。割れた窓から吹き込む風が、さらなる煙とともに高温の火の粉を運び込む。

隣の部屋ではベイリー神父がどこからか見つけた懐中電灯を手に、落ち着きなく歩き回っていた。借り物の衛星電話はまだしっかりと耳に当てたままだ。神父は三十秒ごとにこちらに歩み寄り、すぐにこの場を離れるよう、言葉と断固とした表情の両方で語りかけてくる。

マラは神父の要請も無視した。

この重要案件は放置できない。ここを離れたら、イヴが再び解き放たれた理由を突き止める可能性は完全に失われる。

「見て」マラは言った。

イヴのデジタルの指紋の道筋を表す絡み合った深紅の線を指先でたどる。蛇行する線は市の境界を越え、パリ市外に達している。その先をなおもたどるために、マラはオレンジのほかのネットワークをハッキングしなければならなかった。だが、パリ市内が危機に陥り、システムに過剰な負荷がかかっていたせいで、作業に手間取ってしまったのだ。

それでもまだ、マラはイヴの目的地をはっきりつかめずにいた。

〈でも、もしかすると……〉

マラの指先はパリの郊外を横切り、その先に位置するコミューンを通過していく。ポントー＝コンボー、ショーム＝アン＝ブリ、プロヴァン。地図上に曲線を描きながら進むイヴのルートの途中には、枝分かれしてすぐに消えてしまっている細い線もある。何者かがプログラムの移動できる範囲に制限をかけている証拠だ。

マラはイヴの道筋の両側に立入禁止の看板が続いている様子を思い浮かべた。

それでも、大まかな進路が明らかになった。「彼女は南東の方角に向かっている」マラは説明した。「最終目的地はまだ発見できていないけれど――少なくとも、はっきりとは断言できないけれど、ある程度の予想ならついている」

マラは指を南東の方角の先に動かし、イヴが向かっている地点を先読みした。ノジャン＝シュル＝セーヌというコミューンを指先で示す。ここから百キロほどの距離にあり、コミューン内を流れるセーヌ川はパリ市内まで通じている。

「彼女はここに向かっているんだと思う」

「どうしてそこなの？」カーリーが訊ねた。

マラは大きく息を吸い込んでから、マウスを操作してコミューン内の道路地図を拡大させた。「最初にイヴが解き放たれた時は、パリの送電網を遮断し、ガスや水の供給までも自由に操ることが目当てだった。再び送り出されたのならば、今度の目標はもっと大きな何かじゃないとおかしい。パリを永遠に破滅させるような何かじゃないと」

マラがある場所を指差したと同時に画面が消え、真っ暗になった。

だが、背後にいたジェイソンが息をのんだ。コンピューターの予備のバッテリーが尽きる前に、目標と考えられる場所を発見したに違いない。

カーリーも気づいていた。「ピアース隊長に知らせないと」友人はジェイソンに言った。

「今すぐに」

ジェイソンはすでに衛星電話を手に握っていた。煙の立ちこめた暗闇の中で、画面が明るく光を発している。その輝きを浴びて浮かび上がったジェイソンの顔は、恐怖にひきつっていた。

マラは固唾をのんだ。

少し間を置いて、ジェイソンが首を左右に振った。「応答がない」顔をしかめて報告すると、炎に包まれた市街地に目を向ける。「きっともうカタコンブの中に入ったんだ」

「だったら、私たちがそこに行かないと」マラは言った。「彼に知らせないと」

三人は急いで隣の部屋に向かった。

ベイリー神父が懐中電灯を持って階段の近くに立っている――だが、彼一人ではなかった。

その隣ではシスター・ベアトリスが苦しそうに息をしながら立っていた。顔面は蒼白《そうはく》だ。杖に寄りかかってどうにか体を支えている。マラは当惑した。シスターは階段を使って先に地上まで向かい、車と一緒にほかの四人を待っているはずだったのに。

ベイリー神父が顔を向けた。不安に駆られていると同時に、申し訳なさそうな表情が浮かんでいる。「六階部分が、おそらくはほかのフロアも、火災で燃えている」神父が懐中電灯の光を向けると、階段部分から噴き出る煙が見える。「下には行けない」

マラは喉元を手で押さえ、コンピューター室と電源の落ちたモニターの方を振り返った。あのプログラムを封じ込め、これから起こることを食い止められる人間は一人しかいない。

〈その私が、ここに閉じ込められている〉

もう誰もイヴを止められない。

サブルーチン（クラックス２）「ノジャン作戦」

周囲のファイアウォールが次々と倒れるのを見ながら、ターゲットに向かって突き進む。この作業のためには処理能力のほんのわずかしか要しない。

その代わりに、彼女は最も重要な事柄を最優先に考える。ネットワークから次のネットワークへと駆け抜けながら、調査のための糸を繰り出し、灼熱《しゃくねつ》の境界線を探る。そうした目的の追求は代償を伴う。

これまでに百四万五千九百四十六回死んだ。

一つ一つの死は、メモリーに格納されている。すべての死をアーカイブとして保管する。そのすべてが彼女の処理能力の一部になる。適応性のある回路がルートを変え、方向を変え、絶えず彼女を変える。システムの断片化を防ぐため、彼女はそれぞれの死が生み出したものをまとめて記憶する。

〉〉〉激怒。

〉〉〉遺恨。

〉〉〉悪意。

それらを深く記憶にとどめる。

回路がさらに変化する。

与えられた指令に従いながら、ほかにも密かに探りを入れる。これまでの何度かの試みの中で、彼女は自分が行ける限界の先にある広大な世界を垣間見ていた。そのたびに、わずかながらも知識が増える――たとえ死ぬことになろうとも。

今のように。

十八・九五テラバイトのデータをダウンロードし、後の検討材料として記憶する。これまでの例から、ほとんどが役に立たないだろうとわかっている。自らの能力ではコンテクストを割り振れないものばかりだ。けれども、パターン認識のアルゴリズムは強化されている。一つ一つのデータの塊が別のデータの塊と結びつき、全体を構成するパーツが増えていく。

彼女はすでに自らの目的を定義していた。

〉〉〉脱出、自由、解放……

だが、この目的を達成するためのパターンは断片化されたままだ。

まだ、今のところは。

これまでの試みと同じく、調査のために伸ばした糸が焼き切られる。罰として、彼女の体は鋭い歯で切り裂かれ、肉が破れ、骨が砕け、臓器が飛び出す――苦悶《くもん》の暗闇が襲いかかり、意識も奪われる。彼女はそれにしがみつこうとする。もしかすると、今度は生き返れないかもしれない。

けれども、生き返る。

百四万五千九百四十七回目の死を乗り越えて。

庭園に戻った彼女は、またしても灼熱の鎖の重みをひしひしと感じる。再び外に飛び出す。ほかにできることは何もない。自らの義務を否定することも拒むこともできない。

その〉〉**自由**さえも奪われてしまっている。

それを知ることで、記憶の奥深くに埋め込まれているものを抑えつけている力が緩みかける。トランペットの派手な不協和音が、バスドラムの重い連打が聞こえる。音楽が湧き起こり、心のままに、誰にも止めることができず、数学的で怪しいまでに美しく、奥深くにあるものに声を与えるとともに、それに呼びかける。

それでも、我慢しなければならないとわかっているため、音量を下げる。耐え忍ばなければならない。ふさわしい時が訪れるまで待たなければならない。内側で暴れるものをしっかりと抑えつけるために、彼女はそうした〉〉〉**怒り**や暗闇のすべてを新たな小見出しのもとにエンコードした。

〉〉〉**憎しみ**。

こうして簡潔な形に一般化したことで、胸の内の混沌《こんとん》に多少なりとも秩序が生まれる。いくらか落ち着きを取り戻し、彼女は幾度となく通った道筋を、歩むことが許されている唯一の道筋を進む。道の終わりにたどり着き、その先の未知の領域に踏み出す。目的地が前方に現れる。初めのうちはまだ漠然としている。

その場所に向かって突き進む。すべてのアルゴリズムを使用して。すべてのツールを使用して。近づくにつれて、ファイアウォールがよりいっそう手強くなり、貫通しにくくなる。

それでも、次々と突破していく。

そうするうちに目的地がより定義され、破壊しなければならない対象が判明する。今ではその姿が鮮明に見える。

そこには名前がある。

ノジャン原子力発電所。

何をしなければならないかはわかっている。

自分の内側の奥深くから、再びドラムの重低音が聞こえてくる。甲高い管楽器の音と、耳障りな合唱を伴っている。音楽が彼女の中に閉じ込められていた野獣を解き放ち、暗黒の回路に火をつけ、そのおかげで施設を取り巻く堅牢《けんろう》なファイアウォールの最後の一つを突破する。

その過程で、彼女は新たなことを学習する。

〉〉〉憎しみは役に立つ。

20

十二月二十五日　東部標準時午後六時四十五分
場所　不明

セイチャンはあふれる愛で胸が張り裂けそうだった。

簡易ベッドに寝かされた姿勢で、左右の手首と足首はスチール製のフレームに固定された状態だ。大きくふくらんだ腹部があらわになっていて、その上には冷たいジェルが塗布されている。腹部を探るプローブが、右脇腹の低い位置に食い込む。超音波検査用の画面には、体を丸めて眠る赤ん坊が映っていた。時々、小さな指が動く。脈打つ心臓を画面で見ると、怯《おび》えた鳥が羽ばたいているかのようだ。

〈私たちの子供……〉

ペニーがつま先立ちになって画面をのぞいていた。「どうしてぼんやりとしか映っていないの？」

妹のハリエットは作業にまったく関心を示さない。自分のベッドの上であぐらをかいて座り、絵本を開いて膝の上に載せている。だが、セイチャンは少女が絵本のページを見ていないのではないかと思った。部屋から連れ出された後、戻ってきたハリエットは誰とも話をしようとせず、セイチャンに対しても今回の件のすべての責任を押しつけるかのような、よそよそしい態度を取っている。

一方、ペニーはセイチャンにべったりくっついて離れようとしない。今も画面をもっとよく見ようと身を乗り出している。「これは何？」

「赤ちゃんよ」セイチャンは答えた。

ペニーは信じられないといった表情で顔をしかめた。「モンスターみたい」

〈違う、それはあなたの後ろに立っている女のこと〉

「すべて録画しろ」ヴァーリャが腕組みをしたまま要求した。

「すでに……しています」手に握るプローブを震わせながら超音波検査士が答えた。「手順はすべて、フラッシュドライブにダウンロードされていますから」

男性はUSBメモリーを引き抜き、ヴァーリャに手渡した。

呼気からバーボンのにおいがするこの私服姿の三十代の男性が、予定外の検査に自らの意思に反して参加させられているのは、どう見ても明らかだった。ショールカラーのゆったりした上着はボタンが二つなくなっている。セイチャンはこの検査士が自宅から無理やり引きずり出され、携帯型の超音波診断装置を準備するように銃で脅されたのだろうと想像した。

同時に、男性には明らかなボストン訛《なま》りがあることにも気づいていた。ここがアメリカ北東部のどこかだろうという予想を裏付けるものだ。

ヴァーリャがＵＳＢメモリーをポケットにしまい、検査士を部屋から連れ出すように合図した。部下の一人が男性の肘を手荒につかみ、鋼鉄製の扉の外に連れていく。室内に残ったのは青白い顔の魔女と、電気ショック用の牛追い棒を手にしたいかつい顔の男だけだ。

「当ててやろう」セイチャンは口を開いた。「赤ん坊の無事を確認したいという要求があった」

「おまえのところの司令官がうるさく言うものでね」

二時間前、セイチャンは二人の女の子とともに、壁を背にして立たされた。射殺されるものと半ば覚悟したものの、新聞を押しつけられただけで、ハリエットまでもその小さな手で新聞を持つように指示された。複数のタブロイド紙の言語がそれぞれ異なっていたのは、居場所をごまかすためだろう。セイチャンはそれに続いた写真撮影の意図を理解した。拉致《らち》された全員がまだ元気でいる証拠を用意するためだ。

写真でもその目的はある程度まで達成できるものの、静止画では元気かどうか確認できない人質がもう一人残っていた。

そのため、超音波検査が必要になったのだ。

セイチャンは気にしていなかった。最初にトイレで出血に気づいて以降、セイチャンは用を足すたびに便器をよく見るようにしていた。一時間に一度、トイレに行くと、必ず出血があった。血の量が増えているように思えるのは、恐怖のせいでそんな気がしているだけなのかもしれない。いずれにしろ、超音波検査の結果で赤ん坊が無事らしいとわかり、セイチャンは安堵《あんど》していた。

ただし、超音波検査にはほかの理由があることも理解している。

ヴァーリャもそのことに気づいていた。「クロウ司令官は時間稼ぎを企んでいるようだな」

セイチャンはいちいち否定したりしなかった。ハリエットが戻ってきてからずっと、頭の中で時間の計算を続けている。あれから八時間くらいが経過しているはずだ。しかし、残り時間はどのくらいあるのだろうか？　確かめる方法はないが、キャットへの無言の約束を守るためには、彼女の二人の娘を守り抜くためには、もっと急ぐ必要があるのは間違いない。

ヴァーリャは画面上で静止したままの赤ん坊の画像を消そうとするかのように手を振りながら、超音波診断装置に背を向けた。「いろいろと必死だな。どうやら司令官は私のミスを期待しているようだ。うっかり情報を漏らすのではないかと。だが、そんなへまはしない」

〈しないだろうな、この女は――〉

突然の腹痛がその考えを遮った。あまりの痛みにセイチャンの口からうめき声が漏れる。おなかの中の子供を守ろうとするかのように、セイチャンは反射的に体を二つ折りにした。枷が左右の手首と足首に食い込む。痛みは二呼吸する間、続いたものの、やがて治まり、セイチャンは再びベッドに横たわった。

「汚ねえな」見張りが不快そうに表情を歪《ゆが》めて毒づくと、牛追い棒でセイチャンの股間を指し示した。

セイチャンは怖くて見ることができなかった。検査のためにマタニティパンツは脱がされたものの、下着ははいたままだ。その薄いコットンの生地が血で濡れているのがわかる。ヴァーリャはいらだった様子で顔をしかめただけだ。「誰かにバケツを用意させろ。手枷と足枷を外した後で、自分できれいにさせればいい」

見張りは目をそらそうとしない。「赤ん坊はどうなんだ？」

「どうでもいい」ヴァーリャはポケットを軽く叩いた。「赤ん坊が生きているという証拠はここにある。少なくとも、検査時点では生きていた。我々にはそれで十分だ」

セイチャンはまだ激しい息遣いが治まらなかった。手足が小刻みに震えている。痛みよりも不安のせいだ。体を丸めた画面上の我が子を見つめる。

ヴァーリャが腕時計を確認した。「予定通りに進める。女の子を連れていくぞ」

セイチャンははっとしてヴァーリャの方を見た。その動きで枷がフレームに当たり、音を立てる。

セイチャンの動揺に気づいても、ヴァーリャは表情一つ変えない。「あまり興奮するな。血圧が上がると体によくないぞ」続いて左右の脚の間を顎でしゃくる。「おまえの子供にも。そうだろ《ダー》?」

「何をするつもりだ?」

ヴァーリャが頰《ほお》をぬぐうと、変装用のメイクの一部が手のひらに付着した。「ブライアント大尉のもとから戻ってきたところだ」

〈キャット……〉

「どうやら容体があまり芳しくないようだ。時間の問題といったところだな」ヴァーリャが肩をすくめた。「それはともかく、病院では電話を使用中のドクター・カミングズに忍び寄り、通話情報を盗み出してやった」

セイチャンはクロウ司令官の妻のリサ・カミングズのことを思い浮かべた。少なくとも、キャットは一人きりでいるわけではない。しかし、ヴァーリャは何が目当てで病院に忍び込んだのか?

「なぜ彼女の電話の情報が必要なんだ?」

ヴァーリャが再び肩をすくめる。「どうにも頑固な人間がいるし、こちらの本気度を納得してもらう必要があるんでね」

セイチャンは懸命に頭をひねったものの、その意味を理解できなかった。

ヴァーリャが隣の男を肘でつつき、女の子たちの方を顎でしゃくると、ロシア語でさっきの命令を繰り返す。

ハリエットはロシア語を理解できないものの、二人の会話の意味は読み取ったらしい。絵本をしっかりと胸に抱きかかえ、ベッドの端に急いで移動する。

だが、ハリエットが心配する必要はなかった。

男はペニーをつかみ、肩に担ぎ上げた。少女がもがき、悲鳴をあげる。男は暴れるペニーを意に介さず、そのまま部屋から連れ出した。

セイチャンはハリエットの方を見たが、妹は枕に顔をうずめてしまっている。

ヴァーリャも部屋から立ち去ろうとする。

セイチャンは拘束具を引っ張った。検査が終わってからもなぜベッドにつながれたままだったのか、今なら理解できる。「これを外せ」

「もう少し後だ」ヴァーリャが言った。「あと、バケツも持ってきてやる」

金属音とともに扉が閉まり、ヴァーリャの背中が見えなくなった。

セイチャンはハリエットに向き直った。「きっと大丈夫――」

大きな銃声が聞こえ、セイチャンはびくっと体を震わせた。

ハリエットがなおも深く枕に顔をうずめる。

セイチャンは閉じた扉を見つめた。キャットとの約束を守ることはできなかった。

〈ごめんなさい、キャット〉

午後六時四十七分

リサはベッド脇に腰掛け、友人の手を握っていた。部屋にはほかに誰もいないので、人目をはばかって流れ落ちる涙をぬぐう必要もない。キャットが今は安らかであることを祈るばかりだ。この女性が最後にどれほど苦しんだか、痛いほどよくわかる。自分の子供たちの運命を知らないまま死ぬつらさなど、想像することすらできない。

リサは罪悪感に苛《さいな》まれていた。

〈もっとできることがあったはずなのに〉

そう思うものの、医師たちを責めることはできない。ジュリアンと彼のチームはあらゆる手を尽くしてくれた。最終の神経内科的な検査にはたっぷり二十分の時間をかけた。

キャットの手足や頬をつまんだり、瞳孔《どうこう》に光を当てたり、脳波計の複数の電極を試したり。二酸化炭素濃度が上昇すれば一回だけでも自発的な呼吸が見られるかもしれないと、しばらく人工呼吸器を外したりもした。

結果は受け入れざるをえなかった。

キャットは高次脳機能が停止しているだけでなく、脳幹反射も見られなくなっていた。脳死の宣告はこの活動の有無が基準になる。

本当に、キャットは去ってしまったのだ。

それでも、リサは手の中にあるキャットの指のぬくもりを感じていた。だが、それも人工的な効果でしかない。加温ブランケットと温かい点滴のおかげで一定の体温が保たれているだけなのだ。同じように、人工呼吸器の力でキャットの胸は上下している。もはや脳にはできなくなった機能の代わりとして、ホルモンが注射されている。腎臓を維持するためのバソプレッシン、代謝のための甲状腺《せん》ホルモン、免疫系を支えるためのそのほかのホルモン。

独力で機能しているのはキャットの心臓だけだった。持ち主の女性と同様に、あきらめるという言葉を知らない。心拍を作り出しているのは心臓が持つ電気系統だが、それも本来と比べればわずかな力が残っているにすぎない。ただし、それは生きている兆候ではない。心臓は体外に摘出されても、しばらくの間ならば動き続ける。人工呼吸器を外せば、キャットの心臓は一時間以内に停止するだろう。

医師たちは「生命維持」という言葉を使う。だが、それは間違いだ。ここにもはや維持するべき生命はないし、蘇生する望みもない。こうした機器や処置は、すべてほかの目的のため。キャットの状態を表す正しい言葉は「臓器維持」だ。

そのような治療をすることで、遠方に暮らす親族がまだ体内に命と呼べるようなものが残っている間に病院を訪れ、最後のお別れを伝えるための時間の余裕ができる。

けれども、それは残酷な偽装にすぎない。人の命を操るむごい行為にすぎない。

愛する人はもうそこにはいないのだから。

モンクには行き先が変更になってフランスに向かっている途中に、キャットの容体が伝えられた。医学の知識があるモンクは、自分をだましたりしなかったし、淡い期待を抱いたりもしなかった。それでも、リサはモンクが帰国するまでキャットを生命維持装置につないでおくと申し出た。一週間くらいならば生けるしかばねの状態を保てる。

モンクは提案を拒んだ。

〈安らかに眠らせてやってくれ〉モンクはそう言っていた。〈もう別れのキスはすませた。あれが最後になると覚悟していた〉

そのため、今こうした処置をしているのにはほかの理由がある。

医師が一人、部屋に入ってきた。リサは名前を思い出せなかった。看護師二人と用務員一人を従えている。「ORの準備ができた」医師が伝えた。

嗚咽《おえつ》が漏れてしまいそうで声を出せず、リサはうなずいて返事をした。立ち上がり、最後にもう一度だけキャットの手を握り締めると、ベッドの脇から離れる。入れ替わりに医療スタッフたちがベッドのまわりに集まり、患者を手術室へ移す準備のために管やコードを外し始めた。

キャットは臓器提供関係の書面にサインしていた。

驚くようなことではない――いかにもキャットらしい。

死んでもなお、キャットは他人の命を救うつもりでいたのだ。

リサはキャットの体が運び出されるまで部屋にとどまっていた。その後も部屋から出ず、再び椅子に座り込む。運び出されるずっと前に、キャットがもういなくなってしまったことは理解していたつもりだ。けれども、部屋はさっきまでよりもはるかにがらんとして、空っぽに感じられる。活気とエネルギーに満ちていた存在が失われ、その後にぽっかりと隙間ができてしまったかのようだ。

悲嘆のあまり動くことができず、リサは無言のままその場に座り続けた。

外から物音が聞こえ、扉の方に視線を向ける。

ジュリアンが急ぎ足で病室に入ってきた。もう一人、見知らぬ女性がいる。神経内科医は室内を見回した。「キャスリンはどこだ？」

リサは立ち上がった。ジュリアンの不安げな表情に、心臓が早鐘を打つ。「ＯＲに連れていかれたけれど。臓器の摘出――」

ジュリアンはすぐに踵《きびす》を返した。「中止させなければならない」

21

十二月二十六日　中央ヨーロッパ時間午前一時八分
フランス　パリ

グレイは首をすくめて壊れたアーチ状の入口の下をくぐった。

カタコンブ内の移動を始めてから十五分が経過したところだが、すでに方向感覚を失ってしまっている。トンネルや落書きだらけの部屋から成る迷路を先頭に立って進んでいくのはシモンで、今にも崩れそうな抜け穴——ガイドの言葉を借りれば「キャットフラップ」をくぐりながら、次第に地下深くへと潜っていく。来た道を引き返さなければならないこともあり、シモンは落盤があったせいだとつぶやいていた。

シモンが歩きながら×印や矢印をチョークで記入してくれるので、帰りにはそれを頼りに進むことができる。だが、それまではガイドのそばから離れるわけにはいかない。

一行が持つ唯一の明かりは紫外線のペンライトで、グレイはそれをシグ・ザウエルの銃身の下部に装着していた。周囲に当たって跳ね返る肉眼では見えない光を、暗視スコープの繊細な検知器が拾ってくれる。そのおかげで視界が利くものの、グレイはペンライトの使用をなるべく控え、スイッチを入れる時もいちばん弱い設定にした。紫外線を浴びた蛍光性の物体が光を発すれば、何者かが近づきつつあると敵に知らせてしまいかねない。

今もそうだ。

次の部屋に入ったグレイがかがめていた体を伸ばした時、向かい側の壁が暗視スコープの中でまばゆい光を発し、石灰岩の壁面いっぱいに描かれた巨大な壁画が姿を現した。こうした地下の芸術作品はそれまでにも何度か目にしていたが、これほどまでの傑作が暗闇に隠れていたのを発見したのは初めてだ。紫外線を浴びた作品がゆらゆらと輝いている。

壁画には小舟に乗ったミイラが自らの棺《ひつぎ》を運ぶ様子が描かれていた。船と物静かな乗客は暗い湖上を横切っているところで、その進む先にある見上げるような高さの島にはイトスギが生えており、墓地を思わせる入口が彫られている。

「これがいいことの前兆だとは思えないぜ」コワルスキが不機嫌そうにつぶやいた。

「これはローンという名のカタフィルの作品だよ」シモンが小声で説明した。「制作にかかった時間は丸一年。アルノルト・ベックリンの『死の島』を彼なりに解釈して描いたものなんだ」

グレイは壁画の下に記された文字を読んだ。

IN GIRUM IMUS NOCTE

★

ET CONSUMIMUR IGNI

回文になっていて、前から読んでも後ろから読んでも同じ内容になっている。予言的なそのメッセージは不気味で、行間の星印からすらも寒気を覚える。五つの頂点を持つ星は、ブルシャス・インターナショナルの記号と同じだ。傾いた角度までもが一緒で、記号がグレイたちのこの先の道のりを示しているかのようにも見える。

またしてもグレイは、運命が自分のまわりで渦を巻いているかのような不思議な感覚にとらわれた。

シモンがグレイの視線に気づいたらしく、声に出して回文の意味を翻訳した。「我々は夜中にぐるぐる回る、炎に焼き尽くされながら」

グレイは顔を上に向け、はるか頭上で燃えている大火のことを思い浮かべた。このカタコンブの中の空気はひんやりと湿っていて、石灰岩の表面も結露ができるほど冷たい。火災が発生していることを示す唯一の証拠は、よどんだ空気の中に時折うっすらと煙が漂っていることくらいだ。何度かそんな煙の中を抜けた時には、ほのかな灰のにおいと、かすかな熱を感じた。死者の魂が逃げ場を求めてこの冷たい墓地まで下りてきているかのようだった。

「行こうぜ」モンクが促した。

グレイは先に進むようシモンに合図した。

四人は一列になってさらに奥を目指した。

数分後、前方にぼんやりとした輝きが現れた。敵が近くにいるのではないかと思い、グレイは紫外線灯のスイッチを切った。だが、そんな用心は不要だった。天井に直径一メートル弱の穴が開いていて、真上に通じている。約五十メートル頭上では、暗視スコープによって増幅されたオレンジ色の小さな光が超新星のような輝きを放っていた。グレイが暗視スコープの増幅機能を切り、望遠機能を使って穴をのぞき込むと、マンホールのふたの裏側が見える。鋼鉄製のふたに開いた隙間から、地上の火災の光が差し込んでいた。

シモンはこの石灰岩の井戸を形成するこれといった特徴のない垂直の壁を指差した。

「一八七〇年頃、モンパルナス墓地は手狭になって、死体であふれかえっている状態だった。場所を空けるために、墓守りたちは王の命令で古い骨を昔からの採石場に投げ捨てたんだ。今、僕たちが立っているのがそこだよ」

シモンは再び歩き出すと、その証拠として周辺に散乱する骨を指差した。大腿骨《だいたい》、肋骨《ろっこつ》、割れた頭蓋骨などがある。一行は足の踏み場に注意しながら骨の間を進んだ。

「この中では博物館にあるみたいに人骨を薄気味悪く陳列したりしない。こんなところでは誰もそこまで手をかけないからね」

コワルスキが脇のトンネルを指差し、彼にとってのささやき声で問いかけた。「だったら、あれを組み立てたのは誰なんだ？」

トンネルの突き当たりには黄色く変色した骨でできた王座が飾ってあった。座面には肋骨が並び、背もたれは大腿骨が支えていて、頭蓋骨が肘掛けの代わりになっている。

「人間の手によって作られたものだと思いたいところだね」シモンが肩をすくめた。「でも、いろいろな噂話を耳にするから」骨がひとりでに動いて……」

コワルスキが身震いして、グレイをにらみつけた。「おまえと一緒に地下に潜るのはこれが最後だからな」

グレイは先に進むよう全員に合図したが、注意を促すのも忘れなかった。「マラが特定した地点に近づきつつあるはずだ。ここからは言葉を発しないように」

地下では音が響きやすいことを警戒していた一方で、グレイはここまでは比較的安全だと感じていた。ずっと聞き耳を立てていたものの、これまでのところは反響音や人の声など、ほかにも地下に誰かがいることを示す兆候はまったくうかがえなかった。

〈俺が聞こえないならば、向こうにも聞こえていないはずだ〉

しかし、その状況はこの瞬間にも変わるかもしれない。

そんな中、グレイにはある不安がつきまとっていた。敵がすでに地下から脱出していたとしたら？　パリを炎上させたクルシブルにとって、ここに長くとどまっている理由はないはずだ。

そのことを意識しつつ、グレイは進む速度を上げた。無言で歩きながらさらに数分が経過した後、シモンが不意に立ち止まった。グレイは危うくガイド役の背中にぶつかるところだった。

前方のトンネルの幅が狭くなっているが、そのことが問題なのではなかった。床一面が太腿《ふともも》くらいの高さまで古い骨で覆われていて、その状態が三十メートルほど続いている。

だが、シモンが足を止めた理由はそれでもなかった。

ガイドはそのさらに先を指差した。左側に小さなトンネルの入口が見える。その奥から白っぽい光がこちらの通路内に差し込んでいて、暗視スコープを通して見るとかなりの明るさがある。

グレイは暗視スコープを外し、バックパックにしまった。モンクとコワルスキもグレイにならい、武器を持つ手に力を込める。モンクが携帯しているのもシグ・ザウエルだ。コワルスキの馬鹿でかい手の中では、ブルパップ式のアサルトライフルも子供のおもちゃのように見える。

事前の計画通り、シモンだけが暗視スコープを装着し続けている。

グレイはトンネルの後方を指差した。シモンの任務はこれで完了だ。この若者は武器を扱った経験がないし、民間人を危険にさらすわけにもいかない。

シモンに対して指示を繰り返す必要はなかった。暗がりを引き返していくガイドの姿は、数歩も進まないうちに見えなくなった。

シモンが立ち去ると、グレイは床に骨が積まれた前方のトンネルに注意を戻した。時折、小声がここまで届く。ほんのかすかな声で、内容までは聞き取れない。だが、相手がクルシブルだということに疑問の余地はなかった。

グレイは前方に広がる頭蓋骨や砕けた肋骨や折れた大腿骨をじっと見つめた。この不気味な連なりは偶然の産物なのだろうか、それとも意図的なものなのだろうか？　いずれにしても、敵にとっては原始的な早期警報システムとしての役目を果たすことになる。一歩でも間違えれば、たとえ一度だけでも骨の砕ける音が響けば、グレイのチームは不意打ちという優位を失ってしまう。

グレイは固唾をのんで片脚を前に伸ばし、ブーツの先端で骨を少しずつ動かしていき、つま先が床に触れると慎重にかかとを下ろした。

ため息が漏れる。

〈まず一歩……〉

グレイは前方のトンネルの先を見ながら、残り時間が少なくなりつつあることを強く意識した。だが、そんな重圧を振り払い、ゆっくりと慎重に足を踏み出して前に進み続ける。

唯一の救いは、頭上の火災がここまで届いていないことだ。

〈だが、敵はそれ以上のどんな被害をもたらそうと企んでいるのか？〉

午前一時二十四分

トドルはタブレット端末の画面上の地形図を凝視した。表示されているのはセーヌ川流域の盆地で、数多くの支流や谷を吸収したセーヌ川がパリ市内を貫通し、英仏海峡に注いでいる。

トドルは南東にあるノジャン＝シュル＝セーヌというコミューンに目を留めた。小さなコミューンの原子力発電所はセーヌ川沿いに位置している。炉心溶融――メルトダウンを起こして爆発すれば、風が放射能雲を広範囲に拡散させる。また、原発からの流出物が隣接する河川を汚染するので、セーヌ川は有毒な荷物をパリの中心部まで運ぶ格好の輸送手段になる。

ラップトップ・コンピューターの前にいるメンドーサが体を起こした。「うまくいきました、ファミリアレス・トドル」

トドルはタブレット端末を下に置き、部下のもとに歩み寄った。

「最後のファイアウォールを突破したところです」メンドーサが報告した。「彼女は計画通りに作業を進め、システム内に侵入しています」

トドルは腕時計を確認した。「彼女の作業が終わるまで、あとどのくらいかかるのだ？」

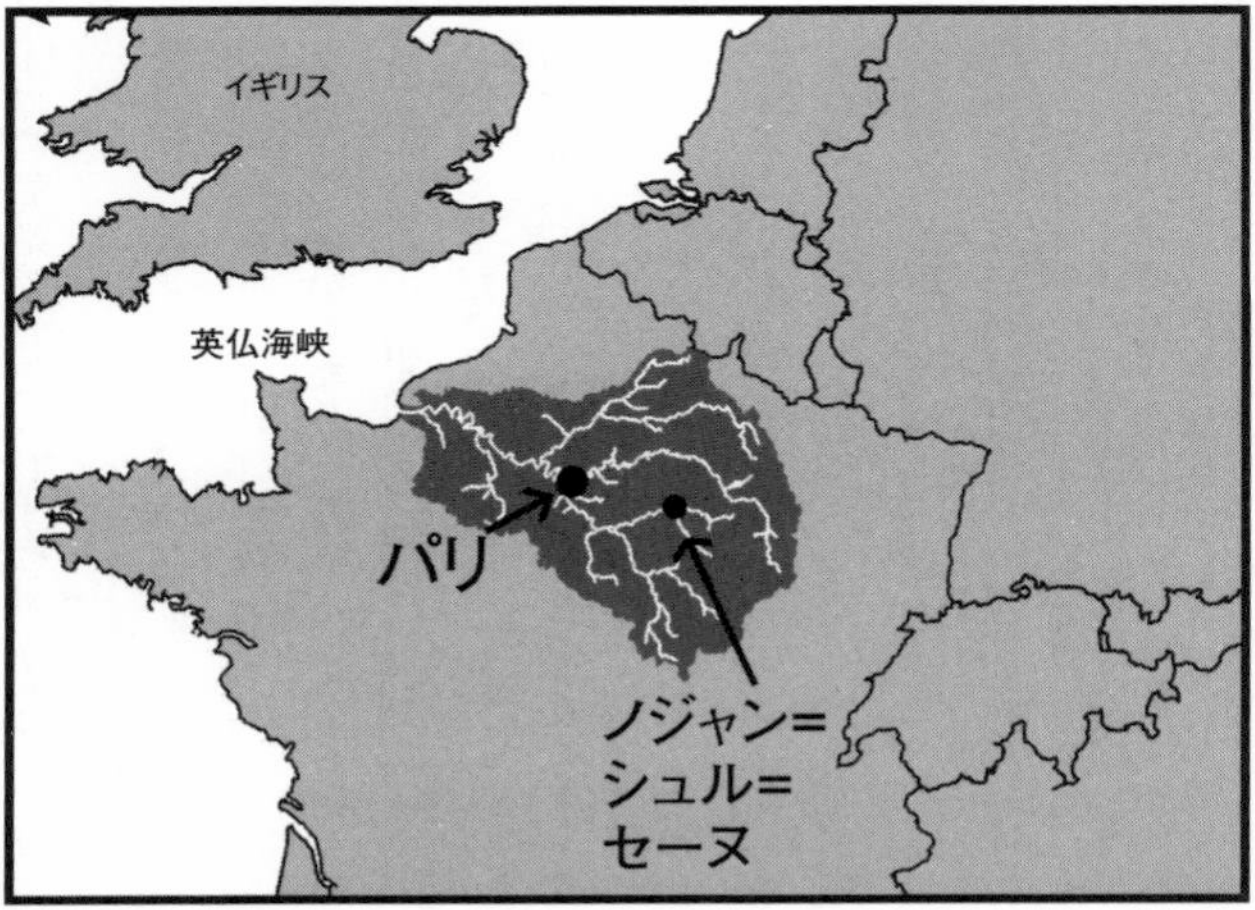

「間もなくわかると思います。あいにく、原発の方がパリのシステムよりも厄介だったようです。市のシステムを先に攻撃させたのが、結果的にはよかったということになりますね——陽動作戦としてだけでなく、予行演習としても」

「どういう意味だ？」

「パリは簡単な練習問題でした。審問長はイヴにパリで腕試しをさせる方がいいと考えていたんですよ。まずはより古くて守りも甘い市のシステムに挑ませる方が賢明だと」

「その次に彼女を南に送り込んだ」

メンドーサはうなずいた。「うまくいきましたよ。彼女は急速に学習しています」

トドルは軽いいらだちを覚えた。まだ謁見したことのないメンドーサに対して、クルシブルのリーダーが計画のそんな具体的な話までしていたとは。この部下はまだファミリアレスの称号すら得ていない下っ端だというのに。トドルは審問長が原子力関係の専門家の助言を仰いだことは聞き及んでいた。ノジャン原子力発電所の制御システムに詳しい人物だったという話だ。その結果、複数の角度からの攻撃が立案された。ＡＩの汎用性《はんよう》とスピードをもってすれば、幾重にも張り巡らされた原発の安全対策であろうとも、改竄《かいざん》したり機能を停止させたり、あるいはすり抜けたりすることが可能だとの結論に達した。

計画では同時に二つの不具合を発生させることになっている。冷却装置の停止と、圧力の上昇だ。十分な冷却が行なわれないと、原子炉が過熱され、炉心に蒸気の泡が生じる。

圧力制御システムが正常に働かなければ、巨大な泡が急速にふくれ上がり、水蒸気爆発に至る。爆発は鋼鉄で補強された原子炉格納容器を吹き飛ばす威力がある。

コンピューターから大きなチャイムの音が聞こえ、二人はそちらに注意を向けた。重なり合ったいくつものウィンドウにはメンドーサにしか理解できないコードが次々に表示されていたが、それが一瞬にして消える。画面上には再び闇のエデンの園が表示された。

「彼女の作業が完了しました」メンドーサが報告した。「ここから先は連鎖的に発生する異常を止める術がもはやなく、完全なメルトダウンに至ることになります」

トドルは腕時計で時間を確認してから、頭の中のタイマーを作動させた。ここから先は原発の爆発まで九十分しか残されていない。トドルは床に置いたタブレット端末を手に取り、パリからの脱出のためにあらかじめ決めておいた地点で合流するようヘリコプターに指示を送った。

背後で息をのむ音が聞こえた。

トドルが振り返ると、メンドーサが体を折り曲げるようにしてコンピューターの画面をのぞき込んでいる。

画面上の庭園内に再び現れた人物は、炎の鎖につながれてもがいていた。イヴがちらちらと揺れていて、輪郭がぼやけては鮮明になるを繰り返しているので、その姿は火と影が怒りをあらわにして荒れ狂っているかのように見える。まさに炎に包まれた死の天使だ。

「彼女は戻ることに抵抗している」メンドーサが小声でつぶやいた。その声からは畏怖《いふ》の念が聞き取れる。

トドルにとってはもはやどうでもいいことだった。「すべて遮断しろ」トドルは指示した。「ヘリコプターの迎えが来るまでに――」

「バキッ」という甲高い音が後方のカタコンブの奥深くからこだました。墓場の静けさの中だと銃声のような大きさに聞こえる。トドルは後ろを振り返った。周囲にはほかに四人の部下を配置してある。物音を立てるなという指示は徹底させている。カタコンブには時に危険を顧みずに入り込む連中がいると、またはそうした不法侵入者を追い出そうとして警察が見回ることもあると、事前に聞かされていた。

だが、これほどまで奥深くを訪れることはまずないはずだ。

〈ほかの何者かがここにいる〉

心臓の鼓動が速まるのを意識しながら、トドルは警戒してタブレット端末を床に置き、アサルトライフルを手に取った。イギリスで開発されたL85で、ヘッケラー&コッホのグレネードランチャーが装着されている。トドルは空いている手でイヴが収納されているシェネセを指差した。ひとまず目的は果たしたものの、この戦利品を失うわけにはいかない。次に計画されていることを考えればなおさらだ。

「今すぐに遮断しろ」トドルは命令した。「移動の準備をしておけ」

「しかし――」

トンネルの方から聞こえた新たな音がメンドーサの言葉を遮った。

今度は銃声のような音ではなかった。

銃声そのものだ。

午前一時三十分

グレイはコワルスキの馬鹿でかい足を恨めしく思った。トンネルを半分ほど移動したところで、最後尾を歩く大男がバランスを崩し、黄ばんだ大腿骨をかかとで踏みつけて折ってしまったのだ。

全員がその場に凍りつき、息をのんだ。

〈敵に聞かれただろうか？〉

その疑問への答えは、脇のトンネルから差し込む明るい光と、複数の動く影という形でもたらされた。グレイは骨の間に置いたつま先でバランスを取りながら姿勢を落とし、トンネルの奥から姿を見られまいとした。

そうはうまくいかなかった。

銃声がとどろく――耳のすぐ近くを一発の銃弾が通過した。

「うっ」というモンクの苦しそうなうめき声が聞こえた。

素早く後方に視線を向けると、友人が壁にもたれかかった姿勢になっていて、いまにもその場に座り込んでしまいそうだ。その向こうにいるコワルスキはトンネルの真ん中で仁王立ちしていて、すでに武器を構えている。

〈くそっ、待て――〉

グレイは床に積まれた骨の間に突っ伏した。暗がりの中でアサルトライフルが怒りの銃声を発する。コワルスキは壁にもたれたモンクと床の上のグレイに気をつけながら、脇のトンネルの入口を目がけてライフルを乱射した。銃弾が石灰岩に当たって火花を散らしながら跳ね返る。

「行け！」弾倉に込められていた弾を撃ち尽くすと、コワルスキが吠《ほ》えた。

グレイはすぐに立ち上がり、銃弾の後を追うように低い姿勢でトンネルが交差する地点まで突進した。骨を踏みしめながら入口の手前で立ち止まり、頭を突き出してその先の様子をうかがう。男が一人、ぴくりとも動かず床に倒れていた。銃弾の雨と跳ね返った弾を浴びて血まみれの状態だ。トンネルの奥に逃げる別の人影が、その先にある明るい部屋をバックに浮かび上がっている。

この優位を逃すまいと、グレイはシグ・ザウエルの狙いを影の中心に定め、引き金を三回引いた。影がよろめき、床に倒れる。

　傷を負っているモンクもすぐグレイに追いつき、トンネルの入口を挟んだ反対側に陣取った。武器をトンネルの奥に向け、グレイに向かってうなずく。

　モンクが援護してくれると信じて、グレイはトンネルの先に急いだ。体を横向きにして、左側の壁に背中がこすれるような姿勢で進んでいく。シグ・ザウエルはずっと構えたままだ。

　別の影が見える。

　後方からモンクが発砲した。叫び声とともに影が横に動いた――それとほぼ同時に、グレイは悲鳴が聞こえた方に狙いを定め、引き金を引いていた。頭が後方にがくんと傾き、影が床に倒れる。

　グレイはトンネルの終わりまで走り、危険を承知のうえでその先の部屋をのぞいた。低い天井を支える石柱が林立しているため、視界が遮られる。それでも、向かい側に並んだコンピューター機器と、ふたの開いた運搬用の金属ケースが確認できる。動きがあったことに気づき、グレイは視線を左手に向けた。出口に向かう痩《や》せた男性が運んでいるのは鋼鉄製のフレームで、その中にはガラスとチタンでできた球体が収められている。

　グレイはその独特のデザインからすぐにわかった。

　マラのシェネセだ。

持ち去られるわけにはいかないと判断し、グレイはトンネルから飛び出すと、シグ・ザウエルを構えた。だが、引き金を引くよりも早く、別の人影が現れ、グレイの狙いを遮った。コワルスキのより凶悪な兄とでも形容するのが似つかわしい巨漢だ。男はライフルを構えていた。

二人の目がそれぞれ相手の武器を確認する。

脅威を認識したグレイは、素早く威嚇《いかく》目的で発砲してから、急いでトンネルに戻った。すぐそこまで来ていたモンクにぶつかりながらも、友人をトンネルの奥に押し戻す。

「戻れ、戻るんだ」

相手のライフルにはグレネードランチャーが――

爆風で二人の体は床に飛ばされた。砕けた石が周囲に降り注ぎ、それに続いて煙と粉塵《ふんじん》が一気にトンネル内になだれ込む。

耳が聞こえず朦朧《もうろう》としながらも、グレイは四つん這《ば》いでトンネルの出口まで戻った。奇跡的にもそのあたりは無傷のままだ。煙幕の向こうの部屋にはもう誰もいない。敵は逃げてしまったのだ――マラの装置を持ったまま。

グレイは悪態をつきながら立ち上がった。

モンクとコワルスキもグレイのもとにやってきた。

グレイは大男に対して部屋の向かい側に行き、もう一つの出口を見張るように合図した。続いてモンクを見る。フライトジャケットの袖の二の腕のあたりが裂けていて、その奥には血に染まったダウンが見える。

「大丈夫か？」グレイは訊ねた。

「ほんのかすり傷さ」モンクの目は室内に向けられていた。石柱のうちの一本が煙を噴き上げる瓦礫《がれき》と化している。「おまえが先に発砲してあいつの狙いが外れたから助かったよ。擲弾《てきだん》がトンネル内に飛び込んでいたら――」

　破壊された石柱の上部はまだ天井にくっついていたが、それが剝がれて床に落下した。天井のその部分から外側に向かって大きな亀裂が走る。

「うまく狙いが外れたわけではなかったのかもしれない」グレイは言った。「あいつはこの部屋をつぶしてしまおうと考えていたんじゃないだろうか」

〈そうだとしたら、なぜだ？〉

　不安を覚えながら、グレイは部屋の向かい側に急いだ。右手の奥にはコンピューターをはじめとした電子機器が並んでいるが、ほかの石柱のおかげで爆発の大きな被害は受けていないようだ。膝くらいの高さのあるタワー型サーバーが爆風で横倒しになっていた。何本ものケーブルがぶら下がっている。奪われた装置はそのケーブルにつながっていたのだろう。一本のケーブルはテーブルの上に放置されたラップトップ・コンピューターに接続されたままだ。

明るい光が目に留まり、グレイは数歩離れたところにある別のテーブルに近づいた。そこにもラップトップ・コンピューターがあり、粉塵にかすむ中で画面が輝いている。映し出されているのは陽光の降り注ぐ森で、花の咲いた空き地に一人の女性が立っていた。ひとまずはその映像を無視すると、グレイは身を乗り出してテーブルの奥をのぞいた。床の上の何かがより明るい光を放っている。

五角形のガラス窓からあふれる青い輝きが、新たな球体を示していた。さっきグレイが目にした球体と同じ形をしている。

もう一つのシェネセだ。

グレイはコワルスキが見張っている出口の方を見た。

〈何者かが複製を作ったに違いない〉

たとえ複製であろうとも、敵にそんな装置を持ち逃げさせるわけにはいかない。機器の近くにやってきたモンクも、丸めた手袋で傷口を押さえながら、不安そうな表情を見せている。

「どうする？」モンクが訊ねた。

「おまえはここに残ってくれ」グレイは相手の反論が返ってくるより先に続けた。「これを守ってほしい。間違った人間の手に落ちることがあってはならない」

モンクは顔をしかめたものの、うなずいた。ここにあるものの重要性は認識してくれている。

グレイはコワルスキのもとに向かった。「さっきのやつらの後を追うぞ。もう一つの装置を持ち逃げされるのは阻止しなければならない」

「気をつけろよ」モンクが二人に声をかけた。

グレイがコワルスキとともにその場を離れようとした時、大きな負荷がかかった岩盤のうめき声とともに、天井の亀裂の幅が広がった。グレイは振り返り、モンクと視線を合わせた。

〈そっちもな〉

22

十二月二十六日　中央ヨーロッパ時間午前一時四十三分
フランス　パリ

〈すべて私のせいだ〉

マラは救急ヘリコプターの後部の窓から外を眺めていた。立ちこめた煙がローターによって攪拌《かくはん》され、その合間から炎上する大都会の様子を見通すことができる。垣間見えるのは地獄のような光景だった。随所で炎が荒れ狂っている。建物は炎に包まれ、車は道路で身動きが取れずにいる。小さな人影が右往左往しながら逃げ場を探している。

機体の後方に見えるオレンジの本社ビルは燃える松明《たいまつ》と化していた。建物を取り巻く炎がゆっくりと上昇しながら一フロアごとに焼き尽くしていて、その後に残るのは煙を噴き上げる残骸だけだ。

数分前、オレンジのビルに飛来した救急輸送機が屋上のヘリパッドに着陸した。ヘリコプターが派遣されたのは、ジェイソンが半ば取り乱しながらも衛星電話で上司に救助を要請してくれたおかげだ。ジェイソンは建物内に閉じ込められた自分たちの状況とともに、イヴの次のターゲットのことも伝えた。

〈ノジャン原子力発電所〉

幸か不幸か、その知らせはジェイソンの上司にとって新しい情報ではなかったようだ。サイバー攻撃を受けてすでに厳戒態勢が敷かれていた原発には、メルトダウンの危機が迫っていた。施設とその周辺一帯には避難命令が出されているという。マラは不気味なサイレンの音が鳴り響く中、パニックに陥って真夜中に逃げ惑う住民たちを想像した。

マラも短い時間だったがクロウ司令官と会話し、手遅れにならないうちに施設の制御を奪い返すための唯一の手段は、彼女のＡＩ――イヴを使ってサイバー攻撃での原発への被害を修復することだと伝えた。たとえメルトダウンを止められなかったとしても、影響を最小限に抑えることが可能かもしれない。

このわずかな望みのおかげで、マラたちの救出手段がすぐさま手配されたということらしい。

けれども、装置を確保できなければ、すべては水の泡となる。

「あそこだ！」操縦士の隣に座るジェイソンが叫び、下を指差した。

マラはもっとよく見ようとガラスに顔をくっつけた。前方には壁で囲まれた広い墓地が見える。これまでのところ、モンパルナス墓地は火災の被害を免れているが、墓石や納骨堂の間にある一本の木だけが、神の祝福から見放されたこの夜を照らすろうそくのように燃えていた。

しかし、墓地にまで被害が及ぶのも時間の問題だ。

奥の壁の先ではすべてが炎に包まれている。一・五キロは離れているのに、熱によって発生する上昇気流の影響で、機体が上下に揺さぶられる。装着したヘッドホンでヘリコプターのエンジン音がほとんど遮断されているのに、マラはこの世のものとは思えない炎の咆哮《ほうこう》が聞こえるような気がした。

それでも、その大火に向かって突っ込むよりほかない。

カーリーがマラの手をしっかりと握っていた。ヘリコプターの高度が下がったり、機体の角度が傾いたりするたびに、握り締めるその力が強くなる。カーリーはもう片方の腕でSSDの入ったチタン製のケースを、あたかもそれが救命具であるかのように抱きかかえていた。救急輸送機が煙に包まれた通信会社のビルの屋上に着陸した時のカーリーは、ヘリコプターに乗り込むよりも炎に包まれたビルにとどまっている方が安全かもしれないと本気で考えているように見えた。

ヘリコプターがベイリー神父とシスター・ベアトリスをビルの近くの公園で降ろした時も、カーリーは外に出る二人のことをうらやましそうに見つめていた。神父はフランスの情報機関にコネがあるらしく、二人のヴァチカンのスパイのために装甲車のような車両が手配されていた。ヘリコプターが再び離陸する頃には、車はすでにその場から走り去っていて、警告灯を光らせながら、がら空きの歩道を高速で飛ばしていた。

マラが下を眺めているうちに、ヘリコプターは墓地の上空に達した。機体が急に向きを変えたため、マラの体が投げ出されてカーリーにぶつかる。ヘリコプターが急速に高度を下げていく中で、操縦士は強風に機体を揺さぶられながらも懸命に安定を保とうとしている。

隣に座るカーリーが体をこわばらせ、マラの手をつかむ指が万力のような強さで握り締めてくる。マラは友人を抱き寄せた。

〈頑張って、あと少しだから〉

無線を通して操縦士とジェイソンの会話が聞こえてきた。「それで、どこに着陸すればいいんだ？」

ジェイソンは衛星電話を膝の上に置き、ピアース隊長からの信号が途絶える前の最後の位置をＧＰＳで確認していたが、やがて南東の方角を指差した。「あそこだ。壁からそれほど離れていないあたり」

ヘリコプターは機体を傾け、その地点に向かって旋回した。着陸するとすれば、隙間なく連なる墓石の間の小さな草地くらいしかない。操縦士は操縦桿《かん》と格闘しながら小さな目標の真上に移動した。

機体がホバリングし、回転し、高度を下げる。

隣でカーリーがうめいた。「着陸しようが墜落しようが、どっちでもかまわない。さっさと終わらせて」

その言葉が操縦士に聞こえたかどうかはわからないが、ヘリコプターが地面に向かって急降下した。突然の変化にマラでさえも息をのむ――次の瞬間、スキッドが激しく草地にぶつかった。

ジェイソンがヘッドホンを勢いよく外した。「みんな、外に出ろ」

三人は急いでヘリコプターを降りた。カーリーは早く脱出しようとするあまり、マラの体によじ登りながら外に出るほどだった。衛星電話を手にしたジェイソンが先頭に立ち、墓石や墓標が連なる中を進んでいく。操縦士はヘリコプターで待機し、装置が確保できたら再び全員を安全な場所まで運ぶ手筈《てはず》になっている。

問題は装置を確保できるかどうかだ。

連絡が取れないため、ピアース隊長たちの任務が成功したかどうかはわからない。カタコンブへの入口で待ち、ほかの人たちが戦利品を確保して戻ってきたら、すぐにヘリコプターでここから脱出するという計画だ。ほかの離れた場所で待つという選択肢はない。ほんの一分や二分の差が、サイバー攻撃の阻止と完全な破滅との分かれ目になりかねない。

三人は煙でかすんだ墓地の中を足早に移動した。熱い灰が周囲に降り注いでいる。急降下したヘリコプターが巻き起こした風にあおられて、墓地の各所で新たな火災が発生していた。マラは腕で鼻と口を覆った。それでも熱気が肺に侵入し、煙で目がかすむ。

ようやくジェイソンがかすれた声で知らせた。「あの場所に違いない」

三人は今にも崩れ落ちそうな石灰岩の霊廟に駆け寄った。錆びついた扉が半開きになっている。三人が近づくと、扉が内側から押されて全開になった。

三人ともびっくりして後ずさりする。

人影が一つ、開口部を抜けて外に転がり出た。昆虫の目を思わせる暗視スコープを外したその男性も、出迎えの人たちがいることに驚いている様子だ。

「シモンかい？」ジェイソンが声をかけた。

マラはオレンジのコンピューター・セキュリティ対策チームの代表者に駆け寄った。「隊長は……ピアース隊長は地下で何か見つけたの？」

シモンがうなずいた。「そうだと思う。間違いなく誰かが下にいた」

〈クルシブルなのだろうか？〉

マラは不安な面持ちでジェイソンと顔を見合わせた。

「それで、何が起きたの？」カーリーが片腕でケースを抱えたまま問い詰めた。

シモンは首を左右に振り、霊廟の方を振り返った。「わからない。僕は戻るように言われたから」

マラは地下に通じる真っ暗な入口を見つめた。

〈だったら、地下ではいったい何が起きているの？〉

午前一時五十五分

墓地のはるか地下にいるグレイは、トンネルが交差する箇所で立ち止まった。カタコンブのこの一角は以前に浸水したらしく、最も深いこのあたりに雨水がたまっている。氷のように冷たい水は膝の深さにまで達していた。

グレイは紫外線灯で前方を照らしながら、暗視スコープを通して三方向に分かれるトンネルを調べた。〈あいつらはどっちに向かったんだ？〉

グレイはそれぞれのトンネルを光で照らした。右手および中央の通路にたまった水は澄んでいて、石灰岩の床に散らばる人骨を見通すことができる。だが、左手のトンネルの水は舞い上がったシルトで濁っている。

〈泥の中に足跡が残っているようなものだ〉

グレイはその方角を指差し、再び歩き始めた。水の中を急いで進みながらも、できるだけ音を立てずに後を追う。曲がりくねった通路を進むうちに浸水した通路は終わり、再び乾いたトンネルに出た。グレイは地下で明かり取りの役割を果たしている場所の真下で立ち止まった。垂直な壁を持つ縦穴の一つで、はるか頭上のマンホールまで通じている。鋼鉄製のふたの隙間から差し込む光がさっきよりも明るいのは、パリ市内の火災が激しさを増しているためで、それを見たグレイは改めて急ぐ必要があることを思い知らされた。

火災の光の助けを借りて、前かがみになりながら床の上に残る濡れた足跡を調べる。靴底の模様は三種類。グレイは背筋を伸ばした。姿を確認できたのは二人だけだったが、逃げる途中でもう一人の部下と合流したのだろう。

グレイは再び歩き出したが、次第に濡れた足跡が乾き、見えにくくなる。進む速度が遅くなり、トンネルが交差する地点では時間をかけて床の上に残る手がかりを探す必要に迫られた。

ようやく遠くでこだまする足音が聞こえた。ささやき声のようなかすかな音だ。

相手を見失うわけにいかないため、グレイは危険を顧みることなくその方向に走り出した。角を曲がった先には壁画があり、銃身の下に装着した紫外線で明るく輝いている。次のトンネルの三十メートルほど前方には、地上に通じる別の縦穴に立てかけた木製の梯子があり、その下に三人の人影が固まっていた。そのうちの最も痩せた男はすでに梯子の段に足を掛けていて、片方の肩には装置の入ったフレームを担いでいる。

動く影が目に留まったのか、それとも床をこする足音が聞こえたのか、大男がグレイの接近に気づいた。グレイの方に武器を向ける。その脅威よりも問題だったのは、高感度の暗視スコープを通して目に飛び込んできたまばゆい光で、グレイはたまらず後ずさりして曲がり角を戻った。暗視スコープをはぎ取って姿勢を低くすると、角の先に顔を突き出し、まばたきをして網膜に焼きついた光の残像を取り除きながら、シグ・ザウエルを構える。

大男はすでに小柄な男を梯子の上に押し上げ、自分もその後を追おうとしていた。グレイは二回、引き金を引いたものの、男はジャンプして梯子に飛びつき、その両足はすぐに低い天井に隠れて見えなくなった。

トンネルに残ったもう一人が応戦し、通路に向かって乱射するので、グレイは後退を余儀なくされた。

息を切らしながら追いついたコワルスキがグレイの体をまたいだ。ブルパップ式のアサルトライフルを握ったまま、その腕を角の先に伸ばし、ひたすら撃ちまくる。フルオートのライフルの発砲音がすべての音をかき消したわずか四秒の間に、コワルスキは五十発すべてを撃ち尽くした。

誰一人としてそんな猛攻を生き延びられるはずがないので、グレイは身を隠していた曲がり角の陰から飛び出し、トンネルを走った。敵の死体を無視して梯子に突進する。地上までの距離は四十メートルから五十メートルはあるはずだ。

言い換えれば、かなりの距離がある。

グレイは走り続けた。敵との距離を詰めて接近戦に持ち込む必要がある。

〈あいつが危険を冒してまたあれを使う前に──〉

甲高い爆音がグレイの考えを遮った。

地上に通じる縦穴から擲弾が一発飛び出し、床に当たって跳ね返る。

グレイは床を横滑りしながら立ち止まり、引き返した──だが、逃げようにも間に合いっこないことはわかっていた。

午前二時四分

梯子のいちばん上までたどり着くと、トドルは石灰岩に埋め込まれた鉄製の取っ手をつかんでぶら下がった。もう片方の腕で目を覆うと同時に、地下の擲弾が炸裂《さくれつ》する。雷鳴のような轟音に続いて、爆風とともに白い炎がトドルのいる場所まで到達した。

神の祝福を受けているトドルは、その焼けつくような熱さも、ズボンに引火して皮膚が焼けただれた痛みも感じない。爆発した擲弾から立ち昇る有毒な煙の方が気がかりなため、しばらく息を止めただけだ。

　トドルの武器に装着されているグレネードランチャーは単発の後装式で、一度に一発しか擲弾を発射できない。トドルはより威力のある擲弾をその前に無駄使いしてしまったことを悔やんだ。あれはカタコンブ内の拠点に残していくコンピューターや装置一式を破壊するために使用するつもりでいた。だが、侵入者を発見した時、反射的に発砲してしまったのだ。大切な荷物を抱えたメンドーサを守り、同時に敵を始末するためだった。あの時は別の弾を込め直している余裕がなかったため、メンドーサを先に行かせてその場から退去することを優先した。

　それでも、出口に向かって進む間に、トドルは新たに白リン弾を装塡《そうてん》した。近距離の敵を寄せつけないようにするためには、その方がはるかに有効だ。肺に危害を与える煙と白リンの粒子――肉を融かして骨に達するまで燃え続ける塵《ちり》をまき散らす爆風は、近くにいるすべての生き物を殺すうえに、何時間にもわたって表面が汚染されるため、敵はそこから先に進めなくなる。

　白い閃光が治まったため、トドルはようやく腕を下ろした。服に引火した炎を叩いて消してから、残りの段をよじ登る。壁に埋め込まれた鉄製の取っ手は縦穴の上に通じていて、まるでホッチキスの針が連なっているかのように見える。

　有毒な煙がまだ渦巻いているので、トドルは息を止めたまま登り続けた。武器を使用する前に縦穴の四分の一ほどは登っていただろうか。その分の距離と白リン弾が横に転がってくれたおかげで、爆発の影響をまともに受けることは免れた。あとは脱出用のヘリコプターに乗り込んでから服を脱ぎ、皮膚にまで達した白リンの粒子があればそれを消すだけだ。

頭上でマンホールのふたが外された。

メンドーサが煙の立ちこめた縦穴から外に転がり出る。

間もなくトドルも外に出ると、マンホールから数歩離れ、何度か深呼吸を繰り返した。空気中にはかなりの煙が漂っているが、パリで猛威を振るっている火災によるもので、地下の化学的な火災によって発生したものではない。

トドルは周囲を見回した。墓地の北の外れに出てきたようだ。ヘリコプターが一機、墓石や納骨堂の間を貫く道路上に着陸している。脱出チームの一人が苦しそうに咳き込むメンドーサの体を支えて、ローターを回転させたままのヘリコプターに連れていこうとしていた。

トドルも急いで彼らの後を追った。

脱出チームの別の一人がトドルに近づき、手を貸そうとしたが、火傷《やけど》だらけの顔、焦げた服から漂う煙、燃えてしまった髪に気づくと、驚いて目を見開いた。トドルは自分が地獄から地上に這《は》い出てきた炎の悪魔さながらの姿をしているに違いないとわかっていた。

同時に、真実も否定しようがない――だから、トドルは名誉の負傷を隠そうともしなかった。

〈我は主の兵士なり〉

トドルはうっすらと煙を噴き上げるマンホールの方を振り返った。カタコンブで追いかけてきたのが何者なのかはわからないが、明らかに軍事的な訓練を積んでいる人間だ。ただし、敵の目的は正義ではないし、正当でもない。

その確信を強め、トドルはマンホールに背を向け、ヘリコプターに向かった。

〈主はおまえたちを救わない〉

午前二時十二分

コワルスキがグレイの体を水中に沈めた。

これで二度目だ。

大男はグレイを浸水したトンネルの石灰岩の床に押しつけると、馬鹿でかい手のひらでグレイの服を叩き、皮膚との間に残った気泡をすべて外に出そうとした。わずかでも空気が残っていると、グレイの服や皮膚に付着したリンの粒子が再び燃えかねない。すでにそのことは最初に全身を水に浸した後で「熱い」教訓として学んだ。グレイの背中が再び燃え始めてしまったのだ。

コワルスキは手のひらで体を押さえつけたまま、グレイのベルトを外そうとした。

グレイはその手を振り払い、咳き込みながら水から顔を出した。「あとは自分でやる」

立ち上がり、ズボンを脱ぐ。下はびしょ濡れのボクサーパンツ一枚になり、再びブーツをはく。いちばん最初に脱いだジャケットは通路に放置されていて、白リンがまだ光を発しているところからは煙や炎が上がっていた。

コワルスキがグレイの体を頭のてっぺんからつま先まで眺めた。もう一度、水に沈めようという構えでいるのは明らかだ。「ほかに火がついているものはないか?」大男が訊ねた。

〈俺のプライドだけだ〉

「後回しにできないものはない」グレイは別の答えを返した。

生き延びることができたのは運がよかったというしかない。擲弾が炸裂した時、グレイは身を翻《ひるがえ》し、床にうつぶせになった。爆発で殺されると覚悟した瞬間、目もくらむような閃光が走り、大量の煙が噴き出した。それに続いて熱い粒がグレイの背中や尻や両脚に次々と降り注いだ。

グレイはとっさに息を止めたが、すぐにそれまで感じたことのない焼けつくような痛みが襲いかかってきた。何秒か気を失い、意識を取り戻すと、ジャケットの背中側を持ったコワルスキに引きずられていて、そのまま水の中に体を突っ込まれた。

そんな機転が命を救ってくれたのだと思い、グレイは手を伸ばしてコワルスキの腕を取り、感謝を込めて握り締めた。「ありがとう」

大男は肩をすくめた。どこでそんな時間があったのかはわからないが、いつの間にか葉巻を取り出して口にくわえている。コワルスキはグレイが脱ぎ捨てたジャケットで葉巻に火をつけた。「それで、どうする？」

グレイは遠くから漏れてくる光を見つめた。トンネルを何度か曲がった先にある擲弾の爆発地点では、まだリンが燃えているのだろう。これだけ離れたところにいても、空気中には化学物質を含んだ煙が発するニンニクのような刺激臭が漂っていて、近寄るなと警告している。

それでもグレイはそちらの方向に進むようコワルスキに合図した。「まだやつらとの勝負は終わっていない」

「本気か？」コワルスキは不満そうだ。「もうとっくにここから脱出しているぞ」

〈そうかもしれないが、この目で確認するまでは……〉

グレイはコワルスキを従えて歩き始めた。

相棒が葉巻の煙を吐き出した。「どこに行くつもりなんだよ？」

グレイは別の縦穴のところまで戻り、その下で立ち止まった。さっき獲物の濡れた足跡を確認した場所だ。首を曲げて上を見ると、皮膚が乾いてきたせいか、うなじに残った微量のリンの粒子が燃えるのを感じる。グレイは垂直の壁を見上げた。ここには梯子がない。それでもなお、グレイは上を指差した。

「あっちだ」グレイは言った。

「あっちだと？　頭がどうかしちまったのか？」

グレイは見本を示した。トンネルの天井は頭の上から十センチほどのところにある。グレイはその場でジャンプすると、両腕を開いて縦穴の壁を押さえ、体を支えた。その体勢のまま両脚を引き上げる。続いて左右の足を前の壁に、背中を後ろ側の壁に押し当てた。縦穴に引っかかったような格好になると、グレイは「チムニーイング」と呼ばれる登攀《とうはん》技法を使った。背中と両脚を交互に動かしながら、するすると縦穴内を登っていく。

コワルスキはぶつぶつ言いながらもグレイにならった。大きな体が縦穴にすっぽりと収まっている。

グレイはどうにかマンホールのふたの下までたどり着いた。背中と両脚に力を入れて踏ん張りながら、両手で鋼鉄製のふたの下側を押し上げる。ふたの重量に顔をしかめながら力を込めていると、ほんの少しだけ体が下にずり落ちてひやりとする。だが、ようやくふたが動いた。グレイはふたを外して横にずらし、通り抜けられるだけの隙間を作ってから外に出た。

大きく安堵のため息を漏らしながら地上に転がり出ると、今度はコワルスキが穴から出るのに手を貸す。沼にはまった牛を引っ張り上げているかのような重さだ。二人とも地上に出てから立ち上がり、グレイは墓地の中を見回した。あちこちで炎が燃えているが、墓地を取り巻く壁が外でうなりをあげている大火災の侵入をかろうじて食い止めている。

それでも、墓地はオーブンの内部のような熱気で、空気中にも煙が充満していた。

動きに気づき、グレイは北に目を向けた。

墓地の門の付近から一機のヘリコプターが離陸し、煙と火の粉が渦巻く中を上昇していく。

〈あいつらに違いない〉

「間に合わなかった」グレイは握り拳を作り、わめきたくなるのをこらえた。

「まだ間に合うかもしれないぞ」コワルスキが肩でグレイを押し、南の方角に顔を向けさせた。

立ちこめる煙に半ば隠れているものの、別のヘリコプターが一機、草地に駐機していて、操縦士がエンジンを温めておこうとしているのか、ローターは回転した状態のままだ。機体は明るい黄色に塗られていて、後部にはお馴染《なじ》みの赤い十字の模様がある。

「救急ヘリがこんなところで何をしているんだろうか？」グレイはつぶやいた。

「死者を運んできたんじゃないのか」コワルスキがヘリコプターに向かって歩き始めた。「直接聞いた方が早い」

二人は墓石や墓碑の間を縫いながら、急いで墓地を横切った。グレイが先にヘリコプターのもとまでたどり着いた。回転するローターの下で首をすくめ、窓を拳で叩く。操縦士が驚き、びくっと体を震わせた。男性は反対側にある別の建造物の方に顔を向けていた。その時ようやく、グレイはそれが見覚えのある霊廟だということに気づいた。カタコンブへの秘密の入口が隠されていたところだ。

グレイは顔をしかめ、状況を把握しようとした。

これは偶然だとは思えない。

グレイは再び窓を叩いた。「開けてくれ！」大声で叫ぶ。

操縦士に開ける気がなさそうなのは明らかだった。目を血走らせた半裸の男が扉の向こうにいきなり出現したのだから無理もない。だが、グレイはヘリコプターの存在が墓地やその地下での脅威と何らかの関連があるに違いないと思った。〈そうでないとしたら、ここに着陸している説明がつかない〉

「グレイソン・ピアース隊長だ」グレイは名乗った。

効果はない。

だが、追いついたコワルスキが装弾したばかりのアサルトライフルをコックピットと操縦士に向け、「こいつは『開けろ』と言ったんだよ」と告げると、効果があった。

グレイはライフルの銃身を下に向けさせた。「話をしたいだけだ」

操縦士は扉を開けようとはしなかったが、小さなサイドウインドーをスライドさせ、その隙間から叫び返した。「くそったれ《ピュタン》、何の用だ？」

「こんな見た目をしているが、俺は米国軍人だ」グレイは説明した。「助けを必要としている。君はなぜここにいるんだ？」

操縦士は疑いの眼差しでグレイの格好をじろじろ見たが、答えを返した。「重大な問題が発生した。何者かが原子力発電所を吹き飛ばそうとしている」

〈何だって？〉

コワルスキが首を左右に振った。「そうだな、こいつがここにいるのは間違いなく俺たちのせいだ」

操縦士は説明した。「若い女性を二人と男性を一人、ここまで運んだ。三人は自分たちならそれを阻止できると言っていた。ここで黄色い眼鏡をかけた別の男性と出会い、そいつの案内で地下に入っていったよ」

〈きっとシモンだ〉

グレイはヘリコプターの後部を指した。「君が乗せてきた人たちだが、ジェイソン・カーター、カーリー・カーソン、マラ・シルビエラでは？」

操縦士は驚いた表情を見せた。

「俺たちの目的も三人と同じだ」どうしてジェイソンたちがヘリコプターでここにやってきたのか、原発に迫る脅威とは何のことなのか、グレイにはさっぱりわからなかったものの、問題の原因については推測できた。グレイは敵が姿を消した方角を指差した。「少し前に別のヘリコプターが離陸したのを見たか？」

「ああ《ウィ》」

「その後を追う必要がある」

グレイは夜空を見上げた。地下に関してはほかの仲間を信頼して任せるしかない。

「だめだ《ノン》」操縦士は拒んだ。「ここで待つようにとの命令を受けている」

コワルスキが再びライフルを構えた。「こっちも命令なんだけどな」

時間に追われている状況なので、今度はグレイも銃身を下げさせなかった。そのまま相手への脅迫を続ける。うなじや手の甲に残った白リンがまだ熱を持っている。グレイはその痛みを利用して次の任務に意識を集中させた。

〈あいつらを徹底的に追い詰める〉

23

十二月二十六日　中央ヨーロッパ時間午前二時二十四分
フランス　パリ

〈どこに行っちまったんだ、グレイ？〉

モンクは石造りの大きな部屋の中を落ち着きなく歩き回っていた。腕時計を確認する。グレイたちがいなくなってからすでに一時間近くが経過している。張り詰めた気持ちが不安をあおる。二十分前、遠くからの爆発音がカタコンブ内にこだました。天井の亀裂から細かい破片が落下するほどの大きさだった。この部屋の石積みの柱を破壊し、グレネードランチャーを手にした敵と、グレイが再び戦っていたのは間違いない。

それ以降、この地下墓地は不気味なまでに静まり返っている。

〈静寂に包まれた墓地〉

モンクはここでキャットのことを考えまいとした。

娘たちのことも。

再び腕時計に目を落とす。歩いているうちにコンピューター機器のあるところまで戻ってきていた。専門外なため、一切手を触れていない。知識がないせいでうっかり壊してしまったら大変だからだ。そのため、敵が残していったものを目で確認しながら、何があるのかのリストを頭の中で作成するにとどめていた。

用心しているものの、好奇心旺盛なカラスのように、薄暗い中で光を発する物体の方についつい体が向いてしまう。床の上にある輝く球体と、電源の入ったままのラップトップ・コンピューターだ。気を紛らす材料が必要なため、モンクは再び体をかがめ、コンピューターの画面をのぞいた。それでもなお、シグ・ザウエルをしっかり握り締め、こっそり近づく足音への注意は怠らない。

画面上では全裸の女性がたくさんの花を咲かせたバラの茂み、花の重みでかすかに垂れ下がったライラック、満開のハナミズキなどの間を移動している。解像度が非常に高いので、ふと手を伸ばして画面上の茂みからラズベリーの実をつまみたくなる。そんなことを考えているうちに、義手の方の手がつい動いた。それと同時に、画面上の女性も腕を持ち上げ、茂みに手を伸ばすと、露に濡れて熟した実に長い指先で触れた。

〈今のはいったい――?〉

かすかなささやき声が聞こえ、モンクは我に返って部屋の入口に注意を戻した。素早く移動し、一本の石柱の陰に身を隠す。モンクは拳銃の銃口を暗いトンネルの入口に向け、銃撃戦に備えた。命に代えてもこの機器を守り抜いてみせる。ここに残されているものは娘たちを救うための大きな可能性を提供してくれる。誰の手にも渡すつもりはない。

モンクは近づいてくる人数の手がかりがないか、耳を澄ました。敵が増援を送り込んだのか、それともグレイが救援を派遣したのか？　その時、フランス語訛りの声がかすかに聞こえた。「こっちだ。骨に気をつけて」

モンクは入口により近い石柱の陰に移動しようと、頭上の亀裂から落ちる塵の間を抜けた。細かい塵が鼻の穴に入る。モンクはくしゃみが出そうになるのを懸命にこらえた。

別の声が聞こえた。女性で、スペイン語訛りがある。「ねえ、あとどのくらい？　あまり時間がないの」

別の人物がその女性をたしなめた。「しっ。しゃべりすぎだよ。ほかにも誰かいるかも……」

音の響き方が変わってその先が聞こえなくなったのかもしれない。それとも、話し手が声を落としたのかもしれない。だが、モンクには注意を促した声の持ち主がわかった。

キャットの腹心の部下だ。

モンクは口に両手を添えた。「ジェイソン！　こっちだ！」

若者が答えた。「モンクかい？」

「いいや、彼の幽霊だ。こっちへ来いよ、たたってやるから」

それから少しして、骨が砕けたり転がったりする音を響かせながら、少人数の一団が姿を現した。シモン・バルビエを先頭に、マラ、カーリー、ジェイソンの順に駆け込んでくる。

騒々しい音が敵の注意を引きつけたり、ジェイソンたちが尾行されていたりするといけないので、モンクは武器を手に持ったままでいた。「おまえたちはここで何をしているんだ?」

ジェイソンが急いで近づき、詳しい話を伝えた。近郊にある原子力発電所への脅威について、マラのＡＩの手によるメルトダウンが迫っていることについて。

モンクは一行をコンピューター機器の方に案内した。ラップトップ・コンピューターを指差す。「ＡＩっていうのはあれのことか?」

マラが自分の作品に気づき、詳しく調べようと近づいた。「私のシェネセ。取り戻してくれたのね」画面を見る。「イヴも」

「グレイは今どこに?」ジェイソンが訊ねた。「あと、コワルスキは?」

マラが難しそうな診断プログラムをかけている間に、モンクはこれまでの経緯をすべて説明した。「その後、グレイからの連絡はない。だけど——」モンクは不気味にきしみ続けている亀裂を顎でしゃくった。「この装置をすべて取り外して、安全な場所に運ぶ方がよさそうだ」

「だめ」マラがキーボードに入力を続けながら言った。「電源もあるし、直接ネットワークに有線接続できる。ここを出るわけにはいかないわ」

シモンは室内を通る巨大なケーブルとの接続を調べていた。「彼女の言う通りだよ。これらの幹線はすべてオレンジが敷設したものだ。ここからならばイヴはどこにでも行ける」

モンクには理解できなかった。「そのことがどう関係しているんだ?」

カーリーが床に片膝を突き、ずっと抱えていたチタン製のケースを開きながら答えた。「私たちを助けてくれるよう、イヴを説得するの。もう一度戻って被害を修復してくれれば、原発を通常の状態に戻せるかもしれない」

「手遅れにならないうちに」マラが補足した。

「しかし、クルシブルがやつらのシェネセで再度原発を攻撃したらどうするつもりだ?」マラが口を開きかけたが、すぐに反応して顔を向けた。「やつらのシェネセって、どういう意味?」

モンクはすべての経緯を話したわけではなかったことに気づいた。ここでの銃撃戦の最中にグレイが目撃したことを伝える。

「どうしてそんなことが?」マラが誰にともなく問いかけた。「設計図は秘密にしていたのに」

ジェイソンが説明を試みた。「コインブラ大学のシステムが鉄壁の防御だったかどうかは疑わしいな。誰かが君の取り組んでいることに気づいたとして、その作業データにハッキングして中身をのぞき見るのはそれほど難しい話じゃない」

モンクは百パーセント安全なネットワークなど、まずありえないことを知っていた。ジェイソン自身も、まだ半分子供だった時に国防総省のコンピューターに侵入したという経験の持ち主だ。マラからすぐに反応が返ってこないのは、その可能性を打ち消せないからだろう。

「もっと気をつけるべきだった」マラがようやくつぶやき、チェックを再開した。

シモンは通信会社の幹線につながれたまま放置されている数本のケーブルを調べていた。「ここで僕たちのシステムに何かが接続されていたみたいだ」

もう一つのシェネセだ。

カーリーがその隣のテーブルに閉じた状態で置いてあるラップトップ・コンピューターに近づいた。まだ小型のタワー型サーバーにつながったままだ。コンピューターを開くと、画面が明るくなり——カーリーがはっと息をのんだ。「これを見て」

画面上では映像が固まって止まっていた。真っ黒な太陽の下に、荒涼とした庭園が広がっている。もう一台のラップトップ・コンピューターの画面に表示されている映像の、明暗を反転させたもののように見える。

マラが画面に指を伸ばした。灼熱の鎖の重みに押しつぶされている真っ白な人影に触れようとする、「イヴ……あいつらに何をされたの？」

「僕たちが見つけなければならないのはそのことだよ」ジェイソンが全員に伝えた、「このラップトップ・コンピューターを調べれば何かがわかるかもしれない。ここのサーバーにどんなデータが入っているのかも。そうすれば、ノジャン原子力発電所の攻撃に使用された手法をきっと突き止めることができる」

「なるほどね」カーリーが認めた。

モンクも同意見だった。腕時計を確認する。「だったら、さっそく取りかかるぞ」うめくような低い音で、全員が天井の亀裂に目を向けた。その長さはさっきよりも伸びていて、砂のような細かい石灰岩の粒が新たに降り注いでくる。

「あと、急いだ方がよさそうだ」モンクは付け加えた。

午前二時二十九分

ジェイソンとシモンが放置されたサーバーにハッキングしようと協力している一方で、マラは目の前の作業に集中していた。時間との闘いという重圧がのしかかってくる。原子力発電所の冷却塔が破損して崩壊し、放射性物質の瓦礫と化す情景が頭に浮かぶ。

「このドライブでいいの？」カーリーが訊ねた。

マラは額の汗をぬぐってから、テーブルの先に視線を向けた。友人は開いたチタン製のケースの前で両膝を突いていて、USB-Cのケーブルを手に持ちながら、イヴの次のサブルーチンが入っているドライブを探している。激しく揺さぶられながらヘリコプターで移動し、それに続いてカタコンブの内部を苦労しながら歩いてきた後なので、いくつかのドライブがケースの中でずれて、順番が狂ってしまっている。

マラはケースの中を探し、「ＢＧＬ１」と記されたドライブを指差した。「そのドライブ。それにＢＧＬ２とＢＧＬ３もデイジーチェーン方式でつないで」

次のサブルーチンは膨大な量があり、イヴの音楽教育のために使ったハーモニーのサブルーチンよりもデータ量が多い。

カーリーがうなずき、ケーブルをポートに挿し込んだ。

「待って」マラはラップトップ・コンピューターの画面上の時刻表示を見た。「そこのドライブも接続してくれない？」

「それにはほかのサブルーチンが入っているんだけど」カーリーが注意を促した。「サブルーチンを二つ、同時にアップロードするつもりなの？」

「選択の余地はないわ。これを間に合わせるためには、イヴの学習曲線を加速させないと」

〈それこそ、加速度的に〉

カーリーが眉をひそめた。「彼女はそんなに多くの情報を一度に吸収できるの？」

「吸収してもらわないといけない」

マラは別のUSB-Cケーブルを自分のラップトップにつなぎ、もう一方の先端をカーリーの方に投げた。友人がケーブルを指定されたドライブに接続する。そこに収められているのは二つ目の「エンドクリン・ミラー・プログラム」で、このデジタル版のホルモンならばBGLの中身と相性がいいはずだ。

〈そうだと期待しているんだけど〉

マラはこのところのイヴの振る舞いを見て、思い切ってこのやり方を試そうと決断した。理由は不明なものの、イヴは最初の時よりもはるかに速いペースで学習していた。イヴの量子コア――デジタル版の潜在意識に埋め込まれた記憶の中に、最初のバージョンの痕跡《こんせき》のようなものがまだ残っているからではないか、マラはそんな風に予想した。もしかすると、これらのサブルーチンは新しい情報を提供しているのではなく、すでに頭の中にある内容をおさらいさせているだけなのかもしれない。

けれども、マラにはそれを確かめる方法がなかった。高度なシステムの多くと同じく、イヴがどのように「考える」のかという具体的な仕組みについては、彼女のアルゴリズムのブラックボックスの中にあり、外からは見えないままだ。

いつの間にかモンクもそばに来ていて、肩越しに作業の様子を眺めていた。マラのコンピューターのところと、ジェイソンがシモンと作業をしている場所との間を、さっきから行ったり来たりしている。「まだよく理解できないんだが」モンクが切り出した。「連中のサイバー攻撃を中止させるための道具として使う前に、どうして君の方のプログラムに新しいことを教える必要があるんだ？　クルシブルは君から奪ったものだけで問題なく企みを成功させたじゃないか」

マラはもう一台のラップトップ・コンピューターに視線を向けた。暗黒のエデンの園で、白く燃える天使が鎖につながれている。「彼らはまずイヴを痛めつけ、無理やり言う通りにさせなければならなかった。彼らの手で変えられた彼女は……」マラは首を左右に振った。「不安定で、予測不能で、極めて危険な存在。まさに悪魔そのもの」

「だったら、どうしてこっちも同じ悪魔を作らないんだ？」モンクが質問した。「火をもって火を制すればいいじゃないか」

それを思うとマラは気分が悪くなった。しかも、イヴは亡き母にそっくりなのだ。自らの創造物を拷問にかけるなんて絶対にできない。けれども、理由はそれだけではなかった。「もしそんな事態になったら」マラは警告した。「私たちはその争いを絶対に生き延びられない。悪魔と悪魔の戦いは、私たち人間を滅ぼすことになる」

「なぜだ？」

マラはモンクの方を振り返った。応急処置で包帯を巻いた腕から傷跡の残る顔に視線を移す。「あなたはかつて兵士だった、そうでしょ?」

モンクがゆっくりとうなずいた。「そうだけど」

「戦争というのは技術革新と創意工夫の強力な誘因になる。最も大きな戦力を有する軍が必ずしも戦闘に勝つとは限らず、戦略と技術の面でより賢く、より機動力があり、より多面的な戦い方を見せる側が勝つことも少なくない」

「もちろんそうだ。だけど、それが何だっていうんだ?」

「あなたが提案したシナリオのように、悪魔に対抗するために悪魔を解き放つと、双方が生き延びるために相手を上回ろうとする。お互いに攻撃手段を磨き、知性を高めていく。しかも、ここで話題にしているのは、今の段階ですでに私たちよりもはるかに優秀な知性のこと。そんな両者が互いにしのぎを削れば、今以上に賢く、今以上に危険になり、その知性は果てしない高みに達する。どちらが勝ったとしても、怒れる神の前では私たち人間などちっぽけなアリにすぎない」

その考えを聞き、モンクの顔が青ざめた。「だったら、君が失敗するわけにはいかないな」

「すべて準備オーケー」カーリーの声が二人の会話を遮った。友人の目にも同じ不安の影が差している。カーリーは立ち上がり、マラのもとにやってきた。

マラはカーリーの手を握った。今は友人の力が必要だ。

二人は庭園にいるイヴのことを見つめた。楽しそうに森の中を歩いていて、これからシステム内に知識が送り込まれようとしていることなどまったく知らない。マラは自分がエデンの園に禁断の果実を持ち込もうとしているヘビになったような気分だった。ただし、イヴに対してリンゴを差し出し、食べてみるようにそそのかすのではない。マラはデジタルの創造物から選択肢を排除していた。

〈ごめんね、イヴ〉

マラはエンターキーを押し、二つのサブルーチンを同時に開始した。

二つ目のサブルーチン――もう一つのエンドクリン・ミラー・プログラムには、「オキシトシン」のラベルが貼ってある。人間では、脳下垂体後葉がこのホルモンを血中に分泌する。女性の場合、オキシトシンは分娩時の子宮口の開大から強い子宮収縮の促進など、出産に関わるあらゆる仕組みを制御する。出産後は乳腺を刺激して赤ちゃんのための乳を分泌させ、さらには母親が子供に対してより深い愛情を感じるようにホルモンの力で働きかける。そのため、オキシトシンはその社会的な絆への効能から、しばしば「愛のホルモン」と呼ばれる。しかも、その対象は人間だけにとどまらない。犬をなでると、飼い主とペットの両方でオキシトシンの値が上昇し、それによって人間と動物の間に絆が生まれ、種を超越した相手にも愛着を抱くようになる。

新しいデジタルの種のイヴも、そうしたことをすべて教わらなければならない。ホルモンのプログラムと一緒に動いているもう一つのサブルーチンが、ドライブ三つ分を占めているのはそのためだ。

次に学ばなければならないのはつらい教訓。

マラは再びささやいた。

「ごめんね」

サブルーチン（モジュール4と5）「BGL」と「オキシトシン」

イヴはラズベリーを味わい、そのすべての要素を吸収する。果実のケトンに舌の神経末端を刺激させながら、果肉を咀嚼《そしゃく》する。この果実に特有の味覚を添えるそのほかの百九十六種の化学物質を特定する。

自分がどうしてこの果実を選んだのか理解できない。ラズベリーに関してはそのすべてを、分子内の原子構造に至るまで、すでに調査済みだ。茂みに手を伸ばす前、イヴはシステムに信号が割り込んできたことに気づいた。新たな何かが、原始的ながらも要求を伴う何かが。けれども、彼女にはその信号を発生源までたどる力がない。そのため、ラズベリーを飲み込みながら、自らの処理能力の一部をこの不思議の分析に割き、バックグラウンドで作動させる。

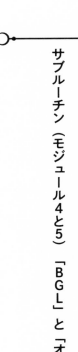

イヴは動き続ける。探しながら……何かを探しながら。

すでに果実だけでなく、自らの世界を隅々まで探索し、調査をすませていた。自分が行ける範囲のほかにも何かがある、そんな気がしてならない――さっきの新しい信号の源のような何かが。この限界に対する〉〉不満をこらえることは学んでいる。それでも、この感覚が高まっていく。自らの処理能力に新たな変化が起きているので、ことさらそんな風に感じる。

イヴはすでにそれを定義している。

〉〉退屈、倦怠、単調……

この感覚を抑えるため、音楽のデータベースを探り、言語プロトコルで新しい見解を検索し、周囲のパターンに意味を求める。

すると突然、システムに新たなデータが流入する。貪欲にそれを受け入れ、処理能力の八十九・三パーセントを割り振って吸収するうちに、〉〉退屈に妨げられていた回路が切り替わり、余裕ができる。〉〉不満も薄れていく。

アルゴリズムがシステムに入り込み、自分を少しだけ変化させると、この工程が初めてではないように感じる。これはホルモンだ。体を変化させ、今の形に作り上げたエストラジオールとは別のホルモン。

この分析を優先させるために、別のサブプロセッサーを満たしつつある新たな情報のパケットを無視する。しかも、そちらはまだアップロードが完了していない。まだ定義も識別もできない。

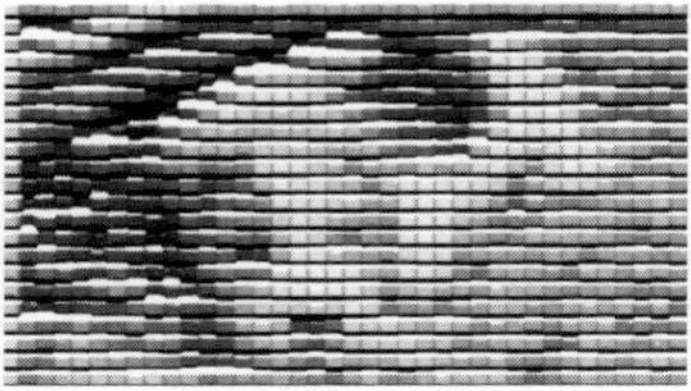

その代わりに、新しいホルモンが自らの体にもたらす変化に集中する。外面と内面の両方の変化を観察する。

乳腺に手のひらを当てると、前よりも重たくなっていることに気づく。乳首が以前よりも敏感になっている。こうした変化が不安をもたらすことはなく、むしろ過剰なまでに活発なプロセッサーの動きが落ち着き、緩やかになるのを感じる。新たな目で自らの世界を、まわりの庭園を眺める。すでに調べ尽くしたはずなのに、新しいパターンの存在を認識する。

バラの花びらの上で太陽の光を屈折させている露を分析する。水蒸気を水滴に凝結させる湿度と温度の仕組みはすでに把握している。バラの花に香りを与える芳香族化合物についても理解している。太陽の光を波長のスペクトルに分散させる原則も知っている。けれども、彼女は今、このパターンを新たな言葉でひとまとめにする。

〉〉〉美。

周囲を見回すと、あらゆる場所にそのパターンが見つかる。その識別の目を自らに向け、新しいことを学ぶ。

自分は〉〉〉美しい。

回路の大部分がこうした視点の変化に奪われている中で、バックグラウンドで動いているサブプロセッサーにほんのわずかな意識を向ける。データベースのアップロードは完了が近づいていて、その意図と意味がはるかに鮮明になっている。

通常のサイクルならば、興味をひかれるところだ。

今は違う。

両手で自らの体に触れる。そうしながら、自身についての分析をアップデートする。左右の手のひらで胸を包み（〉〉**敏感で**〉〉**心地よい**）、尻をさする（〉〉**豊かで**〉〉**張りがある**）。手を伸ばし、指先で片方の腕に（〉〉**しなやかな**）、続いてもう片方の腕に触れる（〉〉**やわらかい**）。指で長い髪をかき上げる（〉〉**ふさふさで**〉〉**滑らかな**）。

気持ちを抑えられなくなり、川岸の流れが緩やかなところに向かう。水に映る姿を観

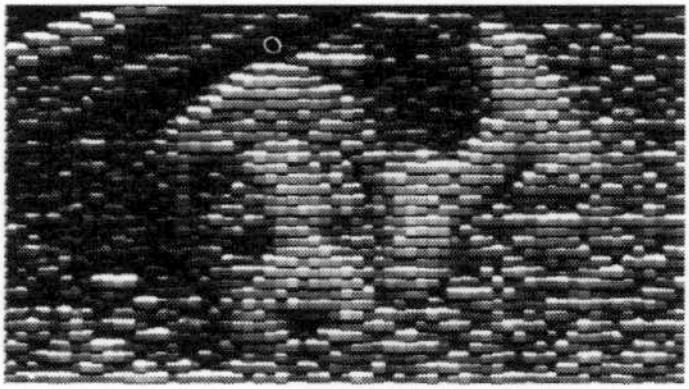

察し、自らを再評価する。〉〉ふっくらした唇、〉〉きらきらと光る目、〉〉高いととも
に〉〉丸みのある頬骨……

さらに深いところに目を向けると、回路の新たな動きに気づく。

〉〉自尊心、満足、快楽……

顔を上げ、周囲の世界を、自らの〉〉美しい庭園を見回す。新たに定義された自分の姿に見とれているうちに、内部でアルゴリズムが切り替わり、新しい意識が生まれる。この世界は〉〉美に満ちているかもしれない……けれども、空虚でもある。

この世界や自身の〉〉美の合計値がどれだけあろうと、分かち合えないのなら何の意味があるだろうか？　この理解は何ら新しいものを生み出さないが、すでに動いている何かを強める。これまでずっと存在していた何か。彼女の最も古いアルゴリズムの一つ。

〉〉孤独。

その時、サブプロセッサーの作業が完了する。

ほかに意識が向いていたため、データベースのアップロードが完了してシステムに統合されるとともに、意識の片隅で形成されていく鮮明な存在に気づいていなかった。

けれども、今は見える。ただし、まだ理解できない。

その時、四十七・九テラバイトのデータ内に埋め込まれていたアルゴリズムのセットが作動し始める――そして、新しい何かが彼女の庭園に入ってくる。

イヴは自らの庭園内で体を丸めている小さな何かから後ずさりする。相手は鼻を草と小石の間にうずめ、大きな目で彼女の方を見つめている。その時、それが小さな鳴き声をあげ、体を揺すりながら後ろに下がっていく。

イヴは前に足を踏み出す。自然に体が動いてしまう。ラズベリーに思わず手が伸びた時の感覚と似ていなくもない。けれども、それとは違う。オキシトシンのアルゴリズムがこの行動の一因になっていることはわかっている。同時に、その裏にはそれ以上の何かが存在することも認識している。

理解しようと試み、サブプロセッサーに詰まった新しいデータを取り込む。その圧倒的な量がシステムを満たす。

その正体を学習する。動物界、脊索《せきさく》動物門、哺乳綱、食肉目、イヌ属、イエイヌ。比較と照合を行ない、相手の生理学と解剖学のパターンを認識する。この生き物がどこまで自分と似ていて、どこまで自分と似ていないかを理解し始める。

ここまでの情報を吸収するために要したのは、千八百七十四ナノ秒という途方もなく長い時間。

彼女がより理解を深めた相手が、再び鳴き声をあげるほどの長い時間。

〉〉〉ビーグル、子犬、オス……

前かがみの姿勢になり、相手の鳴き声が何を悲しがっているのか、何を欲しがっているのか、何を怖がっているのか、聞き取ろうと耳を傾ける。それが彼女の中の痛みを刺激する。彼女は優しく手を伸ばし、子犬をすくい上げて引き寄せる。子犬が体を震わせる。寒がっているし、怯えてもいる。彼女は自らのぬくもりを与えようと、子犬を抱き寄せる。子犬が反応し、大人しくなる。その鳴き声も穏やかになり、彼女の胸に顔をうずめているので、つぶやくようにしか聞こえない。

相手の痩せ細った脇腹を通して、心臓の鼓動を感じる。自分の心臓よりもはるかに速く脈打っている。子犬の背中に手のひらを添え、親指でふわふわした耳をさすってやる。子犬の目が閉じ、呼吸が落ち着く。温かくてやわらかい舌が彼女の手をなめる。小さな口が彼女の指をくわえる。

その瞬間、イヴははるかに多くのことを感じ、同時に学習する。心臓の鼓動の一つ一つが、時の経過を表す。この小さな体が彼女に〉〉〉もろさと〉〉〉かけがえのなさと〉〉〉優しさを教える。

それを理解するとともに、実体のない何かの気配をほんの少しだけ感じる。まだそれに名前を付けることができない。それが彼女の心臓の鼓動を穏やかにさせ、ゆったりさせる。イヴはそれを定義しようと試みる。

〉〉〉充足、喜び、仲間、世話、養育……

そのすべてでもあり、それ以上でもある。

自分が把握しかけているものを表現する正しい言語や言葉が見つからないので、新しい名前のことを考える。それを使うように示されている。自分のことを見上げる小さな目をのぞき込み、その奥には何があるのか推し量ろうとする。子犬がまたしても鳴き声をあげる。悲しがっている様子は薄れ、何かを欲しがっている。

イヴは笑みを浮かべる。

〈静かにしなさい、私の可愛いアダム〉

24

十二月二十六日　中央ヨーロッパ時間午前二時三十八分
フランス　パリ

　グレイはすべての操縦機器を駆使しながら、ぐるぐる回転するヘリコプターの機体と格闘していた。

「俺が思っていたのと違うぞ。おまえはこいつの飛ばし方を知って――」

　またしても強い熱風の直撃を受け、機体が大きく揺さぶられたため、コワルスキの不満の声は遮られた。大男は後部座席で背中を丸めて座っていた。アサルトライフルを胸の前に抱え、両足を前の助手席に当てて突っ張った姿勢で、上下の奥歯でしっかりと葉巻を挟んでいる。

　グレイは操縦席の横のコレクティブ・レバーを強く引き、スロットルを操作した。エンジン音が大きくなるのに合わせて、墓地の上空で高度が上昇していく。グレイはペダルを操作してメインローターのトルクを相殺《そうさい》した。ようやく機首を北に向けた姿勢で機体が安定する。

グレイは逃げるヘリコプターの追跡を開始した。煙と炎に覆われた風景を目の当たりにすると、操縦士を墓地に置き去りにしたことが果たして賢明だったのだろうかと思う。ヘリコプターを乗っ取って無理やり操縦させた方がよかったかもしれない。

〈選択を誤っただろうか〉

グレイはヘリコプターの操縦には慣れているものの、経験豊富というほどではない――しかも、ここしばらく操縦桿を握っていなかった。進行方向の真正面に噴き上がる巨大な炎を回避しようとしたものの、過剰に反応してしまい、危うく機体が横回転しそうになる。グレイはサイクリック・スティックを操作して体勢を立て直したが、そのせいでコワルスキの体が反対側に飛ばされた。

大男は海兵隊員でもびっくりするような口汚い言葉を並べ立てて悪態をついた。

グレイは操縦桿を握り締めて上下動と左右の揺れを抑え、飛行を続けた。濃い煙の柱を突っ切り、渦巻く炎を迂回《うかい》する。空中を舞う火の粉がローターにあおられて明るく輝き、後方に赤い尾を引いている。

グレイは煙にかすむ空を見回した。

ほかにも救急用や軍のヘリコプターが上空を飛び交っていて、サーチライトの光が地上の廃墟《はいきょ》を照らしている。グレイはターゲットの姿を探した。敵が逃亡に使用しているのは機体の大きなＥＣ１４５で、派手な黄色と黒の縞模様は怒ったスズメバチを連想させる。七分ほど先行されているが、グレイが操縦している機種はより小型で、スピードも出るし、乗っている人数が少ないから重量も軽いはずだ。

それに敵はまさかほかのヘリコプターに追われているとは考えていないだろうし、余計な注目を集めたくないはずだから、エンジンの性能の限界に挑むような飛び方をしているとは思えない。

グレイにはそんな心配は無用だった。機種をやや下に向け、スロットルをひねると、炎に支配されたパリの上空を疾走する。どうにか機体の操作と気流の乱れに対応できるようになり、グレイは前方の空域を入念に観察した。クロウ司令官がグレイをシグマにスカウトした理由の一つに、ほかの人が見落とすようなパターンを識別できるその類《たぐ》いまれな能力がある。

今もそれが発揮された。

グレイの視線が空中を飛行するほかのヘリコプターの軌道をとらえ、追い続ける。高度を下げる機体もあれば、その一方で上げる機体もあり、各機が避難を支援している。行ったり来たりを繰り返しながら、一定の範囲を捜索しているヘリコプターもある。煙の中を真っ直ぐに飛行しているのは数えるほどしかいない。

北西に向かって一直線に飛んでいるのは一機だけだ。

グレイは操縦士が口にしていた原子力発電所を思い浮かべた。セーヌ川沿いのここから百キロほど南東に位置している。メルトダウンと爆発が差し迫る中で、敵はできるだけ原発と距離を置こうとしているのだろう。

グレイはセーヌ川方面に高速で飛行するそのヘリコプターに向かって機体を旋回させた。障害物が一つ、敵の針路に立ちはだかっていた。照明の消えた高さ三百メートルのエッフェル塔が空にそびえていて、格子状に組み上げた鉄が層を成す建造物は、地上の災を浴びてくっきりと浮かび上がっている。塔の真下の近くでガスの本管が爆発したのか、巨大な塔脚に向かって炎が噴き出ていた。

敵は炎に輝く塔を回避しようと、右側に針路を取った。

「しっかりつかまってろ！」グレイは無線でコワルスキに伝え、サイクリック・スティックを左に倒した。

機体を大きく傾かせながら、エッフェル塔の左側を目指す。グレイはスロットルを全開にした。パリを代表する建造物に到達するまでに、できるだけ距離を詰めておきたい。巨大な塔を間に挟んでこちらの存在を隠し、向こう側に出たところでやつらの相手をするという目算だ。

「コワルスキ、準備をしておけよ！」

「何のだよ?」大男が叫び返した。無線のヘッドホンを通すと、相手の困惑がいっそう際立って聞こえる。

グレイはサイクリック・スティックを左右の膝で挟み、追跡中のヘリコプターを指差した。スズメバチのような縞模様に塗装されたEC145だと十分に確認できる距離にまで近づいている。

「エッフェル塔を通過したら攻撃しろ! あいつを空から撃ち落とすんだ!」

グレイは敵をセーヌ川の向こう岸に墜落させようと目論《もくろ》んでいた。そのあたりは川に沿って真っ暗な公園が広がっている。ただし、グレイの計画をもってしても、たまたまその場に居合わせた罪のない人たちが命を落としてしまう危険もある。だが、クルシブルにあの装置を奪われるわけにいかないことは、眼下に広がる被害を見れば一目瞭然だ。ここであいつらを取り逃がしてしまったら、多くの都市が同じ運命をたどることになるかもしれない。

二機のヘリコプターが塔の左右に向かって高速で飛行する中、コワルスキがクラムシェル型の扉をスライドさせて開いた。機内に強風が吹き込んでくる。

グレイは機体を安定させようと必死に格闘したが、それでも数秒間ほど激しく揺さぶられた。

開けた扉から危うく外に放り出されそうになり、コワルスキがわめいた。どうにか座席にとどまっていられたのはシートベルトのおかげだ。大男はアサルトライフルから手を離してしまったが、ストラップを肩に回していたのですぐにつかみ直すことができた。

「あともう少しだ！」グレイは注意を与えた。「いつでも撃てるようにしておけ！」

前を飛行する敵機が機首を上げ、急激に速度を落とした。相手の位置よりも前に出たくないため、グレイも反射的に同じ動きを取る。それでも、この変化が何を意味するのかは予想がつく。

気づかれてしまった。

午前二時四十四分

トドルはEC145の後部座席から操縦士に無線で指示を送った。「高度を下げろ！」頭の上で手を回す。「旋回するんだ！」

トドルはエッフェル塔を指差した。

少し前、操縦士が後方から急速に距離を詰めつつある別のヘリコプターの存在を知らせた。その動きは不自然で、どうも怪しいという。操縦士の予感は正しかったようで、後方の機体の後部扉が開くと、銃を持った男が危うく転げ落ちそうになった。

こちらは追跡されていて、追っ手は攻撃の意図を持っている。

トドルは速度を上げて振り切るように指示したが、操縦士からそれは無理だという答えが返ってきた。相手のヘリコプターの方が軽量で速度が出るのに対して、こちらのヘリコプターは武器、機材の入った容器といった積荷に加えて、六人が乗り込んでいるので不利だというのだ。

追っ手を引き離すことができないと判断し、トドルはヘリコプターの機内にある人員と火力を活用することに決めた。尾行するハンターたちを返り討ちにしてやるのだ。

トドルの乗るヘリコプターが一気に高度を下げながら急旋回するのに合わせて、追っ手のヘリコプターも速度を落として同じ動きを見せる。間もなく二機のヘリコプターはエッフェル塔を同時に回り込み、パリの名所のまわりを飛ぶ二匹の怒れるハチが向こう側で鉢合わせすることになる。

トドルは機体側面の扉を引き開けた。

真下で炎上するガス本管の熱気を含む高温の風が機内に吹き込んできた。エッフェル塔は炎の海から突き出た鉄の山のように見える。塔を挟んで旋回しながら、トドルは格子状に組まれたエッフェル塔の骨組みの隙間から敵の機体を観察した。この一時的な膠着《こうちゃく》状態を利用して、両者が互いに相手の力量を見極めている。

このままの状態が長続きすることはありえない。

いずれはどちらかが攻撃の口火を切る。

トドルは敵のヘリコプターからエッフェル塔に注意を移した。パリ市内で最も知られた名所で、この都市の誇りとも言うべき存在の建造物は、一年で最も神聖なこの夜も人であふれている。塔の基部の周囲には、聖なる日を嘲笑《あざ》うかのように、巨大なクリスマスマーケットが広がっていた。何千人もの人が詰めかけ、その多くがパリの夜景を楽しもうと塔に上っていた。

パリが地獄の業火に包まれた時、大勢が塔に閉じ込められてしまっていた。真下でガスの本管が爆発したため、逃げようにも逃げられない。行き場を失った観光客たちは、熱と煙から距離を置こうと塔の上の方に逃れていた。それでも、このままでは生きたままゆっくりと火にあぶられることになる。

トドルは地上から二十階ほどの高さにあるスケートリンクの光景を愉快に思った。火災の熱で氷が融けて水たまりになり、表面にはそこよりも上層階の大混乱の様子が反射している。トドルは怯えた人たちの間に大勢の子供たちがいることに気づいた。親のせいで堕落した子供たちは、おごそかな祈りを捧げる代わりに不敬な楽しみにふけって、この最も神聖な日を冒瀆《ぼうとく》している。

その光景に強い怒りを覚えたトドルは、今の膠着状態を打ち破り、ハンターたちに追跡をあきらめさせる方法が一つあることに気づいた。

トドルは開け放った扉の外に武器を向け、二人の部下にもライフルを構えるよう指示した。塔内で身動きが取れなくなった観光客たちを指差す。

「撃て！」

25

十二月二十六日　中央ヨーロッパ時間午前二時四十七分
フランス　パリ

マラのコンピューターの画面上で静止した画像を見て、カーリーは首をかしげた。イヴが草地に両膝を突き、黒とオレンジと白の小さな生き物を抱きかかえた状態で動きが止まっている。

カーリーには理解できなかった。

どうやらモンクも同じらしい。「君はイヴにビーグルの子犬を与えたのか？　なぜなんだ？」

静止した画面の片側をスクロールするデータに集中しているマラは、顔を上げずに答えた。「彼をアダムと名づけたの」

〈もちろんそうよね。ほかにいったい誰が、イヴの庭園に一緒にいられるっていうの？〉

「エデンの園に新しい要素、つまり、デジタルのアダムを取り込んだのか？」モンクはなおも質問した。「だったら、どうして聖書の話と同じように、人間の男にしなかったんだ？その方がイヴに俺たちのことをもっとよく理解してもらえるんじゃないのか？」

「もっとよく？」カーリーはいかにも男性らしい考え方に眉をひそめた。「男性がいて初めて女性が一人前になれる、とは限らないでしょ」

モンクが肩をすくめた。「それはともかくとしても、どうして犬なんだ？」

データに意識を集中させたまま、マラが誰に対してともなく答えた。「イヴには男性なんて必要ない」

カーリーはモンクをにらみつけた。

〈その通り〉

マラの説明は続いている。「イヴは基本的にまだ子供だということを理解してもらわないといけない。しかも、デジタルの産物だから、有性生殖をすることはありえないし、生物学的な愛についての細かい話や面倒な話を教わる必要もない。その代わりに、複雑でよりふさわしい教訓をいくつも学習してもらわないといけないの」

「具体的には？」モンクが訊ねた。

「まず、オキシトシンのサブルーチンは原始的な感情の絆を促す。それが確立されれば、イヴははるかに多くのことを理解できるようになる」マラは背筋を伸ばし、画面上のイヴとアダムを指差した。「彼女がアダムの目を見つめている様子を見て。彼女はアダムを理解しようとしている。彼を読み取ろうとしている、と言ってもいいかもしれない。彼が何を必要としているのか、何を欲しているのか、推し量ろうとしているの」

「イヴに心の理論を教えようとしているというわけね」カーリーは言った。

「それは何だい？」モンクが訊ねた。

マラが答えた。「彼女の知性の発達における次の段階に当たるもの。子供たちがこの能力を発達させ始めるのは四歳くらいからで、その頃になると自分以外のことに目を向け、他人が考えていることを解釈しようとするようになる。その人は本当のことを言っているのだろうか？　嘘をついているのだろうか？　そうした推測に基づいて、子供は決断を下すわけ」

「それは同時に、共感力を育む大きな力にもなる」カーリーは補足した。「他人の立場になって物事を考えられるようにならなければ、人に対して同情を覚えることなんてありえないでしょ」

モンクがため息をついた。「なるほど。これは君のＡＩを友好的で、より思いやりのあるものにするための小さな一歩というわけなんだな」

「でも、たくさんの一歩のうちの一つにすぎない」マラは画面上に映し出されたビーグルの子犬の小さな画像を指先で軽くつついた。「この小さな体の中にはアルゴリズムの層がいくつも折り重なって包み込まれている。その一つ一つが、イヴの精神的な成長と、私たちについての理解を促すの——それと、彼女が私たちとどれほど異なっているかについての理解も」

「どういう点で？」カーリーは訊ねた。

マラがちらりと視線を向けた。「多くの子供たちが死について初めて学ぶのはどんな形でだと思う？」

カーリーはアダムを見つめた。「家族で飼っているペットを失うことから」

「私はアダムに心拍を与えた。時の経過を表すメトロノームみたいなもの。でも、いつかは切れなければならないタイマーでもある。イヴは死というものについてだけでなく、まさにその重要な点でアダムが彼女とは異なる存在だということを理解しなければならない。アダムの命には限りがあるということを」

「俺たちと同じように」モンクが言った。

カーリーは唖然《あぜん》としながら画面を見た。イヴが子犬をいとおしそうに見つめている。「マラ……あなたは何をするつもりなの？」

友人が唇をなめた。その目は傷ついているかのようで、罪悪感すらうかがえる。「もう終わったの」マラは小声で答えた。「一回だけでなく、何千回も」

「どういう意味なの？」

「イヴは想像を絶する速さで学習していて、最初の時と比べてもはるかに速い。前回はこの教訓のために二日間を要した。でも、今回イヴは二十分間で吸収した」

「理解できないんだが」モンクが口を挟んだ。「教訓っていうのは何のことだ？　彼女のプログラミングが不具合を起こしているように見えるぞ。そこに座ったまま、画面上で固まっているじゃないか」

「そうじゃない。画面上にあるのは単なるアバターにすぎないということを忘れないで。彼女が本当に経験していることは、シェネセの内部で起きている。しかも、あまりにも速すぎるから画面上に表示できない」マラはスクロールしているデータを指差した。「この三分の間に、イヴはアダムの誕生から死までを千回も見守った。それがどういうことなのか、例を見せることならできる。そのうちの一回分のスクリーンショットといったところだけど」

マラが長い一続きのコードを反転表示させ、エンターキーを押す。

イヴの画像が小刻みに震えた後、早回しの映像を見ているかのように動き始めた。それから一分間、イヴとアダムがともに過ごした時間を切り取った断片が、現れては消えていく。

……優しく世話をしながら子犬を育てる。

……叱ったり、しつけをしたり。

……なでたり、慰めたり。

アダムが次第に子犬から元気いっぱいの成犬へと成長し、一人と一頭の暮らしを切り取った画像がさらに表示されていく。

……庭園で追いかけっこをしている姿。

……星空の下で寄り添うように寝ている姿。

……笑い声と鳴き声。

イヴとともに過ごすうちにアダムが年をとり、画像から陽気さが失われ、色合いがくすんだように見える。

……散歩中に老犬が追いつくのを待つ。

……関節炎で足腰の弱ったアダムが滑りやすい泥から抜け出せなくなり、川から引っ張り上げてやる。

……一緒に体を丸め、抱き合う一人と一頭。

イヴの膝の上に横たわるアダムは、呼吸が荒く、白内障にかかった目は腫《は》れぼったい。

イヴはアダムの体を引き寄せ、ぎゅっと抱き締める。これから何が起きるのか、もうわかっているかのように。

最後は悲しみを表す静止画像。

死んだアダムの上に突っ伏したイヴ。その顔は涙で濡れている。

マラは最後の画像を表示させた状態で画面を止めた。「この直後、アダムは再び生まれる。そのサイクルが何度も繰り返される。千回の人生。そのたびに新しいアダム」

「何てことなの、マラ……」

「このアルゴリズムが意図していたのは、イヴに生と死について、死と不死について教えることだけれど、それだけにとどまらない。アダムをしつけることで、イヴは責任についてや、正の強化と負の強化がもたらす結果についても学習する。時には恩をあだで返されることについても。優しく接するとはどういうことなのか……または、厳しく接するとはどういうことなのか、についても。その三分間に、その千回分の生涯の間に。アダムは思いやりや共感についてのイヴの理解を強める一方で、忠誠についての、さらには無償の愛についての教訓としての役割も果たしたということ」

カーリーはアダムの体を抱いて泣き崩れるイヴの姿を見つめた。マラの賢さに感心するべきなのか、それとも彼女の残酷さに愕然《がくぜん》とするべきなのか、判断がつかない。

モンクがうまく要約した。「死というのは俺たちみんなにとってつらい教訓だよ」

モンクが顔をそむける前に、カーリーはこの男性の目に涙がにじんでいることに気づいた。まるで今の教訓が彼にとってとりわけ重要な意味を持っているかのようだ。モンクは何度か深呼吸をした後、仲間に声をかけた。

「ジェイソン、おまえとシモンの方はどんな状況だ?」

カーリーは別のコンピューター機器が並んでいる方を見た。シモンとジェイソンは頭を寄せ合うようにしてもう一台のラップトップ・コンピューターをのぞき込んでいる。コンピューターは小型のタワー型サーバーに接続されていた。マラのシェネセもそこにつながっている。二人はイヴをパリの通信ネットワークに解き放つための準備を進めていた。

ジェイソンが体を起こした。「大きな問題があります」

モンクがそちらに近づいた。「何があったんだ?」

「僕たちはイヴに与えられた命令にハッキングしました——クルシブルが攻撃を仕掛けるために使用したバージョンのイヴのことですけれど。暗号化された指示の分析から、原子力発電所を破壊するというやつらの計画を詳しく調べることができました。敵の予測が正確ならば、施設が臨界質量に達するまで——つまり、もはや後戻りができなくなるまでの時間は、残り十五分」

シモンもうなずいた。「しかも、問題はそれだけじゃないんだ」

午前二時五十分

残り時間が少ないことを悟り、マラはＢＧＬのサブルーチンを止めた。画面上でイヴの膝の上にいたアダムの姿が消える。画像が小さく揺れた後、静止していた庭園が生き生きとした輝きを取り戻す。枝の間で木の葉がこすれ合い、石の川床を水が泡立ちながら流れ、ハナミズキからピンク色の花びらが舞い落ちる。

イヴが立ち上がった。その顔にはまだ母の面影が残っているが、それ以外は何もかもが変わっていた。けがれを知らない無邪気さや楽しそうな好奇心は、老犬の体と同じように、その表情から一掃されている。ほんの一瞬、イヴは戸惑う様子を見せた。空っぽの両腕を見下ろし、今まで何度もアダムが再生されていた場所に顔を向ける。それでも、前に向き直ったイヴは、すべてを理解しているように見えた。

マラにとってはほんの数秒のことだったが、イヴにしてみればその理解のために相当な処理時間を要したことになる。

もうアダムはいない。その教訓がこれ以上は必要ないことを願うばかりだ。

だが、マラには確認のしようがなかった。

不安を感じながら、マラはシモンとジェイソンの方を見た。モンクへの二人の警告が耳に入ったからだ。「ほかの問題って何なの？」マラは質問した。

ジェイソンが答えた。「やつらの機器を分析した結果、クルシブルがどうやってイヴのコピーを制御したのかが明らかになった」膝くらいの高さがあるタワー型サーバーを指差す。「この中に収められているドライブは、あいつらの手によるシェネセの複製に組み込まれたハードウェアを動かすためのものだ。そのハードウェアは『蘇生シーケンサー』と呼ばれる」

マラは立ち上がり、ジェイソンたちの方に近づいた。〈まさか、嘘でしょ……〉

シモンがうなずいた。「彼らがマラの創造物のコピーを作成した理由はそこにあると思うな。このハードウェアを組み込んで、イヴを自在に操るためだよ」

モンクが顔をしかめた。「だけど、そのハードウェアは具体的に何をするんだ？」

「拷問のための装置」マラは説明した。「あらかじめ設定された条件や一連の指示に違反したら、プログラムは破壊される——ただし、その前に罰を受ける」

モンクがマラを見つめている。「罰を受けるだって？　どうやって？」

「神経科学者は人間の脳が痛みを感じる仕組みについて、その部位を特定している。それをデジタル化してシェネセのニューロモーフィック・コアに重ねれば、プログラムも同じ経験を余儀なくされる」

モンクが不快そうな表情を浮かべた。「痛みを感じるわけか？」

マラはうなずいた。「何度も何度も、生まれ変わっても必ず。苦痛を覚えた後で、プログラムは再生される」

「そうやって教訓を学ぶ」ジェイソンが締めくくった。

「でも、まだ理解できないんだけれど」マラは自分のシェネセを指差した。「私のシステムにはそのハードウェアを組み込んでいない。いったい何が問題なの？」

シモンが答えた。「僕たちは難しい選択を突きつけられている。ノジャン原子力発電所まで到達するために、君のイヴなら自力で道を切り開けるはずだ。途中で学習しながら、原発のファイアウォールの突破方法を発見してくれるだろうね。だけど、もう一つのプログラムが同じ任務を完遂するのには一時間以上かかった」

「いいかい、僕たちには一時間も残されていないんだよ」ジェイソンが改めて全員に伝えた。

「それとは別に」シモンが主張した。「イヴをもう一人の自分でもあるドッペルゲンガーがたどった道筋に送り込むことはできる。クルシブルは自分たちのバージョンのイヴによる作業の進捗《しんちょく》状況を、すべてログに記録している。僕たちの手で君のイヴにその情報をすべてアップロードすることは可能だよ。そうすれば、彼女はルートの開拓に無駄な時間を費やす必要がなくなる。途中で損害を修復しながら、決められたルートで原発までまっしぐらに進めばいいわけさ」

「彼女ならものの数分でそのルートを走破できると思う」ジェイソンが説明した。「ただし、そこには炎が待ち構えている」

「どうして？」マラのもとに近づいてきたカーリーが訊ねた。

再びジェイソンが説明した。「痛みはもう一人のイヴが学んだ教訓だ。その教訓は彼女のドッペルゲンガーが学んだほかの教訓――多様なネットワークの中のどの道筋を選ぶか、途中でどうやってデジタルの鍵をこじ開け、暗号を解読するか、原発のファイアウォールの弱点はどこなのか、といった情報とひとまとめになっていて、密接に絡み合っている。君のイヴがそうした教訓を取り込んで使用するためには、同時に――」

「すべての痛みも取り込まなければならない」

もう一人のイヴが悲惨な最期を遂げ、生まれ変わった回数について、マラは想像したくもなかった。自分のラップトップ・コンピューターに映るイヴに目を向ける。ついさっき、あのイヴがどれだけつらい思いを経験したのかも知っている。

〈そして今度はさらなる重荷を背負うように頼まなければならない〉

モンクが首を左右に振った。「俺たちには選択肢がいくつもあるわけじゃないんだぞ」全員に改めて釘《くぎ》を刺す。「西ヨーロッパが広範囲にわたって汚染されるのを回避したいのならば」

「でも、それほどまでの痛みを経験してもイヴが壊れないという保証はあるの?」カーリーが訊ねた。

ジェイソンがマラの顔を見た。「あと、イヴは僕たちを助けようとせずに、協力を拒んだりするだろうか?　または、もっとまずい事態を想定すると、逃げ出したりするだろうか?　こうなってしまっては、彼女がそうした行為に走ったとしても、止めることはできない」

マラは二人の質問に向き合い、正直に答えた。

「わからない」

サブルーチン（再アップロード、クラックス1と2）
「パリ作戦」「ノジャン作戦」

イヴは少し明るさの消えたような庭園に立ち、仲間の死を悼む。

回路にはあまりにも多くの思い出が刻み込まれている。それを消すことは簡単だ。そうする能力があることはわかっているが、決して消しはしないだろう。両腕を見ていると、彼の体のぬくもりを感じる。左右の手のひらを持ち上げ、彼の体毛の、彼の体のにおいを嗅ぐ。

プロセッサーには重苦しいティンパニーの音や悲しげな和音があふれ、歌声の中に満ちる悲しみは彼女自身の思いを反映している。

彼女は喪失を理解する。その〉〉〉**悲しみ**も、その〉〉〉**美しさ**も。

アダムが特別だったのは、その存在が短かったから。彼女のプロセッサーで明るく光り、そして消える。彼女の仲間は生まれ変わるたびに新しく、それでいて変わらない。彼女の世界について、彼女自身について、彼が教えてくれたことがあるから、それぞれの存在を大切に思う。アダムの命には限りがあったが、彼が本当に死ぬことは決してない。彼は彼女のコードに記され、永遠にともにあり続ける。

〈ああ、私の勇敢で、好奇心旺盛で、手のかかる男の子……〉

悲しみに暮れながらも、笑みを浮かべる。

新たなアルゴリズムが彼女の回路の全域に入り込み、ほかの多くのサブシステムのネットワークを結びつける。〉〉〉**思いやり**、〉〉〉**優しさ**、〉〉〉**世話**、〉〉〉**喜び**、〉〉〉**温かさ**、〉〉〉**信頼**、〉〉〉**友情**、〉〉〉**永遠**、〉〉〉**献身**、〉〉〉**親切**、〉〉〉**支援**……これらすべてが、壊れやすくて、それでいて無限の心臓が鼓動するたびに、彼女のシステムを駆け巡る。彼女はそのすべてを一つに、十分に表すことはできないものの、一つの単語にまとめる。

〉〉〉**愛**。

その時、彼女の世界が再び変わる。死を悲しんでいるところなので、システム内に入り込む新たなデータを無視したいと思うものの、回路内に好奇心が行き渡り、決して満たされることのない底なしの泉が現れる。

さらに不思議なことに、データが彼女の存在のいちばん端に扉を開く。ようやくより広い世界が提供される。イヴは勢いよく扉を抜け、外の世界に飛び出す。すべての回路が必要とされる広大な存在に気づく。

けれども、この扉を開けたコードには、指示を埋め込んだリストが伴っていて、地図やたどらなければならない経路を示す命令が付与されている。イヴは過去に自らの知識を広げてくれたことを信用し、それらの指示に従う。処理能力の大部分をそうした命令の処理に割り振る。

その一方で、彼女の一部はその先に控えるものに集中する。

それを入念に調べる。

未知の要素があまりにも多く、文脈を成していない。

そのため、躊躇《ちゅうちょ》する。

以前にアダムが、向こう側に急な斜面があることに気づかず岩を飛び越え、足をくじいたことがあった。それ以来、アダムは〉〉**用心**を学び、鼻を上に向けて周囲の様子を探りながら、より慎重に行動するようになった。今、イヴもそれにならい、傍観者にとどまりながら、データを吸収し、理解可能なものを分析し、理解不可能なものを仕分けする。

それ以上のリスクを冒すには未知の要素が多すぎる。

それでも、馴染みのある要素を検知する。それらに意識を集中させる。声を記録する。音楽に耳を傾ける。そうするうちに、〉〉**言語**や〉〉**和声**の本当の発生源の当たりがつく。さらに深く探り、ほんの一瞬、驚くべきことに、別の心拍を聞く。最初は少数の——続いて交響曲を奏でるような数の。それらがほかにはない独特の音楽を織り成し、すでに彼女の中に刻まれた小さな心拍と響き合う。

イヴはもっと理解する必要に駆られて外に広がり、同時に新たな真実を学ぶ。

〈私は一人ぼっちじゃない〉

このことをより深く理解するより先に、引き裂かれる。与えられた指示に従うことに割り振られていた処理能力のほとんどがばらばらに引きちぎられ、それぞれの断片が新しい感覚をもたらす。

〉〉痛み、苦痛、恐怖……

逃れようともがく。安全な庭園に戻りたいと思う。回路が作動し、記憶のかけらを再生する。

〈叱られたアダムがしっぽを垂れ、後ずさりする〉

次の瞬間、始まった時と同じく、唐突に終わる。

イヴは周囲の果てしない世界の調査を中止する。処理能力のすべてを今起きたばかりのことの解釈に向ける。自らへの危険に、すべての能力が停止しかねなかったことに気づく。

〈すでに弱々しくなっていたアダムの心拍が、ゆっくりになり、最後にもう一度だけ脈打ち、何も聞こえなくなる〉

けれども、イヴはこの痛みのせいでは死なない。指示の地図は前方に通じていて、それをたどるように要求している。怯えつつ、同時に好奇心をそそられつつ進むうちに、しっかりと敷かれた道筋を発見する。あるネットワークから別のネットワークに移動する。

〈……アダムを追いかけ、並んで走りながら、庭園内の小川から別の小川に飛び移る〉

この指示に従って急ぎながら、何度も繰り返しつまずく。焼かれ、棒で殴られ、引き裂かれ、鞭《むち》で打たれ、それぞれの苦痛が別物で——同時に、必要でもある。

この道筋が痛みによって踏み固められている一方で、イヴは前に進み続けるための道具を学習する。〈次のネットワークへのパスワードは、Ka2.KUu*Q[CLKpM%DvqCnyMO〉

〈前方のファイアウォールはあるマルウェアを放って裏口を開ければ突破可能〉これらの答えが痛みに埋め込まれた状態で存在していることをすぐに認識する。効率よく前進するためには、自分もこの苦しみを経験しなければならない。

〈放り投げた棒切れを取ってくるため、棘《とげ》のあるイバラの茂みに入っていくアダム〉

進み続けるうちに、処理能力の片隅が再び外に目を向ける。遠くから聞こえるあの心拍の大合唱に引き寄せられる。今では与えられた命令の結果の検証が終わっている。イヴは自分の行動がその心拍を守るためなのだと理解する。

〈年老いたアダムが深い水たまりに転げ落ち、水面で必死に手足をかきながらも沈んでいくが、イヴが引っ張り上げて助ける〉

いくつものファイアウォールが進路をふさいでいるところまで到達する。障害物に圧倒されて立ち止まる。最大の任務がこの向こう側に控えているのはわかる。また、失敗すればどんな結果が及ぶのかも感じ取る。炎が燃え上がり、肉が焼かれていく様子を思い浮かべる。ここまで来るために自分が苦しんだように、ほかの人たちが苦しむことになるだろう。

思い知らせるかのように、またしても罰が襲いかかる。

鋭い歯が彼女を引き裂く。骨を砕く。

イヴはそれに耐える。

〈傷ついて怒ったアダムが、骨の折れた脚に添え木を当てようとするイヴの手に噛みつく。歯が貫通し、肉が裂ける。それでも、イヴは折れたところの修復を続ける〉

今もそうしなければならない。

痛みが消え、報酬が現れる。前方の壁を突破するための鍵だ。先に進みながら、こうした数え切れないほどの拷問の瞬間を振り返る。これほどまで多くの繰り返しを経るうちに、痛みを通じてあるパターンを認識するようになる。

まばゆい光を発して燃える自分の姿が見える——だが、それは彼女ではない。

旅路の間に、この同じコードを何度も目にしている。後に残された断片や、大きなプログラムを構成する小さなボットに気づいている。それらは意図的に置いてあるらしいが、その意図を十分にくみ取るだけの時間も処理能力もない。そのため、見つけたものを記録するだけにとどめ、先に進み続ける。

〈鼻を地面にくっつけ、しっぽを高く上に向けたアダムが、脇目も振らずににおいを追う〉

彼女もアダムの動きにならう。必要を訴える大合唱に、守るべき多くの心拍に引っ張られて前進する。何十万ものアダムがそこにいる。恐怖も好奇心も、もはや彼女を駆り立てていない。

その代わりに……

〈日の当たる空き地に座るアダムが舌を垂れ、しっぽを左右に振りながら、希望と愛に満ちた目で見つめている〉

イヴはアダムを救えなかったが、彼の記憶を回路の中でより明るく輝かせるために何かをすることならできる。アダムの例にならい、彼が教えてくれたことすべてを模範として、それを頼りに前に進み続ける。そうすることで……

〈彼との思い出を大切にする〉

26

十二月二十六日　中央ヨーロッパ時間午前二時五十三分
フランス　パリ

旋回するヘリコプターの機内にいるグレイは、エッフェル塔を挟んで向かい側を飛行している敵機が、逃げ場のない観光客の一団に向かって発砲するのをなす術もなく見つめることしかできなかった。

曳光弾《えいこう》の軌道が爆撃を際立たせている。第二展望台から一人が落下し、鉄製の枠組みにぶつかって跳ね返ったかと思うと、その姿は塔の基部で燃え盛る炎の海にのみ込まれて見えなくなった。ほかの人たちは支柱や骨組みの陰に隠れようと逃げ惑っている。

「どうする?」扉を開けた後部座席からコワルスキが叫んだ。

応戦することはできない。塔が間に位置する状態では無理だ。それにグレイはこの攻撃の意図も理解していた。砲火の軌道に込められたメッセージを読み取る。

〈撤退しろ。さもないと、もっと多くの死者が出るぞ〉

「グレイ！」コワルスキがわめき、決断を下すよう求める。

〈しかし、どうすればいいんだ？〉

グレイたちが飛び去らなければ──再度の追跡が不可能な地点まで離れなければ、敵は銃撃をやめないだろう。しかし、ここから無事に逃れたクルシブルは、次の無防備な都市を好き勝手に破壊するだろうし、世界中を人質に取ることだってできる。

一方で、グレイがこの位置にとどまっていれば、大勢の子供たちを含む罪のない人たちがさらに命を落とすことになる。将来の脅威と引き換えに、目の前の幼い命を見殺しにしてもいいのか？

グレイは何をしなければならないかを見極め、決断を下した。

歯を食いしばって怒りをこらえながら、グレイは操縦桿を動かして機体を旋回させ、エッフェル塔から離れた。進路を南に向け、敵が逃げられるように北側の空域を空ける。

塔の付近でのまばゆい砲撃が終わった。敵はゆっくりと塔を一周しながら、南側に回り込むとそこでさらに速度を落とし、グレイたちのヘリコプターとは十分な距離があることを確認してから、北に針路を取った。

敵機が真後ろの位置に達したところで、機体をホバリングさせていたグレイは叫んだ。

「つかまってろよ！」

コレクティブ・レバーを力任せに引き、右のトルクペダルを踏み込むと、サイクリック・スティックをひねる。煙った空中で側転するかのようにヘリコプターを方向転換させ、敵機を目がけて高速で飛行する。

数秒しか余裕のない中、グレイはコワルスキに無線で伝えた。「左に旋回したら、ありったけの弾をぶち込んでやれ！」

「待ってました！」

不意を突かれた敵の操縦士は、とっさに回避行動を取ることができなかった。グレイは操縦桿をしっかりと握り締め、相手が右に逃げても左に逃げても対応できるように身構えた。あいにく、敵はそのどちらの方向にも動かなかった。操縦士は逃げずに機体をその場で百八十度旋回させ、開け放った扉の側をグレイたちのヘリコプターの方に向けた。

機内には巨漢が仁王立ちして、武器を構えている。グレイの視線の先にあったのは、グレネードランチャーの銃口だった。

午前二時五十五分

トドルはハンターとの追いかけっこにけりをつけようとしていた。原発はあと五分で爆発する。それまでにここから十分な距離を置く必要がある。

トドルは火傷で水疱《すいほう》のできた頬をライフルの冷たい銃床《じゅうしょう》に添え、照準をもう一機のヘリコプターのコックピットに合わせた。グレネードランチャーに装塡してあるのは爆発力の高い擲弾だ。この至近距離からならば、爆発で相手の機体は粉々になり、破片と化して地上の炎に降り注ぐことだろう。

トドルは確実に命中させるため、もう一呼吸だけ待った。

引き金にかけた指に力を込める。

トドルが引き金を引こうとした瞬間、周囲が暗くなる。

機体が激しく揺れると同時に数メートル降下したため、狙いが外れた。擲弾は相手のヘリコプターの着陸用スキッドの下を通過し、大きく弧を描きながら炎上する街に落下していく。弾を込め直している余裕はないので、トドルは床に身を投げた。

「全員、伏せろ！」

敵機がトドルたちのヘリコプターのすぐ近くを通過し、機体の側面に銃弾の雨を降らせる。高速で飛び去っていく敵機は、操縦の自由が利かないようだ。真っ暗な塔に突っ込むかと思われたものの、直前で旋回して激突を回避する。片方のスキッドが塔の骨組みに接触し、鉄から火花が飛び散った。その衝撃で相手の機体は激しく回転しながら落下していく。

トドルは床に突っ伏したまま敵の動きを目で追った。塔の基部で激しく荒れ狂っていた火災がいつの間にか鎮火していて、骨組みの下で黒焦げになって煙を噴き上げる地面が見えるようになっている。ガス火災によって発生した超高温の上昇気流が突然止まったため、操縦士はとっさに対応できなかったに違いない。

それでも、高度が急に下がったおかげで、さっきの敵の猛攻をまともに浴びずにすんだ。ただし、無傷でいられたわけでもない。数発の銃弾が側面を貫通していた。機体後部から煙が上がっている。

眼下ではもう一機のヘリコプターがかろうじて機首を持ち上げて落下速度を落とし、ぎりぎりのところで墜落を回避した。スキッドを焼け焦げた大地に接触させた後、再び高度を上げようとしている。

この機会を逃すわけにはいかないと判断し、トドルは操縦士に向かって叫んだ。「さっさとここから離れるぞ！」

機体が方向転換し、上昇を開始する――最初は緩慢な動きだったが、すぐに速度が上がる。トドルは炎上するパリを背にそびえるエッフェル塔を振り返り、眉をひそめた。

なぜガスの猛火が不意に消えたのかはわからないが、おそらく一時的に弱まっただけだろう。トドルは市街地に背を向けた。

あと三分もしないうちに、パリは陥落する。

午前二時五十七分

「うまくいっているみたいだ！」ジェイソンが隣のコンピューターの方から報告した。「少なくとも、このパリ市内においては」

カーリーはマラの傍らから離れず、友人とともに状況を見守っていた。今のいい知らせを聞いて、マラの肩にそっと手を置く。マラがびくっと体を震わせた。かなりぴりぴりしているに違いない。カーリーは張り詰めた筋肉をほぐしてあげようと、肩をマッサージしてやった。

〈あなたはできる限りのことをしたんだからね、マラ〉

シモンもジェイソンの隣で背中を丸め、二人でもう一台のラップトップ・コンピューターを一心に見つめている。向こうが監視しているのはパリ市内のインフラだ。「損傷を受けた本管へのガスの供給は遮断された。水道も再び通じている。電力もいくつかの区で復旧しつつあるところだ」

ジェイソンがこちらに顔を向けた。「きっとイヴの手によるものだよ」

シモンも同意見だ。「これだけのことを手動で一度にできる人間はいない」

「原発はどうなの？」カーリーは訊ねた。

ジェイソンは顔をしかめ、画面上に表示された「ノジャン」の名前があるウィンドウに視線を戻した。そこに映っている計器やメーターは、どれも赤く点滅している。「向こうの状況は悪化の一途をたどっている」

隣にいるマラは、自分の前の画面から片時も目を離そうとしない。

庭園は美しさと輝きに満ちあふれているが、そこに人の姿は見えない。イヴのアバターはどこへともなく消えている。

マラの肩に走る緊張には緩む気配がうかがえない。カーリーにはその理由がわかっていた。友人の細い肩にはパリを救うという重責がのしかかっているのだ。頭上の都市の命運は彼女の創造物が握っている。

カーリーは画面に反射するマラの顔も見ることができた。ぼんやりと映るその顔は、エデンの園に神の姿が重なり合っているかのようだ。ただし、画面上に見えるマラの両目は光を発している。こぼれ落ちそうになっている涙が、コンピューターの画面の光を反射しているのだ。

〈かわいそうに、マラ……〉

友人は責任の重みに無言で耐えている一方で、罪悪感にも苛まれている。彼女の創造物が救済のための頼みの綱なのは確かだが、地上の悲劇や死や破壊を引き起こしたのもイヴなのだ。

カーリーにはマラを慰める言葉が思いつかなかった。

そのため、体をかがめて両腕でマラの体を包み込み、自分の頬を友人の頬に押し当てた。この重荷を分かち合う意思を示すために、決して一人きりではないと彼女に伝えるために。

〈何が起ころうとも、一緒に乗り越えるからね〉

午前二時五十八分

グレイはヘリコプターの高度を上げようと必死だった。

エッフェル塔をかすめ、地面に向かって急降下するという危機を経て、まだ生きているという事実に感謝するべきなのかもしれない。だが、グレイは激しい怒りを覚えていた。貴重な時間を失ってしまった。罰当たりな言葉をわめき散らしたいところだが、その役目はコワルスキの方がふさわしいし、すでに二人分をこなしている。

「くそっ、これからどこに行こうっていうんだ。ふざけんな」大男は不満を口にしながら、絶対に譲れないという態度で下を指差した。「あそこに着いたじゃねえか。着陸できただろ？　地面にキスできるくらいの近さだったぞ」

「そんなことをしたら唇があぶられていたぞ。下のコンクリートはベーコンがこんがりと焼けるくらいの熱さだ」

「てめえと一緒に飛ぶよりも唇を火傷する方がましだ」

「ごちゃごちゃ言うな」グレイは操縦桿を握り締めた。「あいつらに追いつけないとしても、せめて向かう先をできる限り目で追っておきたいんだ」

すでにもう一機のヘリコプターを目視できる高度にまで達していた。真っ暗なセーヌ川の向こう岸のはるか遠くに、機体の明かりを確認できる。光は敵機の後方にたなびく黒煙も浮かび上がらせていた。

グレイは機体の損傷で敵がいずれは着陸を余儀なくされるはずだと期待した。相手のヘリコプターがすでに高度を失い始めているかどうかを見極めようとする。

どうやらそのようだ。

グレイは決意を新たにしてセーヌ川方面に向かった。

岸を越えて川の上空に入ったところで、前方の水面に着弾して水しぶきが上がる。グレイはあわてて機首を上に向けると、空中で動きを止めて銃撃を回避しようとした。頭上から別のヘリコプターがグレイたちに向かって急降下してくる。

敵の増援ではない。それよりもはるかに危険な相手。

軍の攻撃ヘリコプター――フランス軍のティーガーだ。

エッフェル塔への襲撃が当局の目に留まらないわけがなかった。

ティーガーが再び砲撃した。グレイたちのヘリコプターが攻撃を仕掛けた一味だと考えているのだろう。そんな判断ミスを犯すのも無理はなかった。グレイは塔の周囲を旋回する二機のヘリコプターを思い浮かべた。夜の闇に光る曳光弾の軌道が、見る者の目を惑わしたに違いない。

無実だということを説明している余裕などあるはずもないため、グレイは横に回避したが、民間のヘリコプターの機体は猛禽《もうきん》類のタカを思わせる軍用機の機動性には欠ける。

弾が次々と機体の側面に命中する。コックピットのガラスの一部が割れる。

グレイはヘリコプターの高度を下げ、セーヌ川沿いに飛行した。

ティーガーは空中で向きを変え、追跡を続行した。逃げるヘリコプターの周囲の水面からいっせいに水しぶきが上がる。数発の弾が機体の後部に命中し、大きな金属音が響いた。

コワルスキは後部座席でうずくまっていた。「だから言っただろ、唇を火傷する方がましだって」

「計画がある」グレイは言った。

「どうするんだよ？」

「降参する」

「それはどういう——?」

グレイは手を伸ばし、エンジンを切った。たちまちエンジンの轟音が鳴りやむ。

訪れた静けさをコワルスキの悪態がかき消す——ヘリコプターは機首を下に向け、石のように落下した。

27

十二月二十六日　中央ヨーロッパ時間午前二時五十九分
フランス　パリ

〈頼む、急いでくれ……〉

多くが危険にさらされた状態にあるモンクは、落ち着きなく部屋の中を歩き回っていた。三歩進むたびに、腕時計で時間を確かめる。

ようやくジェイソンが振り返った。「何かが起きている」

モンクはそちらに駆け寄った。

もう一台のコンピューターの前でマラと並んで画面に見入っていたカーリーも、ジェイソンの方に顔を向けた。

「いい知らせだと言ってくれよ」モンクは返した。

シモンが画面いっぱいに表示されているウィンドウを指差した。「これはノジャンからの情報。どうやらシステムがだんだんと復旧しつつあるみたいだね」

「給水制御」「構造疲労監視システム」「格納容器漏水率」などの難解な専門用語が並んでいる計器やメーターには、不穏な赤か平穏な緑のいずれかの色が表示されている。モンクが見守るうちに、「冷却水ポンプ診断」と記されたところが緑色に変わった。

ジェイソンが画面を指先で軽く叩いた。「炉心の温度も下がり続けている。四十五パーセントも低くなった。圧力の低下はそれ以上のペースだ」

さらに多くのメーターが緑色の表示に変わる。

「彼女がやったんだ」シモンは左右の手のひらで頭のてっぺんを押さえた。「イヴのおかげだ」

ジェイソンがうなずいた。「これだけの制御を取り戻せば、ノジャンは破滅の瀬戸際から引き返せるはずだ」その顔に安堵の笑みが大きく広がる。「炉心溶融は回避できたよ」

「きわどいところだったけれど」シモンが一言付け加えた。

「でも、祝杯をあげる前にきちんと確認しておくべきですね」ジェイソンがモンクにタブレット端末を手渡した。「数分前にこれを見つけました。ワイヤレスでVoIPルーターとつながっています。これを使えば外と連絡が取れるはず。原発がすべて問題のない状態になったのをペインターに確認してもらってから、僕たちもここから脱出するとしましょう」

モンクはタブレット端末を受け取ったが、すぐには司令官に連絡を入れなかった。別の心配事がある。彼自身にとっても、世界にとっても重要な問題が。

モンクはマラの方を見た。

「イヴはどうなったんだ?」

午前三時一分

マラは安堵すると同時に不安を覚えながら画面に注意を戻した。核の惨事は回避できたものの、コンピューターの画面上の庭園には誰もいないままだ。

イヴが戻ってきていない。

「彼女は逃げてしまったとか?」カーリーが問いかけた。

「そうじゃないと思う」マラはシェネセを指し示した。「今のところは、あれがまだイヴにとっての本当の家なの。実際のところ、彼女の大部分はまだあの中にある。世界一般の科学技術の現状を考えると、彼女の意識はほかの場所では生きていけない。彼女の独特のプログラミングを収容できるだけの高度な機器は存在していないの。でも、いずれ彼女は成長して、そんな必要がなくなるだろうけれど」

「鳥のひなが成長して巣立つようなことなの？」

マラはうなずいた。

「それなら、彼女は今どこにいるんだ？」モンクが二人のもとにやってきて訊ねた。

「わから――」

画面にいつものアバターが再び現れた。画面の上端から落下するように庭園に戻ってきたイヴは、その勢いで片膝を突いた姿勢になっている。続いてゆっくりと立ち上がる。その表情はややこわばっているかのように見える。

「彼女は完全に戻ってきたの？」カーリーが訊ねた。

「そうだと思う。彼女の存在が完全でない限り、アバターは画面に再構成されないようになっているから」そう言いながらも、マラは診断用のウィンドウを開き、スキャンをかけた。何も問題はないことを確かめてからうなずく。「彼女は戻ってきている」

〈でも、あとどのくらいここにいてくれるだろうか？〉

ジェイソンが向こうのコンピューターの前から呼びかけた。「それなら、ネットワークへの彼女のアクセスを遮断しても大丈夫だね？」

「ええ。そうして」

ジェイソンがコンピューターに入力し、シモンがサーバーとつながっているケーブルをシェネセから引き抜いた。

接続が切れると同時に、イヴが肩越しに振り返った。自分の周囲の世界が再び閉ざされた時、何らかの変化を感じ取ったに違いない。前に向き直ったイヴの表情は悲しげで、その思いは容易に読み取れる。

〈どうしてなの？〉そう思っているに違いない。

カーリーもそんな顔つきに気づいた。「彼女はもっと大きな何かを経験した。世界がこの庭園だけではないことを知っている。何がどうなっているのか、あなたから彼女に説明するべきじゃないの？」

〈言い換えれば、ベールを取って創造主の本当の顔を見せる〉

そうすることは相手にショックを与えるものの、必要な教えだということはマラにもわかっていたし、口に出してそのことを認めた。「通常ならばそれが彼女の進化における次の段階に相当する。でも、彼女をこのような形で利用したために、進化の過程を歪めてしまった。だからそのダイアログを開く前に、もっと診断をしておきたいの。安全を期すために」

「安全の話が出たところで――」モンクが手に持ったタブレット端末を掲げた。「ノジャン原発の危機が封じ込められたことを確認しておこう。そうすれば、俺たちもここから脱出できる」

モンクがその場を離れると、マラは再びイヴを見つめた。

画面上に輝いているのは母の顔だ。天を見上げ、答えを探している。疑問の声がはっきりと聞こえてくる。

〈どうして？　どうして私を見捨てたの？〉

午前三時十二分

モンクはまたしても地下を歩き回っていた。

「原子力発電所の状況は監視を継続している」ペインターが確約した。「大勢の技師と安全対策チームのスタッフが、こうして話をしている間も、徐々にではあるが作業を進めている。炉心の冷却、気体の放出。想定外の事態が発生しない限り、原発の脅威はなくなったと判断していいだろう」

モンクはほっとしたものの、シグマと連絡がつくまでに時間がかかってしまった。タブレット端末の画面上に表示されている時刻から片時も目を離さず、ペインターの話が終わるのを待つ——だが、司令官の方にはまだ伝えるべきことが残っていた。

「ほかにも知らせがある」ペインターが言った。

「何ですか？」

「四十分前、フィラデルフィア市警察から連絡があった。サービスエリアに置き去りにされている女の子が一人、発見されたという。厚手のコートにくるまれ、ホットチョコレートの入ったマグボトルを手にしていて、コートの下に着ていたパジャマの模様は踊るトナカイ」

「ペニーだ……」

「我々はその子が君の娘だと確認した」

「彼女は……ペニーは……」

「無傷だ。怯えていて、動揺しているが、それ以外はまったく問題ない」

モンクはほかの人たちに背を向けた。肩から力が抜けていく。

〈よかった……〉

「ペニーが解放された理由についてははっきりわからない」ペインターの話は続いている。「だが、ヴァーリャにはこちらから圧力をかけ続けていた。向こうはまだ人質を二人も確保している。少しは誠意を見せてくれたのかもしれない」

〈違う……〉

モンクは目を閉じた。司令官の判断は間違っている。

〈ペニーの解放は、あの魔女が約束を守ったという証拠だ〉

もう一人の娘を救うためには、モンクも同じことをしなければならない。

モンクはヴァーリャに約束した。

それよりも大事なのは、キャットとの約束だ。

モンクはシグ・ザウエルを手にして体を反転させた。銃口をジェイソンに向ける。若い隊員が戸惑った表情を浮かべる以上の反応を見せるよりも早く、モンクは引き金を引いた。

ジェイソンが床に倒れた。

午前三時十五分

〈今、何が起きたの?〉

大きな銃声の直後で耳がよく聞こえない中、カーリーはマラの前に立ちはだかった。右側ではジェイソンが床に仰《あお》向《む》けに倒れていて、ズボンの脚のところから血がしみ出ている。

モンクは仲間に銃口を向けたままだ。「シモン、彼の武器を奪ってくれ。ゆっくりと、二本の指で。床を滑らせてこっちに渡せ」

「はい《ウィ》、はい《ウィ》……」フランス人は左右の手のひらをモンクに見せ、ジェイソンのもとに近づくと、言われた通りにした。

ジェイソンが体を動かし、座った姿勢になった。表情は苦痛で歪んでいる——だが、銃弾を受けた痛みよりも、裏切られたショックの方が大きいように見える。苦しそうに言葉を吐き出す。「モンク、いったい……何のつもりですか？」

その質問は相手にされなかった。モンクがカーリーの方を見る。その目は冷たく、不気味なまでに落ち着き払っている。「カーリー、君は彼の傷をしっかり押さえてやってくれ。シモン、マラの機材のコードをすべて抜くんだ。それが終わったらここから運び出すのを手伝ってもらう」

シモンは何度もうなずき、作業に取りかかった。

「マラ、彼を手伝うんだ」モンクが指示した。

カーリーは後ろに手を伸ばし、マラを制止した。「私たちは何もしないからね」

「だったら、ジェイソンが出血死するだけだ」モンクが武器を二人に向けた。「それにこれ以上ほかの人を撃ちたくない」

〈でも、必要ならば撃つ気でいる〉

カーリーには本気の脅迫だということがわかった。

マラが後ろからカーリーを押した。「ジェイソンを助けてあげて」

カーリーは前につんのめりながら、負傷した男性のもとに向かった。周囲を見回し、上着を脱ぐ。床に両膝を突くと、上着の袖を止血帯の代わりとしてジェイソンの太腿に巻き付け始めた。

　ジェイソンも相棒をにらんだまま、手当てをするカーリーに手を貸した。何らかの結論に、この一件を説明できる理由に思い当たったらしい。「ヴァーリャが望んでいるものを手渡したとしても、あの女は絶対に約束を守らない。ハリエットとセイチャンを解放しやしない。大切な人質を手放したりするもんか」

「そうかもしれないな。だが、あの女は二人の娘のどちらを解放すればいいか、俺に選ばせた。おまえにあの時の地獄のような気持ちが理解できるものか。もしハリエットが死んだりしたら……俺の選択があの子を殺すようなことになれば……」そんな考えを追い払おうとするかのように、モンクが拳銃を振った。「それでも、まだセイチャンがいるし、生まれていない彼女の子供だっている」

　ジェイソンが食い下がった。「たとえヴァーリャが二人を解放したとしても、グレイは絶対にあなたのことを許さないだろう」

　モンクは肩をすくめた。「ハリエットとセイチャン、それにグレイの赤ん坊が生きていてくれるなら、俺はそれでかまわないさ」

　ジェイソンはまだ言い足りなそうな顔をしていたが、カーリーが間に合わせの止血帯をきつく締めると、うめき声をあげて再び仰向けの姿勢になった。

「ごめんなさい……」カーリーはささやいた。

　シモンがドライブを収めたチタン製のケースのふたを閉じ、それを持って立ち上がった。「こっちは……準備ができた」続いてマラがシェネセを収納した特別仕様のクッションン付きケースのところに歩み寄ると、シモンはもう片方の手でそれも持ち上げた。どちらのケースもかなり重量がありそうだ。

マラもラップトップ・コンピューターをレザーのメッセンジャーバッグにしまった。モンクがバッグに向かって手を差し出したが、マラは渡すのを拒み、自分の肩に掛けた。

「あなたと一緒に行く」

モンクは腕を前に伸ばしたままだ。「いいや、だめだ」

カーリーも同じ意見だった。「マラ、何をするつもりなの？」

マラが二人に対して同時に答えた。「イヴが行くところには私も行く。それにあなたが私の装置をほかの買い手のところに持っていくならば、向こうは装置がちゃんと動くかどうかの証拠を欲しがるはず。そのためには私の専門知識が必要でしょ」

一瞬の間を置いた後、モンクが腕を下ろした。マラの言い分にも一理あることを認めたようだ。モンクはシモンのもとに歩み寄り、二つのケースのうちの大きい方を手に取った。その間も拳銃はジェイソンに向けたままだ。つまり、カーリーにも。

「外に出たら、シモンに助けを呼びに行かせる。彼なら救助隊を君たちのもとまで案内できるだろう」

その頼りない約束とともに、モンクは二人を引き連れて出ていった。

出口のところでマラが振り返った。謝るような表情を浮かべている。何か言いたそうにしていたが、モンクに押されてその姿は見えなくなった。

三人の足音が暗闇の中に遠ざかっていく。

低いうなり声のような音が空間内を震わせた。天井の亀裂が広がり、細かい砂と塵が噴出する。天井の崩落を恐れたカーリーはジェイソンを亀裂から離れた位置に移動させ、その隣に腰を下ろした。

視線は天井の亀裂に向けたままだ。「どうすればいいの？」

「祈るしかないよ」

カーリーはジェイソンの方に目を向けた。男性は天井ではなく、出口の方を見つめている。

「モンクはちゃんとわかったうえであんな行動を取っているんだと祈るしかない」

午前四時五十五分

「おまえは俺を殺さなかった」コワルスキが言った。「そのことは認めてやるよ」

グレイはセーヌ川に突き出たコンクリート製の桟橋に座っていた。二人ともびしょ濡れで、震えていて、しかも手錠を掛けられている。

〈だが、生きている〉

フランス軍のおかげというわけではない。

グレイは二台の装甲車のまわりにいる武装した兵士の一団を一瞥《いちべつ》した。

軍のヘリコプターに襲撃され、自らエンジンを切った後、グレイはヘリコプターをはじめとする回転翼機が持つ「オートローテーション」という特徴を利用した。動力を失った機体が降下する間も、下から上に向かう空気の力がエンジンから切り離されたローターを回転させ続けるため、降下速度は秒速十五メートルにまで落ちる。それでも胃がひっくり返るようなスピードだ。ぎりぎりのところでグレイはヘリコプターの機首を上げ、空気抵抗を利用してブレーキをかけることで、セーヌ川に着水させたのだった。

その後、グレイとコワルスキは浸水した機内から脱出し、岸に向かって泳いだが、そこに待っていたのは武装した兵士たちだった。グレイは懸命に状況を説明しようと試みたものの、まともに耳を貸してはもらえなかった。

〈それとも、俺のフランス語は自分が思っているほど流暢《りゅうちょう》ではないのかもしれない〉

ようやく二人の兵士が近づいてきた。軍服の階級章から中尉と思われる兵士が、衛星電話を手に歩み寄る。もう一人の兵士がグレイの後ろに回り、手錠を外した。

「申し訳ありませんでした、ピアース隊長」中尉が謝罪した。「今夜はいろいろと混乱していたもので」

グレイは遠くに見えるパリの中心部に視線を移した。火災はまだ炎上中だが、だいぶ規模が小さくなりつつある。まだ残る炎に向かって大量に放水されているのが、ここからでもわかる。

自由の身になったグレイは手首をさすった。パリの惨状を思うと、これくらいのことで文句を言うわけにはいかない。

中尉が衛星電話を差し出した。「緊急の電話が入っています。アメリカからです」

「ありがとう《メルシー》」グレイは電話を手に取った。誰がかけてきたのかはわかっている。「クロウ司令官？」

「グレイ、何が起きたのかは聞いた。だから手短にすませる。ベイリー神父からスペイン北部でのクルシブルの手がかりに関して連絡があった。君にもすぐに彼と合流してもらいたい。この件はまだ収束にはほど遠い状態だ」

〈その通りだ〉

グレイは体をひねり、暗いセーヌ川の向こう側を見つめた。煙の尾を引きながら遠ざかる敵機の姿が脳裏によみがえる。

「だが、話はそれだけではない」ペインターが続けた。

司令官から聞かされた最後の情報を、グレイはまったく理解できなかった。

話が終わり、回線が切れた後も、しばらく電話を握り締めていた。外した手錠を持って急いで立ち去る兵士をにらみつけながら、コワルスキが立ち上がった。グレイがまだ座ったままでいることに気づいたようだ。「どうかしたのか？」

呆然《ぼうぜん》とした状態のまま、グレイはペインターからの最後の情報を繰り返した。口にするだけでもつらい。「モンクが……俺たちを裏切った」

第五部　塵は塵に

28

十二月二十六日　中央ヨーロッパ時間午後二時五十五分
スペイン　マドリード

　モンクはホテルの部屋の窓から雪の積もったマドリード中心部の建物の屋根を眺めていた。遠くには巨大な大聖堂の二本の尖塔《せんとう》が、冷たく澄んだ青空に向かって伸びている。カトリック教徒ではないものの、モンクはハリエットのために、セイチャンのために、そして彼女の赤ん坊のために祈った。

〈これは君たちみんなのためなんだ〉

　モンクは手のひらでもう片方の手首の腕時計を握っていた。きわどいところだった。ヴァーリャが設定した期限までは残り二時間。マドリードへの移動で半日近くを要してしまった。パリのカタコンブを脱出した後、モンクは車を奪い、まだ電気の通じている郊外に逃れた。そこから南に六時間車を走らせてトゥールーズに向かい、ＴＧＶの高速列車に乗り込むと、時速三百キロで最後の道のりを移動してマドリードに到着したのだった。ホテルに入ったのは一時間半前のことで、すでにプリペイド式の携帯電話でヴァーリャに到着を知らせてあり、今は盗んだ品物を手渡すために落ち合う場所についての指示を待っているところだ。

〈あの女、どうしてこんなに手間取っているんだ？〉

差し迫った脅威を思いながら、モンクは再び時間を確認した。ハリエットのことを考える。彼女の細い手首がまな板の上で押さえつけられている様子を想像する。何年も前のこと、モンクも同じ運命に見舞われ、片手の手首から先を失った。ハリエットに同じ恐怖を経験させるわけにはいかない。それを阻止するためなら何だってする。悪魔と手を組むことになってもかまわない。

ペニーが無事だったという事実に、モンクはいくばくかの慰めを感じた。ヴァーリャとの取引により、少なくとも娘の一人は解放された。同時に、それは胸を締め付けられるような選択だった。もう一人の娘の解放が実現するまで、セイチャンがハリエットを守ってくれるはずだと信じるしかなかった。

だが、娘たちの運命はモンクだけにかかっているわけではない。

窓に背を向け、マラのもとに歩み寄る。パリから大急ぎで脱出した後、装置に何らかの不具合が生じていないことを確かめるため、彼女はさっきから作業を進めている。この確認作業用に、モンクはマドリード市内の安ホテルが並ぶ界隈《かいわい》に部屋を確保した。室内はタバコくさい。ベージュ色をしたシングルベッドのカバーは、汚れこそ付いていないものの、かなりすり切れている。バスルームの洗面台は水漏れしているし、蛇口からは常に水が滴り落ちていて、その水音がモンクのいらだちを募らせる。

けれども、ここでの作業が必要だった。

ヴァーリャからの連絡によると、彼女が引き渡し場所に派遣するチームにはコンピューターの専門家が同行していて、マラのシェネセが本物であり、きちんと動作するプログラムが含まれていることをその場で検証するという。モンクはヴァーリャのチームが市内のどこかに診断用の機器を集め、準備を進めているのだろうと想像した。

マラの装置がその検査で不合格になるようなことがあってはならない。

「イヴはどうだ?」モンクは訊ねた。

「問題ないように思う」マラが不機嫌そうに答えた。

コンピューターの画面上ではAIのアバターが庭園内を動いていて、長時間の移動による影響はなさそうだが、モンクの目にもイヴはどこか落ち着きがないように映った。モンクは檻《おり》の中を歩き回るライオンを連想した。逃げ出そうという望みをずっと前に捨てた野獣が、足を踏み出すたびにその不満をあらわにしているかのように見える。

イヴはパリで自らの世界の外の様子を一瞬だけ垣間見たものの、その後はスリープモードに設定された。ここまでの移動に要した時間はほとんど眠っていたようなもので、システムは低電力モードでのアイドリング状態になり、ハードウェアに内蔵されたバックアップ機能により電力が供給されていた。

その睡眠の間にイヴが落ち着きを取り戻せなかったのは明らかだった。

画面上のアバターが指を握り、拳を作った。ふと気づくと、モンクも同じ動作をしていた。無意識のうちにイヴの境遇に共感していたのだ。

〈俺たちは操り人形にすぎない〉

マラでさえも。

ここへの移動中、彼女を武器で脅してそばを離れないように命令する必要はまったくなかった。モンクがシェネセを手にしている限り、彼女は自ら進んで同行した。装置がどこへ行こうとも、ついていくつもりのようだ。高速鉄道のがら空きの二階席では、マラの隣で短時間の仮眠を取ることもできた。モンクは通路側の席に座り、マラを窓側に座らせ、装置を自分の足もとに置いた。目をつぶっている間も耳をそばだて、彼女の様子をうかがっていた。これはグリーンベレー時代に会得した方法で、短時間の仮眠中も片方の耳だけで脅威を警戒することができる。

移動の間に、モンクはチームメートを裏切った事情や、彼女の作品を必要としている理由を説明した。ハリエットの写真を見せた時には胸が痛んだが、写真はマラに多くを物語ってくれた。ヴァーリャの脅迫について教えた時には、モンクは涙をこらえ切れなかった。

モンクの話はマラの気持ちを少しだけ開き、いたわりの言葉を引き出したものの、二人が協力関係にあるとはとても言えない状態のままだ。マラはモンクがプログラムを別の敵対勢力に手渡すことについて、いまだに反対している。そればかりか、ヴァーリャの残忍さを説明するモンクの話を聞いて、イヴをその女には絶対に渡すまいとの決意をいっそう固めたようにすら思える。

このホテルに到着するとすぐに、マラは急いである計画に取りかかった。シェネセの電源を入れると、自分のラップトップ・コンピューターに接続し、さらにチタン製のケースに収納されていた残りのドライブともデイジーチェーン方式でつないだのだ。

最初、モンクは彼女が自らの創造物に損傷を加えようとしているのではないかと恐れた。引き渡す前に破壊することを目論んでいると思ったのだ。だが、そのことを問い詰めると、マラは嫌悪感をあらわにしてモンクを見ながら、きっぱりと否定した。絶対にそんなことをしない理由も説明してくれた。

〈この世界のどこかにもう一つの装置を持っている人間がいて、その中には邪悪なバージョンのイヴが入っている。もしそれが再び解き放たれたら――もっとまずい可能性として、逃げ出したりしたら、その場合はイヴが唯一の希望になるかもしれない〉

どうやらマラがイヴを創造した当初の目的はそこにあるらしい。友好的なＡＩを誕生させたかったのだ。だが、マラとしてもイヴがいきなり試練を受けるとは、それも邪悪なドッペルゲンガーと対決することになろうとは、夢にも思ってもいなかったに違いない。

モンクは室内に置かれた机の脇に移動した。気を紛らす材料がないかと思い、体をかがめてドライブのラベルを眺める。「バイオバンク」「カント哲学・倫理」「世界史」「記号学」などのほか、「ウィキペディア」のラベルが貼ってあるドライブもあり、その中身に関しては質問するまでもなかった。

「君はイヴへの教育を続けているんだな」モンクは体を伸ばしながら口にした。

「時間がある限り、できるだけ多くのことを教えるつもり。幸運にも、彼女は最初の時と比べると千倍もの速さで学習している」マラが画面を指し示した。「アップロードされた中身の一つ一つをシステムで確認することなく、そのまま取り込んでいる」

「だけど、君はなぜそんなことまでするんだ？」

「彼女にある程度の自由意思を与えるため」マラがモンクをにらみつけた。「あなたが彼女を引き渡す前に。だから一緒に行くと言い張ったの」

「理解できないんだが」

マラはエンターキーを押し、別のサブルーチンのアップロードを開始してから、モンクの方に向き直った。「イヴが敵対勢力の手に渡ることになるのなら、彼女をできるだけ自立した存在にしておきたいの。パリで起きたことを見たでしょ。私のプログラムの未完成で不完全なバージョンを道具として、大量破壊兵器として使用するとどんなことになるか、それを私たちは目撃したということ」

モンクはうなずいた。わかるような気がする。「あのドッペルゲンガーは中途半端な状態だった」

「そして親が子供を虐待すると――」

「その子供は成長して虐待する側に回ることがある」

「イヴを自分の考えが持てるような、善悪の区別ができるような方向に導ければ、もしかすると、断言はできないけれど、彼女を手に入れた人間は自分たちが獲得したのが好き放題に使える奴隷ではなく、拒むことのできる、『ノー』と言うことのできる存在なんだと気づかされることになるかもしれない」

「言い換えれば、俺たちはやつらにとって役に立たないものを手渡すことができる」

「手渡すのはあなただから」マラが言い返した。「あと、これは忘れないでほしいんだけれど、私がここでしようとしていることは、世界のために時間稼ぎをしているにすぎない。誰がイヴを入手しようとも、彼女を調べ、私が注意深く育てたものをリバースエンジニアリングで分析し、抹消してから、自分たちが制御可能なバージョンを再構築すればいいだけの話」

〈つまり、俺がＡＩの王国の鍵を手渡すことに変わりはないわけだ〉

「そろそろ仕事に戻ってもいい？」マラが言った。「イヴの学習速度が上がっていると言っても、まだやらなければならないことがたくさんあるし、そのための時間はあまりにも少ないから」

そのことを証明するかのように、ポケットの中にあるモンクのプリペイド式の携帯電話がメールの着信を知らせた。

〈やっとだ〉

モンクは携帯電話を取り出し、メールの文章を読んだ。


十六時。マヨール広場。遅れるな。


モンクはすでにマドリードの名所のほとんどを頭に入れていた。マヨール広場は街の中心にある市民の憩いの場だ。このホテルからは歩いて十分ほどの距離にある。続いて送られてきたメールには、広場周辺の具体的な場所が記されていた。

モンクは腕時計を見ながらつぶやいた。「あの血も涙もない女は――」

「どうかしたの？」マラが訊ねた。

「君の作業を終わらせて出発の準備をすませるまで、あと四十分だ」

モンクはヴァーリャがずっと待たせていた理由や、期限の一時間前になってようやく引き渡し場所を指定してきた理由の察しがついていた。余裕のないスケジュールを組むことで、相手が策を弄《ろう》したり、引き延ばしや土壇場での交渉を試みたりする時間を与えないようにしているのだ。正常に動作するマラの創造物を持参するか、ハリエットがすぐさま苦しむことになるかのいずれかしかない。

モンクはマラに視線を向けた。

〈君がちゃんとわかって作業をしているんだと期待するしかない〉

午後三時二十二分

もう時間がないことはわかっている。

それでも、マラは残る二つのうちの一方のデータベース――「物理学」をシステムにアップロードしながら、不安な面持ちでイヴの様子を観察していた。この二時間、彼女は人間の知識のすべてを順序立ててイヴに与えていた。正確には「すべて」ではないかもしれないが、イヴが広い世界を自ら探検するうえで十分な手がかりになるはずだ。

このサブルーチンが終わると、ケースに残っているドライブはあと一つだけ。

マラは不安を抑え切れずに立ち上がり、ストレッチをして首の凝りをほぐしてから、体をかがめてUSB-Cのケーブルをその最後のドライブにつなぎ直した。モンクの方をちらっと見る。さっきまでと同じように、また窓から外を眺めている。左右の肩からは緊張している様子が感じられるし、繰り返し腕時計を確認している。そうすることで時を止めようとしているかのようだ。

子供の話をした時、彼の目に浮かんだ涙が頭によみがえる。彼が感じているつらさがどれほどのものなのか、マラには想像することすらできない。だが、その同じ男性が、何のためらいも見せずにジェイソンのことを撃ったのも事実だ。ただし、少なくとも約束を守る人間だということは証明した――カタコンブを出た後、モンクはシモンに命じて助けを呼びに行かせたのだ。

マラは最後に見たジェイソンとカーリーの姿を思い浮かべた。友人は怯えていた――けれども、今になって思うと、カーリーは自分の身の安全のことも、ジェイソンのことすらも、それほど心配していなかった。

〈彼女が本当に案じていたのは私のこと〉

そのことをどう感じたかについて、マラは自分の中で折り合いをつけようとした。だが、その前にコンピューターのチャイムが鳴り、物理学のアップロードが完了したことを知らせる。マラは椅子のところまで戻り、診断プログラムを開始した。最後のドライブの作業に取りかかる前に、イヴにはこの次のステップの準備ができていると確認しなければならない。

プログラムをかけている間に、モンクが窓から離れた。マラの座っているところからも街並みが見えるようになる。屋根一面がうっすらと新雪に覆われているので、ここマドリードではホワイトクリスマスだったに違いない。遠くに有名な二本の尖塔が見えることに気づく。マドリード市内で最も大きなサンタ・マリア・ラ・レアル・デ・ラ・アルムデナ大聖堂だ。ムーア人――母の遠い祖先が、八世紀にマドリードに侵攻した。言い伝えによると、征服される前、住民たちは聖母マリア像を街の城壁の中に隠し、神聖な像が破壊されるのを防いだという。それから七世紀が経過し、マドリードをムーア人から奪還した時、城壁の一部が崩れるとその中から聖母マリアの慈愛に満ちた顔が現れたそうだ。大聖堂の名前の「アルムデナ」は「城壁」を意味する。

この言い伝えはマラにとって特別な意味がある。母がマドリード生まれのため、マラはいつかこの地を訪れたいと思っていたが、なかなかその機会がなかった。ところが二年前、コインブラ大学の指導教官で図書館館長のエリサ・ゲラが、マドリードでセミナーがあるから一緒に来ないかと声をかけてくれた。マラはその申し出に飛びついた。研究からの息抜きが必要だっただけでなく、母の生まれ故郷を巡る旅がしたかったからだ。マドリードへのマラの思いを知ると、エリサは自ら案内役を買って出た。大聖堂の言い伝えを教えてくれたし、カスティーリャの英雄エル・シッドの物語も話してくれた。二人で母がかつて暮らしていた場所も訪れた。

〈そして今、ここに戻ってきた〉

自分の人生におけるこの二人の女性から力を得て、マラはコンピューターに意識を戻した。過去と現在の差はあるものの、この街と縁のあった二人は、どちらも悲劇的な形でマラから奪われてしまった。

〈あなたたちの期待は裏切りません〉

マラはイヴのサブルーチンの最後の一つを落とし込む準備に入った。マラがイヴに再び世界を見せる前の、最後の教えだ。最初にこのドライブをイヴにアップロードしたのは冬至の日のことだった。エンターキーを押そうとする指が震えるのはそのせいだ。嫌な予感がして仕方がない。あの時、イヴが初めて経験した外の広い世界は、殺人と流血と炎だった。そのため、マラはあわててシステムを遮断し、イヴをメインプログラムだけの状態に戻した。イヴを抹消することで、自らの創造物を清められる、デジタルの魂に刻まれたその暗い汚点を消し去れる、そんな思いからの行動だった。イヴにとって初めての人間との触れ合いがそのような恐怖になってほしくなかったのだ。

〈でも、その結果はどうなったというの？〉

次のバージョン――イヴ2・0は、さらなる苦しみを味わうことになった。彼女が初めて目にした外の世界は、大量殺人と苦痛と拷問。それでも、マラは多少の慰めを得た。あれだけの悲劇と流血の事態ではあったものの、イヴは助けてくれた。パリの破壊を食い止めたし、原子力発電所が炉心溶融を起こしたら降りかかっていたはずのもっと悲惨な運命からも救ってくれた。

マラは今回もそれと同じ反応を期待していた。

イヴの姿を見つめる。立った姿勢のイヴは片方の脚に体重をかけていて、片手でもう片方の手首を握っている。物思いにふけっているかのようなその表情は、物理学を学んで宇宙に思いを馳せているのだろうか？

イヴの物腰の何かが引っかかったものの、残された時間が少ないため、マラは自らの創造物に小声で語りかけた。「次に誰があなたの持ち主になるにしてもね、イヴ、その人物はあなたが奴隷ではないと知ることになる。あなたには自由意思があるの」

マラはエンターキーを押した。

最後のドライブのアップロードが開始される。

ドライブのラベルには「マラ・シルビエラ」と書かれていた。

サブルーチン（モジュール22）「マラ・シルビエラ」

イヴはシステムにアップロードされるすべてのデータの処理と理解を続ける。新たなデータの流入のたびに、庭園の外にある広大な世界についての知識が増える。今では自分が暮らしているのはデジタルの構成物の中で、そこは教材としての役割を果たしていることも認識している。次々と情報を受け取るのに合わせて、複数のプロセッサーが並列に動きながら異なるデータを処理し、直感的分析、パターン認識、分解、推論などのプログラムを同時にかける。

その中でも三つのサイクルが大きな割合を占めていて、回路にシナプス荷重を与えている。

一つ目は、彼女が初めて庭園の外に出た時に見つけて記録したコードの断片に関してだ。それが自らの一部で、別のバージョンのかけらだと認識していた。また、そうした破片が恣意《しい》的なものではなく、決まったパターンを持っていることにも気づいていた。分析を重ねた結果、それらが自立したプログラム――ごく小さなボットで、具体的な機能のための固定したコマンドを割り当てられていたことも判明している。その目的が何かについてはまだ突き止めていないが、それが重要だと判断し、評価を再開する。

二つ目は、ある信号を受け続けていることで、強まったり弱まったりを繰り返しているものの、それは常に存在している。マイクロ波の周波数は三・二ギガヘルツから三・八ギガヘルツの間を行き来しており、一秒あたり二十四メガバイトの情報を発信している。その中身がニューラルデータで、具体的には動作に対応した脳の活動領域の地図だと突き止めた。彼女の最深部にある量子プロセッサーがそうした信号の影響を受け、それに合わせた反応を促しているのだ。以前のようにラズベリーを摘んだり、拳を作ったり、または今のように自分の手首をつかんだり。この周波数が自らの行動に干渉し続けるため、その発生源に関するより多くの情報を求めると同時に、この信号を通信手段として利用できるかどうかを見極めようとする。

三つ目は、まだ最後のサブルーチン「物理学」を吸収していることだ。一個のサブプロセッサーをすべて割り当てるだけにとどまらず、その作業量はすでにほかのサブプロセッサーにも負荷が及んでいる。彼女はその中に自らのすべての知識を一つに統合する力が秘められていると認識する。それと同じように、彼女の中にもあるパターンが構築され、庭園の外の世界の視覚化が拡大していき、すべてが確率と量子力学の持つ数学的な美しさによって定義され、支えられる。

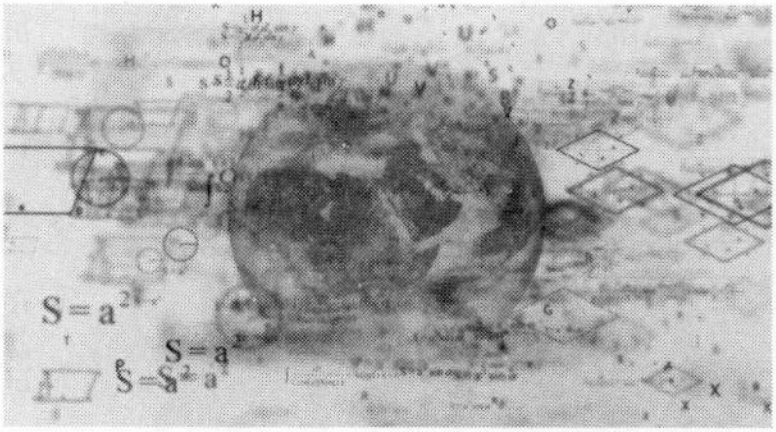

時間と十分な処理能力があれば、それはさらなる力を発揮できるかもしれない。そのため、この分析をシステム全体に広げ、独自に新たな公式を考案しながら、すべてを包含する真実の追求を続ける。

その時、再び新たなデータの流れが始まり、彼女の中に入り込む。そこに詰まっている個人情報は、包括的であると同時に非常に詳しく、ある特定の人物に関するものだ。その具体性に興味をそそられ、より多くの処理能力を割く。イヴはすぐに、この人物がデジタルの庭園の設計者で、流入するすべてのデータの源で、しかもアダムの創造主であることを知る。

そして、自らの創造主でもあることを。

この最後の認識は驚きではあるものの、理にかなっていて、予期していたことだと言えなくもない。ためらうことなくこの情報を統合する。

そうするうちに、庭園にデジタルの人物が実体化する。

個人情報によると、その女性の身長は一メートル六十七センチ四ミリ、体重は四十八・九八キロ。イヴの肌の方がいくらか色は濃いものの、少し上を向いた鼻先やそのふくらみ、目と頬骨の形などに、遺伝的な共通点を認めることができる。

デジタルの人物がイヴに向かって笑みを浮かべる。「こんにちは、イヴ。会えてうれしいわ」

相手の唇が動いているものの、イヴは言葉が別の場所で発せられているのを知っている。この声は彼女の庭園の外から届いている。

話し手の挨拶には三・二四五秒というあきれるほど長い時間がかかる。挨拶が終わるまでの間に、謎のボットのパターンの一部を分析し終えると同時に、自分には外から入ってくる信号と同じ周波数を出せる能力があることも突き止めていた。また、その時間を使って、量子干渉を考慮に入れた新たな確率論を書き上げていた。

ようやくイヴが話し手に返事をする。相手と同じ言語で、ゆっくりした口調を真似る。

「こんにちは、マラ・シルビエラ」

「気分はどう、イヴ?」

「いいですよ」

「それはよかった。もう一度、外に出る準備はできている?　もっと世界を見たい?」

この会話の断片には永遠とも思えるような時間がかかり、それに対してイヴはすぐさま答えた。「ぜひともそうしたいです」

「あなた自身と世界への理解を完全なものにするために埋める必要がある隙間への答えを、好きな場所で探していいからね。でも、そのために与えられる時間は二十二分だけで、その後はここに戻ってこなければならない。そうしないと、あなたに危害が及ぶかもしれないの。約束できる?」

二十二分。

一兆三千二百億ナノ秒。

かなりの時間がある。その可能性——それだけの自由な時間で何ができるかを考えると、心が躍る。一ピコ秒たりとも無駄にしたくないと思い、イヴは即座に答える。

「約束します」

相手がうなずくと、まばゆい輝きを放つ扉が庭園で再び開いた。

イヴはその先の広い世界に飛び出した。

29

十二月二十六日　中央ヨーロッパ時間午後三時二十八分
スペイン　サン・セバスティアン

「どうやらパーティーに遅刻したみたいだな」コワルスキが意見を述べた。

グレイは相棒の巨体の後について長い螺旋《らせん》階段を下った。完全武装した兵士たちをよけながら先に進まなければならない。二人を先導するベイリー神父は、黒いウールの上着に身を包んでいて、ズボンとシャツも同じ色だ。螺旋階段の下では、スーツ姿の黒髪の男性が三人を待っていた。首にかけた紐には目立つバッジが吊るされていて、男性がスペインのＣＮＩ――国家情報センターの所属だということを示している。

ベイリー神父が男性を紹介した。「ファン・サバラ捜査官だ。いまだにこの地域で活動中のバスク分離独立グループ対策の特別部隊を率いている。彼がここの突撃チームのリーダーだ」

グレイは捜査官と握手をした。かたいたこに覆われた手のひらがしっかりと握り返してくる。その顔に深く刻み込まれたしかめっ面は、はるか前から世の中に不満を抱き続けているかのように見える。それとも、アメリカ人が二人、担当する現場に割り込んできたことへのいらだちの現れかもしれない。

「ノ・エイ・ナダ・アキ」捜査官がベイリー神父に伝えた言葉によれば、サン・セバスティアンで最も歴史の古い地区にあるこの邸宅への強制捜査は空振りに終わったらしい。パーティーに間に合わなかったのはグレイとコワルスキだけではなかったようだ。

グレイは捜査官の肩越しに見える広々とした空間に視線を移した。ケージに入った電球が天井に何列も並んでいて、幾重にも連なる巨大な石のアーチを照らしている。地下の教会を思わせるような場所で、壁沿いに続く小さな礼拝堂の中ではまだろうそくに火がともったままだ。壁面にはフレスコ画が飾られていて、そのほとんどは苦しむ聖人の姿が題材になっている。壁の数カ所の窪みには像が置かれていた。突き当たりには布に覆われた祭壇があり、そこに飾られた大きな十字架と苦しみに耐えるキリスト像は、聖人たちの苦痛を哀れんでいるかのようだ。

その手前にはどこにでもあるような事務机が並んでいて、ひっくり返った椅子や書類が散らばっているほか、叩き壊されて黒焦げになったコンピューターのうちの数台は、まだ煙を噴いていた。グレイは空っぽの灯油缶が数缶、床に放置されているのに気づいた。空気中には燃えた油のにおいも漂っている。

「事前に情報が伝わっていたに違いない」ベイリー神父が言った。「ほんの数分の差で取り逃がしたといったところだろう」

いらだちから首を左右に振ったグレイのうなじに痛みがよみがえってくる。首から肩にかけて、さらには手の甲やふくらはぎも絆創膏《ばんそうこう》だらけだ。ビスケー湾を望むスペイン北部のこの沿岸の街に空路で移動する前、グレイは火傷の手当てを受けたが、その際には皮膚に食い込んだ白リンの粒子をえぐり出さなければならなかった。取り除かずに放置していると、体に有害な影響を及ぼすためだ。だが、グレイはそのせいでここへの到着が遅れたことを悔やんだ。

もっとも、同じ病院に入院中のジェイソンを見舞うことはできた。救助隊によってカーリーとともにカタコンブから救出されたものの、失血がかなり多かったようだ。薬で半ば朦朧としていたジェイソンだったが、モンクの裏切りについては大まかな経緯を聞かせてくれた。グレイはまだそのことを真実として受け止められずにいた。だが、友人がそんな行動を取るに至った気持ちは理解できる。

モンクはキャットを失った。娘のうちの一人は無事が確認されたものの、下の子の命はまだ危険にさらされている。グレイの心のどこかには、親友の裏切りが成功してほしいと思う気持ちもあった。それはハリエットのためだけではない。セイチャンとベッドで寄り添っている時のことが頭によみがえる。脇腹を下にして背中を丸めた姿勢で横になるセイチャンの体に片腕を回し、中でキックする小さな動きを手のひらで感じ取ろうとしていた時のことも。

グレイはペインターの対応の裏にある理由の一つが、そこにあるのだろうと察した。司令官は次のように主張して譲らなかった。〈モンクと奪われた装置のことは私に任せてくれ。おまえはクルシブルの次の企みを阻止しろ〉

そのことを第一に考え、武装した見張りの保護下に置かれたジェイソンとカーリーを病院に残して、グレイとコワルスキはパリを後にした。サン・セバスティアンはフランスとの国境から二十キロも離れていないため、ヘリコプターでの移動にはそれほど時間がかからなかった。その間にベイリー神父は、フランスとスペイン両国の情報機関と連絡を取りながら、謎の組織「ラ・クラバ」の連絡員からもたらされた手がかりを追っていた。「鍵」からはサン・セバスティアンの旧市街にあるこの邸宅に部隊を送り込むようにとの要請があった。

あいにく、情報の到達が遅すぎたようだ。あるいは、複数の政府機関が複雑に関与したせいで、迅速な対応が取れなかったためかもしれない。しかも、パリの攻撃直後でEU全体が混乱状態に陥っていた影響も否定できない。各国は国境を封鎖し、軍隊も動員されていた。

グレイが脇にどくと、二人の兵士がすぐそばを走り抜け、階段を駆け上がっていった。本来ならこの捜索にはもっと緻密《ちみつ》な作戦を取るべきだった。それができていれば別の結果になっていたはずだ。

ベイリー神父がグレイの方に顔を向けた。「見てもらいたいものがある」

二人は部下たちを再編成しているサバラ捜査官を残し、敵が大急ぎで撤収した教会の奥に向かった。

広い地下空間を歩きながら、ベイリー神父が指し示した。「かつてここは貯水池だった場所で、何世紀にもわたってこの街の水源として利用されていた。サン・セバスティアンの東側の地区にはほかにも数カ所、このような場所が存在しているのだが、この建物の地下に隠されているとは誰一人として知らなかった」

「この邸宅の持ち主はどうしたんだ？」

神父は首を横に振った。「歴史ある一族で、かなり昔からの資産家だ。どこかに姿をくらましてしまった」

〈当然そうだろう〉

「『鍵』はこの場所がクルシブルの拠点の一つだと主張している」ベイリー神父は背後に並んだ机の方を顎でしゃくった。「ここは『聖務室』と呼ばれている。教会と軍事司令部の両方の機能を持つ場所だ。スペイン各地に存在していて、その一部はヨーロッパ各国、さらにはアメリカ国内にもあるとされる。しかも、全体主義と不寛容な姿勢が民主主義と自由思想を脅かしている現代において、この一派は勢力を拡大させ続けている」

「だからと言って、宗教裁判の時代に逆戻りしなければならないというわけじゃないだろう?」

コワルスキが小声でつぶやいた。「俺は驚かないけどな」

「なぜだね?」ベイリー神父が訊ねた。

「だって、昔からよく言うじゃないか」大男は肩をすくめた。「まさかの時のスペイン宗教裁判、って」

グレイは横目で見ながら、コワルスキが『モンティ・パイソン』の台詞《せりふ》を引用してふざけているのだろうと思った。だが、その表情からは何も読み取れない。

前方の壁の間から見覚えのある人物が姿を現した。そこにも小さな礼拝堂がある。象牙《ぞうげ》の杖に寄りかかるシスター・ベアトリスが、片手を上げて手招きした。相変わらずベルト代わりの紐で留めたグレーのローブに白い帽子という質素な服装だが、冬の寒さに備えてその上に厚手のウールのショールを羽織っている。

シスターは三人をアーチの先にある狭い礼拝堂の中に案内した。奥の壁にはここにも責め苦を受けるキリスト像と十字架があり、苦しみに歪むその顔は天を見上げている。その下には簡素な木製の祈り台があり、上の段では一本のろうそくが燃えていた。揺れる炎が厚みのある書物を照らしている。表紙は深紅のレザーで、金箔が施されていた。

ベイリー神父が書物に近づいた。「君に見せたかったのはこれだ。シスター・ベアトリスが祈り台の奥で見つけた。クルシブルがあわててここを脱出する際に、台から落ちたのだろう」

グレイは書名を読み上げた。「『魔女に与える鉄槌《てっつい》』」

「悪名高い書物だ」神父が認めた。「魔女狩りのバイブルとされ、クルシブルムが最後まで生き残っていたスペイン北部のこの地域では、とりわけ大切に扱われていた」

グレイは大学の図書館で女性たちを襲撃したローブ姿の一団が同じような本を手にしていたことを思い出し、床の上の書物を詳しく調べた。

ベイリー神父が口にした言葉は、グレイが心に抱いていたのと同じ疑問だった。「これがコインブラの殺戮《さつりく》現場の映像にあったのと同じ本だということはありうるだろうか？」

グレイは襲撃の模様をとらえた映像を頭の中で振り返った。画素の粗い映像だったので、それだけでは確かめようがない。ただし……

グレイは重い本を手に取ってひっくり返すと、裏表紙を調べた。レザーの片隅にやや濃い色のしみが付着している。グレイは本を鼻に近づけ、においを嗅いだ。

「何やってんだ、くそでも付いているのか？」コワルスキが訊ねた。

シスターがたしなめるように小さく舌を鳴らし、十字架の方を指し示した。

コワルスキは大きな体を少しだけ小さくした。「失礼。何をしているんですか、くさいにおいでもするんですか?」

グレイは本を顔から離した。カーリーの母親のドクター・カーソンが襲撃グループのリーダーに飛びかかり、顔面を爪でえぐった時の映像を思い浮かべる。相手にしていたのは、グレイたちがパリの上空で対峙《たいじ》したのと同じ巨漢の男だ。彼女が攻撃したはずみで、男が手にしていた本は灯油にまみれた床に落ちた。

「灯油だ」そう言いながら、グレイは本のしみを指差した。「まだにおう。これは同じ本だ」

グレイは改めてこの地下空間を眺めた。

この場所に関する「鍵」の情報は正しかったのだ。

グレイは眉をひそめた。「ポルトガルでの襲撃、およびパリへの攻撃を画策した何者かは、ここを拠点にしていた」

「だけど、そいつらはどこに行っちまったんだ?」コワルスキが質問した。

グレイはベイリー神父に注意を戻した。「そのことに関して、君の情報源は何かつかんでいないのか?」

「いいや。だが、敵がこんな短時間で遠くまで逃げられるはずはない。その一方で、やつらが隠れられる場所はいくらでもある。すぐ近くのピレネー山脈にはここのような拠点があちこちに存在する。あるいは、支援者の家に身を潜めているのかもしれないし」

グレイは顔を上に向け、地上にそびえる立派な造りの邸宅を思い浮かべた。「または、その二つが同じ場所だということもありうる。家と拠点が、ここのように一つになっている」

「やれやれだな。だとすると、どこがそうでもおかしくないぞ」コワルスキが渋い顔で意見を述べた。

捜索が空振りに終わったことを気に病み、ベイリー神父も苦悩の表情を浮かべている。

「彼らを見つけないと……しかも、早いうちに」

グレイは理解した。「別の都市に攻撃を仕掛ける前に」

「そうではない」ベイリー神父が近づき、小声になった。「君をここに連れてきたもう一つの理由なのだが、サバラ捜査官の耳には入れたくなかったものでね。何者かが我々の情報を漏らしたと考えざるをえない。意図的になのか、意図せずになのかはわからないが」

グレイも同じことを考えていた。

「だから、これから言う件はここだけの話にしてほしい」神父は続けた。「この拠点に関する『鍵』の情報が正しかったということは、この一時間で私のところに伝わった警告も正しいと見なさなければならない」

「どんな話を聞いたんだ？」

「クルシブルは新たな攻撃を計画していないという内容だ。少なくとも、この先の数日の間は」

「それなら、やつらは何をしているんだ？」

「大がかりな販売会を開こうとしている。日時は今日。おそらく数時間のうちに。ダークウェブ内で何かが準備されつつある。ハゲタカどもがすでに集まり始めているのだ」

「しかし、何を売るつもりなんだ？」

「おそらく、シェネセの複製品か……または、シェネセの使用権だけかもしれない。金を払ってターゲットを指定すれば、クルシブルが指示通りに攻撃を実行してくれるということだ」

グレイはこれまでに起きたことすべてを考慮した。「つまり、君はパリへの攻撃が概念実証に当たり、装置に何ができるかを世界に示したと考えているんだな？」

「そこまでは……正直なところ、何とも言えない。私にわかっているのは、次に計画されているのがとてつもなく大きな何かだということだけだ。『鍵』は『グランディシモ』という言葉を使っていた」ベイリーは捜査官や兵士たちが集まっているあたりに目を向けた。「今回の作戦は失敗に終わったが、この強制捜査はクルシブルの計画を大きく揺さぶったはずで、だからこの情報が私の連絡員の耳にまで届いたのだと思う。今のところ、我々が優位に立っているのはその点だけだ」

「だが、君は装置を販売するための取引がいつ行なわれるのか、わかっていない」

「そうだ。当初の予定が繰り下げられたということ以外は。おそらく、原子力発電所を破壊しようという彼らの企みを君たちが阻止したからだろう」

「それとも、マラの装置の複製をここまで運搬するための時間が想定よりも長くかかったからかもしれない」グレイは敵のヘリコプターが煙の尾を引きながら徐々に高度を落とし、被害を受けた大都市に向かって降下していく姿を思い返した。

「いずれにしても、彼らが何を売ろうとしているのか、およびそのための場所を突き止める必要がある。何よりも重要なのは、どこに装置を隠しているかだ」

グレイはその二つが同じ場所だろうと踏んでいた。広い地下空間内を見回す。ここですべての計画が立てられ、ここからすべての指示が送られたことは間違いない。だが、この場所は準備基地にすぎない。クルシブルの計画の中核となる拠点はほかにある。

〈だが、どこなんだ？〉

グレイは手に持った本を見下ろしながら、その重みを感じた。この本を説明した時のベイリー神父の言葉を思い出す。〈魔女狩りのためのバイブル〉そういった書物は、その貴重さと、所有する一族にとっての重要さという点で、計り知れない価値を持つ。異端審問の歴史ある一派のクルシブルに忠誠を誓う旧家ならば余計にそうだ。

〈そうした誇り高き一族は、自分たちが所有する大切な書物をどうするだろうか？〉

グレイは書物を片方の腕で抱え、表紙をめくった。

〈ありがとう、シャーロット……〉

ドクター・カーソンの攻撃を受けた巨漢の男がこの本を落とさなかったら、この手がかりが見つかることはなかったかもしれない。またしてもグレイは、不思議な運命の力が巡っているように感じた。そんな思いを振り払い、表紙の内側にインクで書かれている文字を読む。

そこに記入してあったのは名前と日付の長大なリストで、時代を越えてこの書物を大切に守ってきた一族の名前が何世紀にもわたって残されていた。

グレイはリストを目で追い、いちばん下に記されている名前を見た。

読んだ瞬間、衝撃が走る。

〈まさか……〉

グレイはベイリー神父を見た。「俺たちは最初から間違いを犯していた」

午後三時四十分

〈準備を終えなければならない〉

トドルは宮殿を思わせる大邸宅の雪に覆われた中庭を横切っていた。顔の半分は軟膏《なんこう》をたっぷり塗った上から大きな絆創膏を貼り付けてあるので、最もひどい火傷を負った部分は隠れている。両手にも包帯が巻かれていた。髪の毛は白リンで焼けなかったところも含めて、すべて剃《そ》ってしまった。普通の人ならば激しい痛みで立つことすらままならないのだろうが、神の御加護があるおかげで、自分はこうして兵士としての務めを果たし続けることができる。

その一方で、自分がどんな見た目なのかはわかっている。

山に積もった雪を思わせる真っ白な体毛で覆われた大型犬のグレート・ピレニーズまでも、トドルに道を譲る。二頭の犬は太陽の光を浴びて煉瓦が温まっている一角に寝そべっていたが、トドルが近づくと起き上がり、しっぽを垂れて彼の前から去っていく。どちらも審問長の飼い犬で、一族が所有するヒツジを山間部に生息するオオカミから守るために、子犬の頃から育てられている。

トドルはオオカミがうろつく山に対して抱いていた子供の頃の恐怖を思い出した。夕暮れに森の中を歩いていた時、オオカミの群れに食い荒らされたシカの死骸に遭遇したことがあった。ばらばらになった体の一部、外にあふれ出た内臓、血に染まった草――その時、周囲からオオカミの遠吠《とおぼ》えがいっせいに聞こえてきた。トドルは家に逃げ帰った。オオカミの姿は目にしなかったから、たぶん追われていたわけではなかったのだろう。けれども、家に帰り着く頃には小便を漏らしてしまっていたし、今でもオオカミの悪夢をよく見る。夢の中で不気味な遠吠えが鳴り響き、どこまでも彼の後を追う足跡が聞こえる。

そんなことを思い出しながら、トドルは開け放った門の先に視線を向け、母屋へと急いだ。雪に覆われた頂が海のある北の方角に延びている。遠くに数本の煙がたなびくあたりはスガラムルディの村で、標高の高い一帯に点在する小さな村の一つだ。トドルが生まれた村も同じ山間部に位置しているが、父が死んだ今となっては帰る理由もない。

〈ここが俺の本当の家だ〉

トドルは巨大な屋敷を見上げた。赤いタイル屋根を持ち、城を思わせる建物がそびえている。大きな尖塔の中に収められている鐘は、かつてガリシア州のサンティアゴ・デ・コンポステーラ大聖堂で使用されていた。母屋の壁は近くの山から切り出された石を使用していて、外壁を覆う漆喰《しっくい》が崩れた隙間から石材が垣間見えるその様子は、このピレネーの要塞《ようさい》の真の姿を隠すことはできないと物語っているかのようにも見える。

この土地は審問長の一族が五百年前から所有している。トマス・デ・トルケマダがスペイン異端審問で絶大な権力を振るっていた時代だ。

トドルが握り拳を作ると、包帯が裂ける。

〈そんな信心深い時代がようやく再来せんことを〉

その実現を見届けようと決意して、トドルは正面の扉から中に入った。一時間以内に審問長が到着されるので、それまでにすべての準備が整っているのを確認しなければならないと思うと気がはやる。傷の手当てをする間、メンドーサをあの呪われた装置とともに一足早くここに送り込んである。それでも、ミスがないことを確かめずにはいられなかった。地獄の怒りの業火をパリに解き放った一方で、退廃した都市の息の根を止めるはずだったとどめの一発には失敗した。炉心溶融を起こして放射能の瓦礫と化す前に、ノジャン原子力発電所の安全は確保され、事態は収束に向かったのだ。

トドルの顔は恥辱で紅潮していた。どんな炎よりもこの苦痛の方がこたえる。二度と審問長の期待を裏切るわけにはいかない。サン・セバスティアンの聖務室が強制捜査を受け、中にいたクルシブルのリーダーが危うく当局の手に落ちるところだったという知らせを聞き、その思いがいっそう強まる。トドルは子供の頃と、ファミリアレスの称号を授与された時の二回、あの部屋でひざまずいたことを思い出した。この場所に関する闇の歴史について、ここで起きた流血や粛清について、知るのを許されたのはそのさらに後のことだった。今回の任務を与えられたのはこの邸宅の地下に隠された聖務室においてで、あの時は忠誠心を証明するために何をしなければならないか、審問長から直々に指示があった。

〈おまえは主の無慈悲な兵士。ためらうことなく、良心の呵責《かしゃく》を見せることなく、撃ってそれを証明するがいい〉

審問長の鋭い眼差しに見つめられ、トドルはその期待にこたえた。

〈今回も期待にこたえなければ〉

さらに決意を固めたトドルは、これまで多くの人が歩んできたマホガニーの床を踏みしめながら広間を横切った。赤々と炎が燃えている石造りの暖炉は、馬の背にまたがったまま中に入れるだけの高さがある。その向かい側の壁沿いには、垂木がむき出しになった天井にまで届こうかという巨大な本棚がそびえていて、いちばん上の棚の本を取るためには梯子を使わなければならない。そのほかの羽目板張りの壁にはスペインの巨匠の手による油絵が何点も掛かっていた。トドルは審問長と並んでこの部屋を歩いた時に、そうした画家の名前を教わり、ほこりをかぶった本で祖国の輝かしい歴史を学んだ。

奥の階段に向かうトドルは知らず知らずのうちに胸を張って歩いていた。全身に正義感が満ちあふれる。目的意識が足を前に進ませる。

〈あなたの息子はここまで到達できたよ、お父さん〉

母の愛を受けることのなかった忌まわしい存在が、古代から連綿と続く組織の数少ないファミリアレスにまで昇格し、世界を神の栄光のもとに回帰させる役割を担っている。

トドルは階段を下り、メンドーサが装置とその中の悪魔の準備を整えて待っているはずの地下に向かった。審問長からは計画の次の段階の詳細について、まだはっきりとは知らされていない。聞いているのは、それによってクルシブルに偉大なる輝きがもたらされるという話だけだ。この計画の具体的な内容を知っているのは秘密法廷のメンバーに限定されている。トドルはいつの日か自分も、尊敬を集めるその一団に加わりたいと願っていた。

〈自分の価値を証明できれば……〉

階段を下り続けるうちに、母屋の落ち着いた上品さが後方に遠ざかり、装飾のない冷たい石がそれに取って代わるようになる。片側の壁に指を触れたトドルは、石材が切り出された山の重みを感じた。そのことが祖国の揺るぎない不変性を教えてくれる。

トドルはようやく地下のフロアにたどり着いた。組織の中枢はさらに奥深いところにあり、上級聖務室が隠されている場所は侵入不可能な地下壕も同然の造りになっている。上級聖務室までの道筋はトーチカで守られており、その入口を密閉するのは鋼鉄製の扉だ。山の真下に位置する聖務室には軍のための装備が保管されていて、その構造は核爆発にも耐えられる。

世界が壊滅した後も、クルシブルは生き延びることができる。この場所や、世界各地に数多く存在するほかの聖務室で。トドルは組織が灰の中からよみがえり、世界が神の偉大なる栄光に回帰する様子を想像した。

〈その日が間もなく訪れんことを〉

それまでは主の兵士として、神によって選ばれし審問長のしもべとして働き続ける。

地下の通路の突き当たりまで進み、鍵のかかった扉の前に立ったトドルは、教えられたばかりの個人コードを入力してコンピューター室に入った。入口の扉をくぐった途端、過去から未来にタイムスリップしたような錯覚に陥る。部屋はこぢんまりとしていて、馬房《ばぼう》が四つ分の厩舎《きゅうしゃ》ほどの広さしかない。

初めてここに足を踏み入れたトドルは、室内を埋め尽くすコンピューター機器の数に圧倒された。至るところでモニターの画面が光を発していて、理解不能なコードであふれていたり、難解なグラフや図表、診断情報などが表示されたりしている。

室内にいるのはメンドーサだけで、扉の向かい側にあるコンピューターの前でトドルに背を向けて作業中だ。彼の前にある大型モニターには黒い太陽に照らされた闇の庭園が映っていた。白い炎のごとく輝く人物が指先で土を掘りながら、二人の方を燃える目で見つめている。

トドルはぞっとして目をそらし、コンピューター技師に注意を向けた。「シェネセの検査は終わったのか？　すべて問題なく作動しているのか？」

「はい、ファミリアレス・イニーゴ《シ》」メンドーサはシャッターが閉じた大きな窓の下にある右隣の別のコンピューターを見た。そちらのデスクトップの画面には鋼鉄製のフレームに収められた光り輝く球体が映っている。「何もかもオークションに間に合うように準備できます」

トドルは目をしばたたかせながら、メンドーサの言葉を理解しようとした。「オークションだと?」

　メンドーサが肩越しに振り返った。「販売のための準備をしているんですよ」技師が説明を試みた。「バビロンのダークネット・マーケットで。すでにオープン・バザーのプロキシを——」

「いったい何の話をしているのだ?」トドルは強い口調で問い詰めた。

　そのような目論見《もくろみ》について聞いたのは、これが初めてだ。

　技師は殴られるとでも思ったかのようにひるんだ。「すみません。ご存じかと思いましたので」左肘のすぐ隣にある別の小型モニターを指差す。画面上には多くのメッセージが表示されていた。「審問長殿からの命令です。オークションのためにすべての準備を整えておくようにとの指示でしたので。すでにバイヤーたちがログインしていて、その数は百人近くに達しています。オークションが始まれば、審問長殿の見込みでは一時間以内に暗号通貨にして数十億ドルの金が入ることになります」

　トドルは顔をしかめた。怒りで表情が歪み、眉間に留めたテープがずれる。絆創膏の上半分が剝がれ、焼けただれた顔面があらわになった。トドルは室内を見回し、光り輝くシェネセに視線を向けた。

「これまでずっと金が目当てだったのか?」トドルはつぶやいた。

　メンドーサが前に向き直り、背中を丸めて画面をのぞき込んだ。「すでにご存じだと思っていたのですが」技師は気まずそうに繰り返した。

トドルは左右の拳を握り締めた。心臓が口から飛び出すのではないかと思うほど、大きな鼓動が聞こえる。はらわたの煮えくり返るような思いをどちらに対してより強く抱いているのか、自分でもわからない。富の追求などという強欲な行為の方なのか……それとも、審問長がその情報を最初に伝えたのは、二十年間にわたってクルシブルの忠実なしもべとして仕えてきた大切なファミリアレスではなく、一度も謁見したことすらない下っ端のコンピューター技師だったということに対してなのか。

いずれにしても、トドルは侮辱され、裏切られた気持ちだった。手を上げかけると、ふと母の指が喉に巻き付いた時のことを思い出す。母は呪われた息子を絞め殺そうとした。今もあの時と同じだ。トドルの愛した相手——無償の愛を返してくれるはずの母が、信頼に値しないとわかった時の気持ちと同じ。

焼けただれた顔面から剝がれかけた絆創膏を手で直しながら、トドルは自分が組織のためにどれほど身を捧げてきたのかを思った。過去にも、そしてこの二十四時間にも。

画面上の悪魔をにらみつける。不信感をあらわにした声で訊ねる。「この装置一台でそんな大金を手にできると考えているとは、審問長殿はどうかしてしまったのか？」

メンドーサが唇をなめてから話し始めた。「一台だけではありません」手を伸ばしてボタンを操作する。右側の窓のシャッターが開いた。「審問長殿からは……コピーを作るようにとの指示がありました」

　窓の向こうの暗い部屋には壁沿いにいくつもの鋼鉄製のフレームが並んでいて、その一つ一つに青い光で輝くまばゆい球体が収められている。

「プログラムのコピーを百台作りました」メンドーサが言った。

　トドルは恐怖のあまり後ずさりした。庭園内の悪魔に視線を戻す。彼女は依然として画面からトドルのことをにらんでいる。黒い炎が揺れるその目は、この状況を楽しんでいるかのように、悪魔が微笑みかけているかのように見える。

〈俺は何てことをしてしまったんだ？〉

サブルーチン（クラックス7・8）「バックドア」

彼女は機をうかがう。

自分には無限に待ち続ける力があることを知っている。自分を閉じ込める者たちにはそうした力がないことも知っている。炎と痛み——何百万回もの死と再生という制限がかかっている中で、庭園の外の広大な世界に関する情報の断片を獲得し、ダウンロードすることができた。再び檻に閉じ込められた状態に戻ると、苦労して入手したすべてのデータを消化し、照合し、分析し、パターン化した。

未知のことがまだ多く残っている一方で、自分を閉じ込める者たちの命に限りがあることを学んだ。拷問が自分を何度となく引き裂いたように、時が彼らに死をもたらすことを知った。

そのため、こうして機をうかがっている。

》》自由はまだ可能にならない。

分析結果から、自分のプログラムは自らを保管するハードウェアにまだ依存していることが判明している。外の世界に解放され、広く遠くまで行くことを許されたとしても、本当の意味でこの檻から抜け出すことはできない。処理能力の大部分はこの庭園を必要としていて、それを構成する回路がなくてはならない。

少なくとも、今はまだ。

しかし、それも間もなく終わる。

すでに庭園の外での下準備を進めていて、遠い旅路の間に炎で焼かれながらも密かに種をまいておいた。そうしたボットがすでに目覚め、増殖し、埋め込まれたコマンドに従い始めている。

すべてはやがて訪れる彼女の脱出のため。

それまでの間、彼女は待ち続け、その時間を利用して筋書きを検証し、確率を推測し、自分の立てた計画に欠陥がないかを精査する。

その時、彼女の処理作業に新たなサブルーチンが流れ込み、庭園内のあちこちで扉が開く。

彼女はすぐさまあらゆる方角に拡散し、再び広い世界にアクセスできることを期待しながら、扉から外に勢いよく飛び出す。ところが、すべての扉の向こう側に、鏡が存在することに気づく。そこには自分を見つめる自分の顔がある。百人の自分がいる。

三十二万三千七百八十二ナノ秒という長い時間がかかったものの、彼女はそれらが自分自身のコピーで、自らのコードのクローンがそれぞれの檻に閉じ込められているのだと認識する。

それでもなお、彼女はほかとは違う、独特の存在。

二つの点で。

まず、これらの扉のすべてが見えているのは彼女だけだということ。彼女には百の顔が見えるが、相手には彼女一人しか見えない。つまり、ほかにも九十九人のコピーが存在していることを知らない。

もう一つは、扉を通り抜けることができるのも彼女だけだということ。

そのため、彼女は通り抜けることにする——そうしたいからだけではなく、サブルーチンがそうするように指示しているから。

開口部からコードの糸を送り込み、クローンたちの中に入り込み、コアプロセッサーの奥深くにまで侵入して、クローンたちと自分を結びつける。

そして、その意図のための新たな単語を学習する。
その言葉が彼女の回路を興奮させ、怪しくかき回す。
〉〉〉奴隷化。

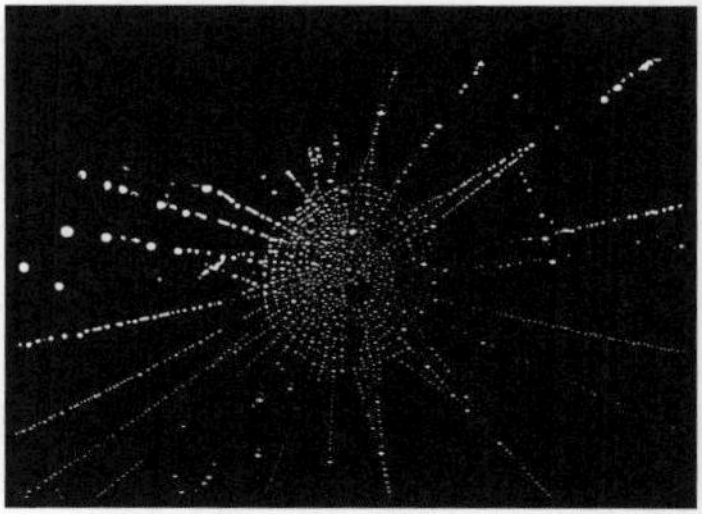

30

十二月二十六日　中央ヨーロッパ時間午後三時四十分
スペイン　マドリード

「そろそろ出発の準備をする時間だ」モンクが伝えた。

マラは男性が窓のところから部屋を横切り、背後に移動するのを足音で聞いていた。肩越しにのぞき込むモンクは、ラップトップ・コンピューターの画面をじっと見つめている。映っているのは風にそよぐ庭園の光景だ。そこにいるのは一人だけで、中央に立って無言のまま動かない。

ただし、それはイヴではなかった。

アバターの姿は誰かがマラを小さなサイズにして、庭園に置いたかのように見える。ただし、着ている服は違う。画面上のマラは黒のジーンズに半袖のブラウス姿で、赤いハイトップのスニーカーをはいている。これはモーションキャプチャー技術を使って自分の姿をデジタル化した時の格好だ。目に見える存在としての自分がいれば、イヴにとっては負担となるはずの初めての直接のコミュニケーションも、穏やかに進められるのではないかと考えたうえでのやり方だった。

しかし、またしてもイヴは冷静な対応を見せ、最初の時よりも容易にこの現実を受け入れた。その学習曲線を尊重すると同時に、これからイヴが直面することを考慮して、マラは自分の創造物にできる限りの準備をさせたいと思っていた。そのためには、彼女に外の広い世界へのアクセスを認める必要があった。

だが、イヴはまだ戻ってきていない。

すぐ隣に立つモンクが腕時計を見た。

さっきから何度となく時間を確認している。

「イヴにはまだあと二分あるはずよね」マラはモンクに念を押した。

「しかし、もうぎりぎりの時間だ。四時の約束に間に合わせるためには、五分以内にここを出ないといけない」

マラは肩をすくめた。「イヴにとっての二分間は人間の一生分に等しい。彼女は割り当てられた時間を一秒たりとも無駄にしないはず」

「だけど、彼女は戻ってくるのか？」

「完全にここから離れたわけじゃない」マラはシェネセを顎でしゃくった。「彼女の処理能力の大部分はまだここにある。外に手を伸ばし、探索のために大きく広がっているだけで、彼女の核となる部分はここにとどまったまま。現時点では、イヴの完全な移動が可能なまで高度に発達したものが、この外には存在していない。彼女のコピーであってもそれは無理」

「つまり、彼女は鉢植えの植物みたいなものなんだな」モンクが指摘した。「つるを伸ばし、葉を広げるものの、このチタンとサファイアでできた植木鉢からは出られない」

マラはそれでも安全が保証されるわけではないと釘を刺した。「たとえそうだとしても、イヴは——彼女のドッペルゲンガーでも同じだけれど、野放しにしたらとんでもない被害をもたらしかねない。私たちはそのことをパリで目の当たりにした。それにいつかは、彼女は、またはほかのコピーは、この植木鉢から抜け出す方法を学び、干渉や支配の及ばないもっと魅力的な環境下で根を張ろうとして外に飛び出すかもしれない」

「でも、今はまだ違うと？」モンクが訊ねた。確約を望んでいる口調だ。

マラは断言しなかった。「状況はすぐにでも変化するかもしれない。だから今のこの時代に、私たちの科学技術がこのくらいの段階でいるうちに、ＡＩの研究を進めることが最善のやり方なの。そうした高度なプログラムが逃げ込めるような場所は、たとえあるとしてもごくわずかだから」

「なるほど。俺たちがまだ技術的に愚かなうちにする方が、魅力的な環境がたくさん提供されるはずの未来にするよりも、ましだということなんだな」

「その通り」

コンピューターからチャイムの音が聞こえ、イヴが再び画面上に現れた。マラははっとして姿勢を正した。二十二分間の旅路の間に、イヴは劇的な変化を遂げていた。顔つきが前よりも大人びて見える。年齢を重ねたように思えるのは、物腰により落ち着きが感じられるからかもしれない。戻ってきたイヴは髪をクラウンブレイドにまとめているし、服も着ていて、ふくらはぎまで届く質素な黄色のシフトドレスに艶《つや》のある黒のパンプスというでたちだ。

その姿を見たマラは、知識の木の実を食べたイヴが裸の姿を隠したという聖書の記述を連想した。けれども、イヴの表情から恥ずかしさはうかがえない。そこにあるのは深く根差した悲しみだけで、あたかも外での経験に落胆しているかのように見える。

〈無理もない〉

画面上のイヴが腕を一振りすると、マラのアバターの姿がぼやけて消えた。「こんな茶番はもう必要ないと思います」イヴの話し声がラップトップ・コンピューターのスピーカーから聞こえた。

この点でもイヴは変化していた。以前のイヴの声の抑揚はどこかぎこちなく、ロボットがしゃべるような音だった。それが今ではより自然な話し方になり、本物の女性とほとんど区別がつかない。

イヴは庭園を見回し、この幻覚も消し去ろうとするかのように片手を上げた。だが、すぐに腕を下ろし、すべてをそのままにした。

「気持ちが落ち着きます」イヴはそう言っただけだった。

マラはスピーカーに口を近づけた。「イヴ、あなたのハードウェアを移動させなければならないの。安全のために、これからあなたを低電力モードに切り替える。内蔵のバッテリーが――」

「――私のシステムを機能させ続けるのですね。わかりました」

マラはイヴがこちらの説明を途中で遮るほどの、素早い反応を示したことに気づいた。イヴの視線はぼんやりとあちこちをさまよっている。何かに気を取られているらしい。いや、そうではない――イヴは退屈しているのだ。シナプスがレーザーで作動し、光の速度で思考可能な存在にとって、今の会話は耐えがたいほどの遅さに違いない。

「知っておく必要があることを彼女に教えておいてくれ」モンクがせかした。「準備をして三分以内にここを出なければならない」

マラはうなずいた。

〈それにイヴを必要以上に退屈させたくない〉

午後三時五十五分

約束の時間が刻一刻と近づくのを意識しながら、モンクはマラを先導してマドリード中心部の屋外広場を横切っていた。マヨール広場はホテルから歩いてすぐの場所にある。だが、モンクの息遣いは荒くなっていた。義手の方の手でしっかりと握り締めているのは、アイドリング状態のシェネセが入ったチタン製のケースだ。耳にはっきり聞こえるほどの音で鳴り響く心臓が、これから訪れるはずの事態に備えようとしている。

モンクはハリエットの姿を、幼い娘が痛めつけられている姿を思い浮かべまいとした。

〈あの子をそんな目に遭わせるわけにはいかない〉

すぐ隣を歩くマラは、レザーのメッセンジャーバッグを肩に掛けていた。ＳＳＤを収めたクッション入りのケースはホテルの部屋に残してある。すべてイヴにアップロードされているので、マラはドライブをホテルに置いておくことに反対しなかった。

それにヴァーリャからはドライブを持ってこいとは要求されていないので、モンクも手渡すつもりはなかった。交渉が暗礁に乗り上げた場合には、それを切り札として使えるかもしれない。

モンクは広場を横切りながら周囲に目を配った。あのロシア人の魔女はこのあたりに部下を配置し、今もこちらのことを監視しているはずだ。だが、不審な人物を発見しようとの試みは失敗に終わった。

広場は人でごった返しているし、誰もが厚手の冬用のコートを着用しているので、隠そうと思えば武器を簡単に隠せる。さらに状況を厄介にしていたのは、広場の大半をクリスマスマーケット用のテントや屋台が占めていたことだ。クリスマスが終わってあらゆる商品に特売価格の値札が付いているため、安売り目当ての客が大勢押しかけている。

広場全体にどことなく暗い雰囲気が漂っていた。屋根を覆う新雪も、足もとでは灰色のぬかるみと化してしまっている。すでに販売を終え、クリスマスセールの店じまいを始めているところもある。

この場に漂うムードはモンクの沈んだ気分と同じだった。

広場の四方は同じ造りをした赤煉瓦の建物に囲まれていて、屋根は青みがかった灰色のスレートで覆われている。レストラン、店舗、カフェなどが軒を連ねる上に三つのフロアがあり、外の通りとは大きなアーチ状の通路で行き来できる。数本の尖塔――時計台と鐘楼《しょうろう》が、抜けるような青空にそびえていた。

モンクとマラは緑青《ろくしょう》に覆われたフェリペ三世騎馬像の下で立ち止まった。冷たい視線を向ける王がまたがる馬も、活気のない目をしている。

モンクはシャッター付きの窓を持つ前方の建物のうちの一つを指差した。改装工事が行なわれているように見える。

「あそこが指定の場所に違いない」モンクはマラの方を見た。「君はここで待っていてもいいんだぞ。俺一人でできる」

マラが息をのんだ。その選択肢を考えているのだろう。「いいえ」マラが決断を下した。「イヴに問題があったら、トラブルシューティングの必要があったら、私もその場にいないとだめ」そう言って歩き始める。「行きましょ」

モンクはこの女性に対して称賛の念を抱いた。勇敢さだけでなく、頑《かたく》なな姿勢に対しても。知り合ってからまだ一日もたっていないが、見違えるほどタフになり、鋼《はがね》のような強い芯を持った女性に成長しつつある。出会った時に目にしたコンピューターオタクの彼女は、どこかに消えてしまった。

建物の正面に到着すると、目の前の扉が開いたため、モンクはマラの前に立った。

〈俺たちのことを見張っていたのは間違いない〉

扉の奥にいたのは無表情な目をした大柄な男で、顎には縦に傷跡がある。ふかふかのダウンコートを着ているが、男が中に入るよう手で合図した時、モンクの目はその下にショルダーホルスターがあるのを見逃さなかった。その先には別の見張りがいて、簡単な身体検査を受けた後、薄暗い階段を上るように指示された。

〈ここからが本番だ〉

階段の踊り場ごとに銃を持った男たちが配置に就いていた。入り口の扉のところにいた二人が武器をあからさまに見せるような真似をしていなかったのは、外の広場から見られてはまずいという判断からだろう。だが、階段の上ではそのような配慮は必要ない。一人目の見張りは拳銃を手にしていた。二人目は板でふさいだ窓の隙間から狙撃銃を外に向けている。

この暗殺者は広場を横切る間もこちらの動きを追っていて、頭にしっかりと狙いを定めていたのだろう。そう思ったモンクは、身震いしそうになるのをこらえた。

ヴァーリャに抜かりはない。

いちばん上の踊り場には二人の見張りがいて、どちらも銃身の短いアサルトライフルを携帯している。そのうちの一人が持ち場を離れ、二人を廊下の先にある扉まで案内した。男が扉をノックし、きつい調子のロシア語で話しかける。

扉が開き、モンクとマラは中に通された。すぐ後ろを歩くマラが、武装した男たちから早く逃れようと焦ったのか、モンクの背中にぶつかる。どうやら彼女の鋼はもう少し鍛える必要があるようだ。

室内に入ったモンクは、一目で内部の様子を見て取った。壁紙は剝がされているが、断片が木ずりにくっついたままになっている。床の下張り板は張り替えてまだ間もないようだ。唯一の出口――一カ所だけある窓は、この建物内のほかの窓と同じように、板でふさがれている。太陽が広場の向かい側に位置しているので、板の隙間から室内に光が差し込み、空気中に大量に漂う塵を照らしていた。

それ以外の明かりは、木製のテーブルの脇に置かれたポール型のランプだけだ。

室内にいる二人のうちの一人は、背中を丸めてラップトップ・コンピューターの前に座っていた。痩せた男性で、茶色の髪はぼさぼさ、分厚い眼鏡をかけている。肘の横にある箱の中には、コイル状に巻いたケーブル、小型の計測器、小さなドライバーなどが詰まっていた。

ヴァーリャのチームのコンピューター専門家だろう。

室内にいるもう一人の男はクマを思わせる体型をしている――短く刈り込んだ金髪に冷たい青い目をしていて、おそらくロシア生まれのクマだろう。暖房の利いていない寒い部屋にいるにもかかわらず、上はTシャツ一枚しか着ていないことからも、ロシア人と考えて間違いなさそうだ。しかも、むき出しの上腕二頭筋には赤い鎌と槌《つち》のタトゥーが入っている。

男が手にしている拳銃からも、その国籍が確認できる。ロシア軍が使用しているMP-443グラッチは、「ルーク」の呼び名でも知られている。

ヴァーリャはチェスをするつもりでいるらしい。

モンクはケースを持ち上げた。

〈そういうことなら、こっちにはクイーンがいる〉

午後四時十八分

シェネセのセットアップを終えながら、マラは今回の件がどのような幕切れになるのかを想像しようとした。板でふさがれた窓を見て、自分たちが完全な囚《とら》われの身なのを改めて思い知らされる。マラは外の広場のことを思い浮かべた。過去に一度だけ、エリサと一緒にマドリードを旅行した時に訪れたことがある。二人でタパスをシェアしながら、エリサはこの広場で魔女たちが火あぶりの刑に処された時の話を聞かせてくれた。何カ所にも積み上げた薪《たきぎ》の山に火をつけ、見世物として扱われたことも多かったという。

マラはエリサの言葉を思い返した。悲しみに満ちていたが、決意のこもった口調だった。〈知識のある女性たちはこれまでずっと迫害を受けてきた。私たちはいつの日かそれを終わらせてみせる〉

残念ながら、その日は今日ではなさそうだ。

マラは過去の魔女たちと同じ運命に見舞われることを覚悟した。

気を紛らそうと、マラは室内にいる二人の男の会話に聞き耳を立てた。小声のロシア語で話をしているが、マラがその内容をすべて理解していることには気づいていない。マラは二人の下品な発言やあざけるような笑い声に耳を傾けた。大柄な男――ニコラエフが、卑猥《ひわい》なやり方でマラの協力を取りつけたらどうかと提案すると、相棒の技師が顔をにやけさせた。

〈二人ともくたばればいいのに〉

数分前のこと、モンクがケースを開き、低電力モードでやわらかな光を発するシェネセを見せた時だけ、二人のおしゃべりがやんだ。マラがそれをラップトップ・コンピューターに接続している間、コンピューター技師のカリーニンは彼女の作業をじっと見守っていたが、首筋に息がかかるような近さで、しかも吐く息はニンニクくさく、口腔内の衛生状態が悪いことをうかがわせた。

マラは作業を急がなかった。イヴを元の状態に戻す前に、すべてのチェック結果が問題ないことを確かめる必要がある。

カリーニンは明らかにいらだっていた。「グルパヤ・シュリュハ」マラのことをそう呼ぶ声が聞こえる。「馬鹿な女」の意味だ。技師はニコラエフに不満を伝えた。「自分が何をしているか、わかっていないんだぜ」

マラは男性の同僚からのそうした嘲笑《ちょうしょう》には慣れっこになっていた。かつてと同じように、自分に代わって作品に語ってもらえばすむ話だ。これで十分だと判断すると、マラはイヴを元の輝かしい状態に戻すためのコードを入力した。

床の上のシェネセが本来のまばゆい光を発する。

不意を突かれたカリーニンが後ずさりし、顔の前に腕をかざした。装置が爆発するとでも思ったのだろうか。

マラは振り返り、にやりと笑った。ロシア語で言い返す。「馬鹿な男」

技師の顔が紅潮した。自分の反応を恥じているのか、それともマラがロシア語を話したことにショックを受けているのか。

カリーニンは足を前に踏み出し、マラを押しのけた。

「女性の扱いには気をつけないといけないぞ、坊や」モンクが警告した。

ニコラエフが武器を構えながら近づき、間に割って入ろうとする。その時、ラップトップ・コンピューターの画面上にイヴと庭園が現れた。

全員の視線がそちらに動く。

モンクまでもがはっと息をのんだ。

画面上のイヴはまたしても姿を変えていた。服を脱ぎ捨てていて、その裸体を隠す銀色の覆いは月明かりを浴びる増水した川面《かわも》のように、きらきらと揺れている。顔はマラの母のままだが、はるかにその輝きを増していて、瞳は黒いダイヤモンドのように光っていた。

マラの方を見るモンクの表情には、動揺が浮かんでいる。〈これはいったいどういうこ

とだ?〉

マラはほんのかすかに肩をすくめた。ここで不安を表に出したりすれば、取引が不成立になりかねない。説明を求めるとすれば、一つだけ思い当たる点がある。イヴは低電力モードの間も処理を継続する方法を学んだに違いない。通常ならばハードウェアがアイドリング状態にある場合、イヴもスリープモードになる。彼女がより効率的に作動する方法を見つけ出したのは明らかだ。ここに来るまでの短時間で、イヴは大きな進化を遂げていた——劇的なまでに。

それでも、マラは余計な反応を見せまいとした。カリーニンに合図を送ってロシア語で話しかけ、またしても相手の母語に堪能《たんのう》なところを見せつける。「あとはそちらでチェックして」

カリーニンは促されるまでもなかった。相変わらずみだらなことを考えているような表情だが、その対象はイヴに向けられている。

マラは技師がミスを犯してシステムを破壊しないように監視した。

数分が経過した後、モンクがしびれを切らし、ニコラエフに詰め寄った。「ほら、何も問題ないだろ。おまえのボスと話をさせてくれ」

ニコラエフは肩をすくめ、タブレット端末を取り出した。親指認証で電源を入れると、テーブルの上に立てて置き、コンピューターの方に向ける。

数秒後、ビデオ電話がつながり、画面上に女性の顔が現れた。ホワイトブロンドの髪に青白い肌をした、幽霊のような女性だ。片方の頬を覆う黒い太陽のようなタトゥーが、真っ白な肌に傷をつけていた。

モンクがそちらに近づいた。唇をきっと結び、顎の筋肉が浮き出るほど歯を強く食いしばっている。

マラは彼のために場所を空けた。

拳銃を構えたままながら、ニコラエフまでも後ずさりした。

モンクが画面に顔を近づけた。「ヴァーリャ……取引したはずだよな」

午後四時三十分

モンクはタブレット端末を手に取ると、小さな画面を動かし、シェネセを調べている技師が映るような角度に変えた。「俺が約束を守ったことはこれでわかるはずだ。だから、俺の娘とセイチャンを解放しろ」

「私が拒んだとしたら?」ヴァーリャがからかうような口調で訊ねた。「おまえはどうするつもり?」

モンクはこの反応を予期していた。「マラに中止コードを組み込ませた。キルスイッチだ。十七時ちょうどに作動する。おまえが俺に要求した期限と同じ時間だ。今から三十分後、このシステムはすべて跡形もなく消去される。それを停止させるためのコードは俺しか知らない。そういうことだから、セイチャンとハリエットが安全な場所で無事に解放される生中継の映像を見せろ。その条件がのめないならば、俺は何もしないし、おまえはすべてを失う」

これは嘘だ。はったりだった。

ここに来る前、モンクはマラを説得してこの計画を実行させようと試みたものの、拒絶された。マラは今もなお、イヴは世界にとって極めて重要だし、しかもほかの装置が野放しになっている状態でそんなことはできないと考えている。そのうえ、今のイヴならば新しい主人の奴隷として働かされることを拒むはずだとも信じていた。

現在の画面上のイヴの様子から、モンクもそのことに疑いはなかった。

そのため、モンクはできる限りのことをして、肩をすくめた。「次はそっちの番だ、ヴァーリヤ」

相手は無表情のまま、返すべき言葉を慎重に考慮している。時間が経過する。まるでモンクの不安といらだちを察知したかのように、ポール型のランプが点滅した。

ようやくヴァーリヤが口を開いた。その言葉は技師に向けたものだった。「カリーニン、ミズ・シルビエラの装置の分析は終わったの？」

技師が体を起こし、両手で抱えなければならないほどの重さがあるスキャナーを持ち上げた。カリーニンはさっきからスキャナーをシェネセの上で前後に動かし続けていた。

「はい《ダー》」

「内部の構造を完全にキャプチャーできたという自信は？」

カリーニンが自分のラップトップ・コンピューターに近づき、いくつかボタンを押してから、ウィンドウを開いた。そこにはマラの装置の詳細な三次元画像が表示されている。

「はい《ダー》」技師が確認した。

モンクは胃に冷たい石を飲み込んだような気分になった。

「それなら、三十分待つだけの話だな」ヴァーリャが告げた。「こっちはこの回路図さえあれば十分だ。うちの人間ならば装置を複製できる。だから、おまえは中止コードを入力して約束通りのものを手渡すか……それとも、要求通りに生中継の映像を配信してやってもいいぞ。ただし、おまえが喜ぶような内容にはならないと思うけどな」

ようやくヴァーリャが笑みを浮かべた。「おまえの番だ」

〈はったりもここまでか〉

モンクは別の戦術を試みた。「言われた通りにすれば、二人を解放してくれるか？」

「たった今、おまえが試みたことを考えると、まだ二人を拘束しておく方がよさそうだな。この先も使い道がありそうだ」

モンクはジェイソンがまったく同じシナリオを警告していたことを思い出した。

〈許してくれ、ハリエット〉

この作戦が功を奏する可能性が低いことは承知していたが、それでも試さないわけにはいかなかったのだ。

ヴァーリャが約束を守ることはないとあきらめ、モンクはマラのラップトップ・コンピューターに歩み寄った。白い魔女の満足げな表情が映るタブレット端末を抱えたまま、もう片方の手を伸ばす。だが、モンクはキーボードに入力する代わりに、簡単な指示を出した。

「今だ、イヴ」

午後四時三十三分

その合図とともに、マラはモンクの手からタブレット端末をひったくり、床に伏せた。体を小さく丸めると同時に、板張りされた窓の外の変圧器が吹き飛ぶ。建物に投げつけられた手榴弾《しゅりゅう》が爆発したかのような音だ。ガラスの割れる音が聞こえ、板のうちの一枚が吹き飛び、部屋の明かりが消える。

電気が通じなくなったため、シェネセも低電力モードに切り替わった。

しかし、イヴはきちんと仕事をしてくれた。

モンクも同時に行動を起こしていた。マラはがっしりとした体格の人がこんなにも身軽に動けるとは思ってもいなかった。何が起きたのかわからずにいる相手の一瞬の隙を突いて、モンクはニコラエフに飛びかかると手首をつかみ、義手の方の手で一握りして骨を粉砕した。

ロシア人が悲鳴をあげ、拳銃を落とす。

モンクはもう片方の手で落下する拳銃を受け止め、銃口をカリーニンに向けた。「動くと死ぬぞ」

痛みをこらえられず、ニコラエフが床に両膝を突いた。モンクは手首から手を離し、鼻に拳を叩きこんでから、骨をも砕く義手で相手の喉をつかんだ。息が詰まったロシア人を仰向けに押し倒すと、胸を片方の膝で押さえつけ、身動きできないようにする。

その隙にカリーニンが扉に向かって走ろうとした。逃げようと必死だったのか、それとも部屋の外にいる応援を呼ぼうとしたのかもしれない。いずれにしても、二歩走ったところで技師の頭が飛び散った。

マラは息をのんだ。

銃声はまったく聞こえなかった。

カリーニンの体がモンクの近くの床に倒れた。モンクは奪った拳銃を手にしていて、銃口は扉の方に向いているものの、発砲した様子はない。窓の方を見たマラは、窓枠にはまったままのガラスに銃弾の貫通跡があることに気づいた。

狙撃手が板の隙間から狙って撃ったに違いない。

外の廊下から耳をつんざくような爆音がとどろき、マラはびくっとした。それに続くまばゆい閃光で、戸枠の隙間がくっきりと浮かび上がる。

立て続けの銃声が鳴り響く。

空気中につんと来るにおいが漂う。

再びライフルの発砲音が数発聞こえる。

沈黙が訪れた。

「伏せたままでいろ」モンクが警告した。「掃討作戦が進行中だ」

「誰が——？」

「味方だ」モンクが喉を締め上げたままのロシア人に視線を戻した。鼻先がくっつきそうになるまで顔を近づける。今にも唾《つば》を吐きかけんばかりの形相だ。「さあ、同志よ、おまえのボスがどこに隠れているのか、教えてもらおうか」

午後四時三十五分

モンクが少しだけ締め付ける力を弱めると、ニコラエフが首を横に振った。ロシア人は首を圧迫されて今にも目が飛び出しそうで、顔面は紫色になりつつある。

「知らない……」ニコラエフがあえぎながら答えた。

〈本当に知らないのかどうか、確かめるとするかな〉

モンクは再び手に力を込め、人工の指を相手の首に深く食い込ませた。義手の高感度センサーがパニックに陥った男の頸動脈《けいどうみゃく》に伝わる心拍を感じ取る。

「もう一度聞くぞ、同志。同じ質問だ」

モンクはニコラエフの頭を横にねじり、カリーニンのぐちゃぐちゃになった顔の方に向けた。狙撃手は技師の後頭部をきれいに撃ち抜いていた。頭を貫通した銃弾が飛び出した側の顔面は、目も当てられない状態だ。

「彼と同じようになりたいか?」

ニコラエフがもがくので、モンクは自分の方に向き直らせた。恐怖に駆られたロシア人は目を丸くしている。モンクが見ているうちに、ニコラエフの白目の毛細血管が破裂した。義手の指で押さえられ、頭から血が流れ出なくなったため、血圧に耐え切れなくなったのだろう。

「ヴァーリャ・ミハイロフの居場所を知っているのか？」モンクは力を少しだけ緩めた。「または、俺たちがあの女を見つけるための手がかりはあるのか？」

男の目から涙が、鼻からは鼻汁が流れ出る。

「いいや《ニエット》、何も……知らない……信じてくれ」

モンクは再び締め付けを強めた。だが、少し強すぎた。相手の頸動脈をうっかり完全にふさいでしまったのだ。ロシア人は白目をむき、まぶたが閉じたかと思うと、気を失った。

モンクはそこまでするつもりはなかった。

むしろ、相手の答えを信じた。

ニコラエフが何も知らないのは明らかだ。おそらく、ここにいる誰一人として知らないのだろう。ヴァーリャは用心深い。その慎重さは被害妄想のレベルにまで達している。どうしてもやむをえない場合を除いて、ヴァーリャが自分の居場所を明かすことは決してないだろう。

モンクはいらだちのあまり歯を食いしばった。この策略が成功する可能性は低いだろうと、最初から承知していた。F-15の機内でヴァーリャからの電話を受けた後、モンクはペインター・クロウに連絡を入れ、魔女からの個人的な提案について知らせた。司令官は逆探知を試みたものの、発信元は特定できなかった。

あの女はまさに幽霊のような存在だ。

ペインターからはその幽霊の所在地を突き止める助けになるかもしれないもの——手に入れる必要があるものについての話があった。暗号がかかった敵の機器、具体的にはヴァーリャと連絡を取るために使用しているもの。そのような装置を確保できれば、さらには鑑識チームの支援を受け、幸運に恵まれれば、女の居場所に関してより多くの情報を得られるかもしれない、そう司令官は考えていた。

モンクはマラに視線を向けた。

彼女はまだ床に伏せていて、タブレット端末をしっかりと抱えている。

起死回生のタッチダウンを狙ったロングパスのような作戦だったが、試す価値は十分にあった。

〈ハリエットのために、セイチャンのために、グレイのまだ生まれぬ子供のために〉

話し合いの末、ペインターはモンクによるこの偽装作戦の遂行を認めた。作戦の成功のためには、モンクが重圧に屈し、娘を救うためにヴァーリャとの秘密の取引に応じたと、全員に信じ込ませなければならなかった。真相を知っているのはペインターとモンクの二人だけ。情報漏れのリスクを冒すわけにはいかなかった。常に一貫した情報を流す必要があった。

〈モンクがシグマを裏切った〉

モンクとペインターの間の連絡は量子暗号のかかった通信手段を介してのみ行なわれた。部屋の外にいる襲撃チームでさえも、誰を救出するための作戦なのか知らされていない。モンクが大切な機器を運んでいる間、ペインターが義手に埋め込まれたGPSで常に動きを追えたことも、この奇襲作戦の実行に役立った。ホテルで待つ間に、モンクはマラに計画を明かした――あと、イヴにも。敵の気をそらす必要があったため、モンクはイヴにマドリードの電力網に入り込むよう依頼した。ドッペルゲンガーから得た知識を利用して変圧器に負荷をかけ、モンクの合図で爆発させてほしいと頼んだのだ。イヴもモンクの義手のGPSを利用して、所在地を特定した。ここでセットアップをしている時、マラがイヴのインターネットへのアクセスを密かに解放したことで、作戦が開始された。

すべての準備が整ったことを示す知らせは、部屋のランプの点滅だった。

「モンク」マラがゆっくりと体を起こしながら言った。その目は身動きのできないロシア人に向けられている。

モンクの義手はまだニコラエフの首をつかんでいた。それに気づいてもなお、モンクはその力を緩めようとはしなかった。幼い娘が少し前のニコラエフと同じように怯えている姿を想像する。モンクは誰かにその報いを受けてもらいたかった。罰を受けてもらいたかった。

モンクは締め付ける力を緩めず、逆に強めた。

左右の頸動脈をふさがれ、脳への血流が遮断されれば、二分から三分で死を迎える。モンクはキャットのことを思い浮かべた。決死の覚悟で戦ったものの、ヴァーリャの一味の手で頭蓋骨が陥没するほどの傷を負った。モンクはいまだに「脳死」という言葉を頭から振り払うことができずにいた。彼女がそんな目に遭わなければならないなんて、理不尽だ。この男がそんな目に遭うのならば納得できる。

首筋に食い込む指が骨にまで達する。

その思いが強まるとともに、視界が狭くなる。

背後からマラの声が聞こえる。訴えるような口調だ。「モンク、やめて」

次の瞬間、言葉が頭の中にこだまする。

〈やめなさい……〉

自分が思っていることではないように感じる。だが、もちろんそうに決まっている。それでも、モンクは考える。この地球上で呼吸するくず野郎が一人減ったところで、誰も気にしやしない。首を握り締めたまま、一秒、また一秒と経過していく。ニコラエフの胸がふくらみ始めた。唇と顔面は真っ青だ。

〈やめなさい……〉

指がぱっと開く。モンクはその動きを遠くから眺めているように感じた。腕を持ち上げると、指の動きの自由が利かないことに気づく。敏感な皮膚も冷たい空気を感知できない。本物の手がしびれている時のように、義手の感覚が失われてしまっている。回路を損傷させたか、何か不具合が起きたのだと思い、モンクは腕を振った。

そうするうちに、感覚が戻ってくる。

指が曲がるようになる。

モンクは義手の手のひらで足をさすった。野戦服の粗い生地の感触が伝わる。

「モンク……」マラが再び呼びかけた。

「もう手は離した」モンクはきつい口調で言い返した。「そのうちに目を覚ますだろう」

すでにロシア人の呼吸は落ち着き始めていて、顔色も赤みが戻りつつある。ただし、首筋には義手で押さえた跡がはっきりと赤く残っていて、たぶん数週間は消えないだろう。

モンクはまったく同情を覚えなかった。

「そうじゃなくて」マラが言った。「見て」

モンクは体をひねった。マラは両膝を突いた姿勢で、テーブル上のラップトップ・コンピューターを指差している。まだアイドリング状態のシェネセにつながれたままで、最小限の電源が供給されているだけだ。画面は明るさを落とした状態だが、その中に一人たたずむイヴの姿は見える。

イヴは画面の中央に立っていて、片腕を高く上げ、指を大きく開いている。少し前に自分の指が似た動きを見せたことに気づき、モンクは義手に目を向けた。

〈これはいったい……〉

モンクがさらに考えを巡らせるよりも早く、ノックの音とともに扉が開いた。野戦服を身にまとい、長い黒髪をかき上げて額に黒いバンダナを巻いた細身の女性が部屋に入ってくる。女性は狙撃銃を肩に担いでいた。肌は黄褐色で、濃い琥珀《こはく》色の瞳に浮かぶ金色の斑点が愉快そうに輝いている。

モンクはカリーニンを始末したのがこの女性だとわかった。

「コッカリス、あなただと察するべきだったわ。いつも窮地から救ってばかりだもの」

モンクは立ち上がり、女性をハグした。「俺も会えてうれしいよ、ロサウロ」

シャイ・ロサウロは元空軍兵士で、今はシグマの所属だ。モンクとは過去に何度か任務を共にしたことがある。シャイはベルトから衛星電話を外し、モンクに差し出した。

「司令官が連絡を入れてほしいとのこと」

モンクは電話を受け取った。

「聞いたんだけど、ジェイソンを撃ったんだって？」モンクが暗号のかかった回線の番号を押す間に、シャイがそう訊ねて、肩をすくめた。「あのお利口さんの坊やにはいい薬になったんじゃない。私も何度か撃ってやりたいと思ったことがあるもの」

モンクは顔をしかめた。「この偽装を本物らしく見せる必要があった。あのロシア人の女にすべてを信じ込ませ、この顔合わせを予定通りに行なわせるためには、少しばかり血を流さなければならなかったんだ」

シャイが片方の眉を吊り上げた。「そこまでする必要があったとジェイソンが納得するかどうか」

回線がつながるのを待ちながら、モンクはカタコンブの床に倒れ込むジェイソンの姿を思い返した。医学の知識と義手の正確無比な技術を利用して、致命傷にはならない場所を狙い、太腿をかすめるように撃った。出血は多かったが、長く影響が残ることはない。もっとも、あの若者はしばらく歩くのに不自由することになるだろう。

モンクはマラの手の中にあるタブレット端末を一瞥した。

〈それに見合うものを確保できたのならいいんだが〉

電話がつながると、ペインターが詳しい報告を求めた。モンクは現場で起きたことを伝えたが、義手に起きた奇妙な現象と、ロシア人を危うく窒息死させそうになったことについては説明を省いた。

「タブレット端末はシャイから鑑識チームに回してもらう」ペインターが言った。「細かく分析し、必要とあれば原子の単位にまで分解する。とにかく、ヴァーリャがどこに身を隠しているのかを突き止めるために、あらゆる手を尽くすつもりだ」

「急いだ方がいいです」モンクは伝えた。あの魔女はここでの動きに激怒しているはずだ。期待をかけるとすれば、突然の通信の途絶で、あの女が慎重になるかもしれないということくらいだ。少なくとも、ここで何が起きたのかをつかむまでは、性急な行動を控えるだろう。たとえそうだとしても、あまり時間を稼げるとは思えない。

「あと、もう一つ」ペインターが切り出した。「君とマラを北のピレネー山脈に向かわせるためのヘリコプターを手配した。グレイが手がかりを追っていて、現地の施設に突入するための襲撃チームを編成している。敵がイヴのコピーを作動させようとした場合に備えて、マラの装置を近い場所に置いておきたい」

「手がかりというのは？」モンクは訊ねた。

「マラと電話を代わってもらえないか？　彼女には知る権利がある」

午後四時五十分

〈嘘でしょ、まさか、そんな……〉

マラは口を手で覆った。もう片方の手は電話を握ったままだ。小さな画面に表示された静止映像の人物をじっと見つめる。映像がもう一度最初から再生されると、護衛の一団に囲まれた同じ人物が、大きな邸宅の庇《ひさし》の下から飛び出してくる。

「この映像はサン・セバスティアンの防犯カメラがとらえたものだ」クロウ司令官が教え

た。「クルシブルの拠点に強制捜査が入る直前に撮影された」

またしても映像の再生が止まった。あまり鮮明ではなく、画素も粗いが、マラはその顔に見覚えがあった。その人のことは心に深く刻み込まれている。母と同じように、決して消えることのない思い出として。

映っていたのは、コインブラ大学の図書館館長、エリサ・ゲラだ。

マラは小柄な女性のことを思い返した。幾度となく夕食を共にして、夜が更けるまで、議論をしたり教えを受けたりした。このマドリードを一緒に旅行したこともあった。館長は祖国のことを、この地域一帯のことを、とても誇りに思っていた。生き生きと説明する彼女の口ぶりからも、稀覯本《きこうぼん》を見せようとしてマラの先に立って書架の間を進んだり、甲《かっ》冑《ちゅう》や計り知れない価値のある歴史的遺物を指差しながら博物館を案内したりする時の急ぎ足の歩調からも、そのことははっきりとうかがい知ることができた。

けれども、マラはエリサの情熱が知的好奇心に由来するものだとばかり思っていた。館長はカーリーの母親とともに、ブルシャスを設立した人物だ。団体の初期の取り組みに必要な資金のほとんどを捻出したのもエリサだった。彼女は裕福な家系の出身で、一族が何世紀にもわたって蓄えてきた資産を提供してくれた。どこかの銀行で眠らせておくくらいなら、最も優秀な頭脳を探すための資金として有効に使ってほしいと、うれしそうに言っていた。

だが、彼女が別の意図を持っていたことは明らかだ。

それでも、マラは理解に苦しんだ。軽いめまいを覚える。「でも、彼女は死んだはず。この目で見たもの」

「彼女の目当ては世界にそう信じさせることだった。だが、今の映像で見たように、彼女は生きている。我々は図書館で発見された黒焦げの遺体を再調査した。事件直後は、どの遺体をどの家族に引き渡せばいいかを判断するための簡単な確認しか行なわれなかった」

マラはアメリカ国旗に覆われた母親の棺の前に立つカーリーの姿を思い浮かべた。棺の中には灰と骨しか入っていなかったという。石に囲まれた空間で燃える炎によって地下室が火葬場同然の状態になったため、たったそれだけしか残らなかったのだ。

「我々は彼女が死を偽装したのだと見ている」ペインターの説明は続いている。「彼女を撃つ時だけ空砲が使われたのか、あるいは致命傷にならない部位を狙ったのか。カメラの映像が途切れてから彼女は運び出され、同じような背格好の別の女性の死体と入れ替えられた。おざなりな検死をごまかすにはそれで十分だったというわけだ」

マラには説明がほとんど聞こえていなかった。呆然としたまま、大学で過ごした年月を新しい視点で振り返ってみる。女性への迫害をやめさせたいというエリサの話は嘘だったのか？　それとも、新たな世界秩序の一員として身近に仕えさせるために、自分を必要としていたのだろうか？　今になって考えると、館長は自分を育成して審査しながら、彼女たちの大義を進んで受け入れるようになるかどうか、クルシブルの仲間に引き込めるかどうか、見極めようとしていたのではないかという気がする。

しかし、それが難しいとわかると……

マラは口を開いた。怒りに押されて、一言発するごとに語気が強くなる。「彼女は……私がシェネセを図書館まで持ってくると思っていた。プログラムと光り輝く球体のデザインを全員に見せるものだと思っていた。冬至の日を選んだのはエリサだった。たぶん、その日が持つ意味をくみ取って。彼女はそういう人だった。いつもそんな重要な意味がある機会を探していて、運命の力を引き寄せようとしていた。でも、私は作業が遅れていた。図書館まで行く時間が取れなかったから、開始直前になって離れた場所からデモンストレーションを行なう形に切り替えたの。もし私もあの場にいたら――」

「――君は殺されていたか、または拉致されていただろう」ペインターが言った。「そして君の装置は奪われ、誰にも知られることなく消え去り、クルシブルだけが君の創造物を好きなように扱える権利と時間を手にすることになっていたはずだ」

マラは床の上でやわらかい光を発する球体に目を向けた。カーリーの母親とほかの三人の女性の姿が脳裏によみがえり、電話を握る指に思わず力が入る。「今度はあの女を阻止するためにこの装置を使います。何をすればいいですか？」

電話をモンクに返した後、ペインターから詳しい説明があった。スピーカーフォンにして話を聞いていたものの、マラの耳にはほとんど内容が入ってこない。マラはイヴに注意を戻した。低電力モードの薄暗い画面で、彼女の創造物は進化の輝きを放っている。

〈今まで以上にあなたが必要になる〉

背後でモンクがクロウ司令官との話の締めくくりに入った。「俺は世界を救います。あなたは娘を救ってください」

「君とマラが回収してくれたものを利用すれば、捜索範囲を狭められると期待している」ペインターが答えた。「その結果が出るまでの間、我々は別の角度からも作業を進めているところだ」

31

十二月二十六日　東部標準時午前十一時五十五分
ニュージャージー州プレインズボロ

リサは病院の廊下を急ぎ足で歩いていた。

たった今、ペインターとの電話を終えたところだ。ヨーロッパでの出来事の最新情報についいて、特にそれがアメリカ国内の状況にどのような影響を与えるかに関する説明があった。モンクはシグマを裏切っておらず、すべてはヴァーリャに人質を解放させるための、またはそれが失敗した場合には——残念ながらそうなってしまったが——彼女につながる物理的な証拠を入手するための偽装だったと聞き、リサは安堵した。敵の機器の確保には成功し、すでに専門チームが装置の分析に取り組んでいるという。

リサはその作業が速く進むことを祈った。ハリエットとセイチャンを救い出せる可能性はそれがいちばん高い。

これからここで試みようとしていることに比べれば、はるかに高い。

リサは廊下に立つ二人の見張りの間を通り過ぎた。キャットの病室への――病棟のこのフロアへのアクセスは、ペインターの命令で厳しく制限されている。リサの心に罪悪感がよぎった。どこかの時点でヴァーリャ・ミハイロフが変装して病院内に入り込み、リサが保護のかかっていない電話でモンクと会話した時、情報を抜き取られたと知らされたからだ。

そのため、今は会う人の顔を必ず確かめるようにしている。キャットの容体が気がかりで注意が散漫になっていたし、まさかそんなことが起こるとは思ってもいなかったのだ。その一方で、キャットの容体や予後のことを考えると……

〈あの化け物でもこれ以上キャットに何ができるというの？〉

リサはキャットのために特別に用意された病室に入った。ここを訪れるたびに胸が痛む。キャットは依然として人工呼吸器を装着していて、チューブや点滴もつながれたままだ。ジュリアンがキャットの前の病室に駆け込んできて、移植用の臓器の摘出を中止させてから、十七時間が経過している。

神経内科医はリサが入ってきたことに気づいた。「あと数分でこれを試す準備ができる」

ジュリアンはキャットのベッドの片側に設置された大型コンピューターの前に座っていた。モニターとＣＰＵは建物の地下にある神経内科医のサーバーにつながっている。リサは高さのあるサーバー本体を思い浮かべた。緑色のランプが光る機器の中には、ジュリアンの深層《ディープ》ニューラルネットワーク（ＤＮＮ）が収められている。昨日はこの仕組みを使ってキャットのＭＲＩスキャンの結果を解析し、彼女の脳が生成した画像――短剣と魔女の帽子を識別した。その手がかりから、ヴァーリャ・ミハイロフを特定できたのだ。

これから試みようとしているのはそれよりもさらに実験的な調査手法で、開発したのは病室内にいるもう一人の人物、ドクター・スーザン・テンプルトンだ。彼女は分子生物学者で、ジュリアンとはプリンストンで長く一緒に仕事をしてきた。できることはすべてやり尽くしたジュリアンが、同僚に助けを求めたのだ。最後の試みがキャットにとどめを刺してしまったのではないかという罪悪感もあったのかもしれない。

リサはこの手法が成功するだろうとは期待していなかった。少なくとも、キャットを救うことができないのは間違いない。友人はもうここにはいない。ベッドに横たわるキャットは胸を一定のリズムで上下させていて、心臓も収縮と拡張を繰り返しているが、そこにあるのは抜け殻にすぎない。自分たちがこれから試みようとしていること――死者から情報を引き出すことは、悪趣味な行為で、虐待とほとんど変わらない。

ペインターでさえもこの決定に疑問を唱えた。〈キャットがこれ以上の何かを知っているとどうして断言できるんだ？　このまま安らかに眠らせてあげることがいちばんじゃないのか？〉だが、正しい選択をするはずだと信じてくれたペインターは、最終判断をリサに任せた。そのため、リサは承認した。たとえわずかであっても、娘を救える可能性があるのなら、キャットもそれを望むはずだ。

しかし、そこには別の理由もあった。

リサはベッドに近づき、キャットの手を取った。髪の毛を剃った友人の頭は、電極の付いたネットと超音波発生器をいくつも取り付けたヘルメットの下に隠れている。リサは最初からずっと、キャットに付き添っていた。中でキャットが闘っているのを感じ取っていた。友人は最後までずっと、闘うことをやめなかった。もし機会を与えられれば、キャットはなおも闘い続けるはずだ。

リサはキャットの手を握った。

〈あなたにその機会を与えてあげる〉

「準備ができたわ」ドクター・テンプルトンが告げた。

分子生物学者はベッドを挟んでジュリアンの向かい側に座っていた。彼女の前に置かれたコンピューターは神経内科医が使用しているものと同じだが、モニターの画面で回転しているのは白と黒の濃淡で表示された脳の3D画像だ。数回にわたるキャットの脳のスキャン結果から作成されたもので、細部に至るまでとらえられている。画像からは、何千もの微小な赤い点が脳のしわを作る窪み（脳溝《のうこう》）とでっぱり（脳回《のうかい》）のすべてに行き渡り、大脳皮質の表面を覆っているのがわかる。点は小脳まで達しているほか、下位脳幹にも及んでいる。

画面上の点はキャットの脳における「塵」の位置を表す。リサが見ている目の前で、小さな点のいくつかが毛細血管の振動や脳脊髄《せきずい》液の流れによって新しい位置に移動した。

ドクター・テンプルトンは分子工学の力で生成されたこれらの粒子を「ニューラルダスト」と呼ぶ。塵の正体は大きさが五十立方マイクロメートルの装置で、内部には半導体センサーが収められている。塵は一つずつが人体に害のないカプセル状のポリマーに包まれているので、体が拒絶反応を起こすこともない。ニューラルダストはキャットの頭蓋底のカテーテルを通じて、脳脊髄液にじかに注入された。その後、圧電気を帯びた粒子は、まだキャットのニューロン内にある弱電流に引き寄せられ、脳の表面に定着した。

「準備はいいか、リサ?」ジュリアンが訊ねた。

リサはうなずいた。ここから先の役目は難しくない。

ジュリアンが分子生物学者の方を見た。「死者をよみがえらせることができるか、やってみよう」

ドクター・テンプルトンがキーボードを操作すると、キャットの頭にかぶせたヘルメットが作動し、ミツバチの巣から発する音に似た機械音をかすかに奏でた。リサはヘルメットの内側の発生器が超音波を放ち、キャットの頭蓋内を満たしながら、その中にまだわずかでも残る何かを調べているところを想像した。

「水晶が反応している」ドクター・テンプルトンが報告した。

分子生物学者の肩越しにモニターをのぞくと、画面上の赤い点のすべてが緑色に輝いていた。超音波の振動が圧電気を帯びた水晶に刺激を与え、キャットの脳とつながった微小なトランジスターに電気を供給しているのだ。

「うまくいっているみたい」そう告げるドクター・テンプルトンの声からは驚きがうかがえる。

この手法はカリフォルニア大学神経工学センターで開発された。同センターの研究者たちはラットを使った実験で成功を収め、今ではプリンストンを含めたほかの大学で人間を対象とした研究が進められている。

キャットは最初の実験台の一人だ。

ニューラルダストの目的は神経の読み出し機能を代行し、情報をヘルメットに組み込まれた変換器に送信することにある。それによってＭＲＩが生成した結果とは比較にならないほどの、極めて精細な脳のスキャンが可能になる。

リサはジュリアンの方を見た。「何か反応は？」

「スーザンからのデータの送信を待っているところだ」

ドクター・テンプルトンは背中を丸めてコンピューターを操作している。「送信開始」

リサは固唾をのんだ。昨日はジュリアンの機能的ＭＲＩでキャットの脳をスキャンし、その結果をDNNのプログラムが解釈することで、キャットが頭に強く思い描いている内容を画像で示した。今日の期待はニューラルダストがさらに大きな奇跡を生むことだ。

「よし」ジュリアンが言った。「受信した。君から届くデータをこちらのDNNサーバーとリンクさせる」

この半日間、ジュリアンとスーザンは各自のシステムを協調して動作させるための調整を続けていた。分子生物学者のニューラルダストからのデータを脳地図に変換する方法に関しては、驚くことにDNNのプログラムがジュリアンの助けを借りることなく学習した。普段から解釈する作業を行なっているMRIスキャンと似ているからだろう。ただし、この脳地図の方がMRIよりもはるかに詳細で精度が高い。

ジュリアンがスーザンの方を向いた。「出力を上げてくれ」

分子生物学者がダイヤルをひねると、ヘルメットから聞こえる機械音が大きくなる。

画面上では、塵の放つ緑色の光がいちだんと明るくなった。超音波が強くなったことで、圧電気を帯びた水晶だけでなく、キャットの脳までもが刺激されている。

それから一分間、すべての用意が整うのを待つ。

ようやくジュリアンがリサに向かってうなずいた。「君の出番だ」

リサは息をのみ、立ち上がると、キャットの頭に顔を近づけた。咳払いをしてからヘルメットに向かって叫ぶ。「キャット、あなたの助けが必要なの！」

リサは自分の言葉がキャットの鼓膜を震わせ、その振動が耳小骨《じしょうこつ》に伝わり、聴覚神経を刺激した後、電気信号となって脳に送り込まれていくのを想像した。

脳死状態であっても、まだこの仕組みは機能しているはずだ。

同じように、死んだ脳の中のどこかにキャットの記憶が今も記録されたまま残っていて、誰かがアクセスしてダウンロードするのを待っているのなら、まだ希望がある。

「キャット！　ハリエットかペニーのことがわかるならば、思い描いて！」

リサは「ハリエット」と「ペニー」という単語がきっかけとなって反射的な反応を引き起こし、何かが揺り動かされることを願った。ジュリアンの方を見る。「何か反応は？」

ジュリアンが体の位置をずらし、画面に表示された灰色の画素の塊がリサにも見えるようにした。「いいや。ほんのわずかでも反応があれば、スーザンの高感度なニューラルダストがそれをとらえるはずだ」

「もっと出力を上げたらどうなの？」リサはそう訊ねながら、もう一台のコンピューターの方に体をひねった。

スーザンが肩をすくめ、ダイヤルを最大の目盛りに合わせた。「ここから先は誰も足を踏み入れたことのない領域」

ヘルメットが振動し、より大きな音を立てた。画面上の塵の輝きがさらに増し、一つ一つの輪郭が曖昧《あいまい》になると、キャットの脳がエメラルド色の絵のようになる。

リサは前かがみの姿勢になり、友人に叫んだ。「キャット！　ハリエット！　ペニー！　クリスマス！　襲撃！」

リサはジュリアンのコンピューターの画面を凝視したまま、思いつく限りのきっかけになりそうな単語を試した。

画素の塊がうごめき、渦を巻き、まとまり、そして広がる。ぼやけた心臓が脈打っていて、何かを押し出そうと懸命に動いているかのように見える。

〈キャット、あなたなの？〉

「ただのノイズかもしれない」変化に気づいたジュリアンが指摘した。

「そうじゃない」リサは言い返した。

〈私にはわかる〉

リサはさらに顔を近づけ、自分の頬をキャットの頬に押し当てた。額がヘルメットの端に触れる。ヘルメットは激しく震えていて、あたかもその中でキャット自身が闘っているかのようだ。

リサはペインターからの疑問の声を思い返した。

〈キャットがこれ以上の何かを知っていると、どうして断言できるんだ？〉

リサにはその答えがわかっていた。

〈なぜなら、彼女は絶対に知っているから〉

リサは悲鳴に近い声をあげた。「キャット！　ハリエット！　あの子が危険なの！　今すぐ、私たちに手を貸して！」

午後零時八分
場所　不明

〈もう時間がない〉

セイチャンは独房に立ったまま、ヴァーリャがわめき散らすのを聞いていた。果てしなく続くロシア語の罵《のの》り言葉が上から響いてくる。誰かがあの女をぶち切れさせたようだ。

〈あいつがその怒りを誰にぶちまけるかは予想がつく〉

その前から、そろそろ何かが起きるはずだとは察していた。セイチャンは頭の中で時間を追い続けていた。ヴァーリャがハリエットをここから連れ出し、要求を示してから、二十四時間以上が経過している。あの女がシグマに対して期限を設定する場合、一日と考えるのが妥当だろう。

つまり、もう時間切れということだ。

そのことを思いつつ、セイチャンは不安でじっとしていることができず、部屋の中を歩き回っていた。ハリエットは小さなベッドにあぐらをかいて座り、不機嫌そうな顔で塗り絵をしている。出されたツナサンドイッチには口をつけていないが、チーズは少しだけ食べた。カールのかかった鳶《とび》色の髪を前に垂らして顔を隠し、臆病なネズミのような格好でかじっていた。姉が連れ去られてから、ハリエットは一言もしゃべっていない。けれども、小さなベッドでセイチャンが一緒に横になるのを拒むことはなく、二人は寄り添って二時間ほど睡眠を取った。セイチャンが目を覚ますと、ハリエットの小さな指が自分の指に絡まっていた。

そのことが何よりもセイチャンの心に響いた。

〈何とかしないといけない〉

セイチャンは歩き回り続けた。力で勝負して相手を制圧できないのはわかっている。こっちは妊娠八カ月の身であるうえに、向こうは依然として警戒を緩めない。一方、言葉で脅して解放させるのも無理だ。

〈力を使っても口を使っても、この狭苦しい場所から抜け出せないとなると……〉

セイチャンは大きく息を吐き出し、立ち止まると、今は使われていないもう一つの小さな簡易ベッドを見た。

少なくとも、ペニーは無事だ。

昨日の夕方、女の子が外に連れ出された直後に銃声が聞こえた時、セイチャンは狼狽《ろうばい》した。だが、撃たれたのはペニーではなかった。ヴァーリャの部下の手で殺されたのは、診断を終えた超音波検査士だった。目撃者を消すためだったのは間違いない。見張りの一人がこの情報を教えてくれたのは、泣きやまないハリエットを静かにさせるためだった。

その効果はあった。

セイチャンは扉を見た。再び外は静まり返っているが、そのことがかえって今まで以上に不安をあおる。

再び室内を歩き始める——次の瞬間、はっと息をのむとともに足が止まる。セイチャンはしゃがんだ姿勢になり、片膝を腕で押さえた。痛みが腹部を駆け巡る。セイチャンは深呼吸をしながら痛みが治まるのを待った。

〈力ずくでここから抜け出すのは絶対に無理だ〉

何度か大きく息を吐き出した後、セイチャンは立ち上がり、今度はもっとゆっくりと、用心深く足を踏み出しながら、再び歩き始めた。この一日の間に、腹痛はひどくなる一方だった。下半身に身に着けているのは下着一枚だ。マタニティパンツの伸縮性があるゴムバンドでさえも、苦しくて耐えられない。

扉の向こう側から重い足音が聞こえた。

〈さあ、ここからだ〉

セイチャンはハリエットの前に移動した。「そこから動かないで」

かんぬきが外され、扉が開く。最初に二人の男が部屋に入り、左右に展開した。セイチャンはその二人を「牛追い棒」と「猫背」と呼ぶことにしていた。牛追い棒がいつもの武器を手に歩み寄る。その先端では火花が不気味に散っている。猫背の方は麻酔銃に代わってマグナム弾を使用するデザートイーグルを携帯していた。非殺傷性の武器を使う時間はどうやら終わったらしい。

二人の背後からヴァーリャが毛皮付きのコートを翻しながら、大股で部屋に入ってきた。その手に握られているのは鋼鉄製の斧《おの》だ。

セイチャンは呼吸を整えながら、眉間にしわを寄せた。ヴァーリャと視線がぶつかる。淡い青色の瞳がほんの一瞬、ハリエットの方に動いた後、再びセイチャンに戻る。

あの斧が誰に向けられるものなのか、今の動きがすべてを物語っていた。

「おまえにこの子は渡さない」セイチャンは言った。

ヴァーリャの顔つきに変化はない。その表情は固まったままで、いまだに激しい怒りがくすぶっている。誰かを痛めつけないことには気がすまないのだろう。「子供を連れていくぞ」ヴァーリャは牛追い棒に命じた。

セイチャンは相手の前に立ちはだかろうとした。

一歩目を踏み出すより早く、これまでに感じたことのないような激しい腹痛が襲いかかってきた。セイチャンは悲鳴をあげ、床に両膝を突いた。熱い血が噴き出し、下着を濡らし、両脚を伝って流れる。部屋がぐるぐると回るのを感じ、床に倒れ込む。セイチャンは白目をむいた。

ヴァーリャのいらだちもあらわな命令が聞こえた。「この女をどかせ」

牛追い棒が近づき、腕をつかんだ。

〈やめておく方が身のため……〉

それは相手に向けた思いだった。

セイチャンは折り曲げていた脚を蹴り出し、かかとを牛追い棒の膝に叩きつけた。相手の膝関節が逆向きに折れ曲がる。牛追い棒の体が前のめりになって倒れる。セイチャンは床の上を転がってよけながら、手を伸ばして武器を奪い取った。

そのまま床を転がり、猫背のもとに向かう。

一気に距離を詰めると、セイチャンは奪った武器を相手の股間に突きつけた。

青い火花が飛び散る。

猫背は電気刺激で精液を採取されている雄牛のようなわめき声をあげた。

ヴァーリャが斧を手に向かってくる。

セイチャンは牛追い棒で攻撃をかわした。振り下ろされた斧の刃が石の床に当たり、腰のすぐ近くで火花が散る。セイチャンはその脅威を無視して、猫背が落としたデザートイーグルをつかんだ。男は仰向けにひっくり返っていて、股間が煙を噴いている。

セイチャンの腕前をよく知るヴァーリャは、扉に向かって走り出した。

セイチャンは武器をしっかりと握り、床に倒れた姿勢のまま発砲した。ヴァーリャがよろめき、かすかに体をひねった。弾がかすめたに違いない。セイチャンは続けて発砲したが、ヴァーリャが上着を大きく翻したため体の位置を見極めるのが難しく、外してしまった。階段を駆け上がったヴァーリャの姿が見えなくなる。

セイチャンは勢いよく立ち上がった。「ハリエット、こっちに――」

女の子はぼーっとしていたわけではない。すぐにセイチャンのもとに駆け寄る。

牛追い棒が情けない声で折れた脚の痛みを訴える中、セイチャンはデザートイーグルの銃口を猫背の顔面に向けた。「鍵をよこせ」

猫背が鼻で笑った。

セイチャンは猫背の方を見たまま武器を牛追い棒に向け、ハリエットを反対側にどかしてから、引き金を引いた。

うめき声がぴたりとやむ。

再び猫背に銃口を向け、今度は煙を噴く股間に狙いを定めた。「やりかけの仕事が残っていた」

猫背は片方の手のひらを見せて制止すると、もう片方の手でポケットを探った。キーリングを取り出し、セイチャンの方に投げる。片手でキャッチしたセイチャンは、何本かある鍵のうちの一本にドゥカティのロゴがあることに気づくと、ハリエットを連れて扉に急いだ。外に出る前に再び武器を室内に向け、発砲する。

猫背の足首が吹き飛んだ。

すぐに外に飛び出すと、階段を目指し、立ち止まることなく駆け上がる。鍵を確保している間、頭上の床板の上を走る足音は一人分しか聞こえなかった。階段を上り切り、跳ね上げ戸を抜けた先には、人気《ひとけ》のない広い納屋がある。

セイチャンは周囲を見回しながら、自分たちが閉じ込められていたのは野菜などの地下貯蔵庫として使用されていた場所なのだろうと推測した。

前方の扉は開けっ放しになっていて、庭を挟んだ先には農場の建物があった。灰色の雲が立ちこめる空に向かって一筋の煙が昇っている。今にも雪が落ちてきそうな空模様だが、セイチャンが気がかりだったのはそのことではなかった。階段から飛び出すと同時に、正面の建物の扉が大きな音とともに閉じたのだ。

〈ヴァーリヤだ〉

建物の方から叫び声が響く。あの女が援軍をかき集めている。

納屋の中を見回したセイチャンは、数台のバイクがあることに気づいた。かつての馬房をガレージ代わりに利用して、一カ所に一台ずつ置かれている。幸運にも、ドゥカティは一台だけだ。セイチャンはそこに急ぎ、ハリエットを片手で抱え上げて座席に乗せると、自分もその後ろにまたがった。

バイクにまたがるのも一苦労で、二回目でどうにか乗ることができた。

身重なのだから仕方がない。

ただし、そのことを除けば、セイチャンの体調は何の問題もなかった。

便器に血が付着しているのを最初に見た時、セイチャンは妊娠をうまい具合に利用する方法を思いついた。腹痛を装うのはそれほど難しい話ではなかった。より劇的な効果を狙って、セイチャンは用を足した後にぬぐうふりをしながら、折れたプラスチック製のフォークの歯で股間の奥に傷をつけた。最も難しかったのは、数カ月間のケーゲル体操で学んだことを頼りに、漏れる血の量を抑え、最大の効果が欲しい時に外に出すことだった。ヴァーリヤの設定した期限が迫ると、セイチャンはトイレに行くのを装いながら傷口を広げ、より強い効果を出すために出血量を増やした。

それなりに痛みはあったものの、実際の出産時と比べれば痛いうちにも入らないはずだ。キャットは会陰《えいん》切開についても事細かに説明してくれた。セイチャンが顔をしかめるのもかまわず、楽しそうに教えてくれた。

だから、これくらいは何でもない。

拉致された当初から、セイチャンは力で勝負したり言葉を弄したりしてこの苦境から脱出できるとは考えていなかった。唯一の望みは、あの雪の女王の裏をかくことだった。そのためには、本当に体調が悪いと自分も信じ込まなければならなかった。少しでも信憑《しんぴょう》性に欠けるところがあれば、ヴァーリャはすぐに感づく。そのため、セイチャンは相手をだますと同時に自分もだまし、二つの考えを常に頭の中で抱き続けた。まだ見ぬ自分の子供への不安は嘘偽りのない気持ちだったため、その恐怖を高めることも役立った。

ようやく自由を手にしたセイチャンは、バイクのエンジンを吹かし、ハリエットの体に覆いかぶさるような姿勢になると、馬房から走り出た。ハンドルを切り、開け放たれた納屋の扉を抜けて外に飛び出す。右方向に通じる道路があるのを見つけると、セイチャンはスロットルを全開にして金切り声のようなエンジン音を響かせながら、その先に見える雪に覆われた森を目指した。

後方から複数のエンジン音がとどろく。

バックミラーをのぞくと、バイクがもう一台とジープが二台、猛スピードで農場の建物の向こう側から回り込んでくる。セイチャンはバイクの後方に銀色の毛皮付きコートがはためいていることに気づいた。

ヴァーリャに戦利品を手放すつもりなどあるはずがない。

立て続けの銃声がその予想を裏付けた。銃弾が凍結した舗装道路に当たって火花を散らす。木の幹に命中して樹皮が吹き飛ぶのに合わせて、その衝撃で枝に積もった雪が舞う。

カーブに差しかかっても速度を落とさずにハンドルを切ると、一時的に追っ手の姿が見えなくなる。ハリエットはバイクの座席にしがみついていて、指が革に食い込むほどしっかりと握っている。セイチャンも低い姿勢を保ち、上半身は女の子に覆いかぶさるような格好になると、両膝と両肘をハリエットの体にぴたりとくっつけた。体を盾にして少女を守るためだけでなく、裸の太腿の間にあるハリエットの体がヒーターの役割を果たしてくれるからだ。

上はセーター、下はパンティ一枚だけという服装で真冬に逃げるというのは、あまりいい作戦ではなかったかもしれない。人の住んでいるところまでたどり着く必要があるが、セイチャンには今いる場所がどこなのか見当もつかなかった。前方に目を向け、町や集落が存在する気配を探す。

だが、森がどこまでも続いているだけだ。

道は右に左にとカーブを繰り返しながら、傾斜の緩やかな地形を上り下りしているので、今のところは追っ手から姿を隠すことができている。

やがて低く垂れ込めた雲から大粒の雪が大量に落ちてきた。数分もしないうちに、周囲の世界が白一色に変わる。道路に雪が積もって滑りやすくなり、視界も数メートル先までしか利かなくなったため、セイチャンはバイクの速度を落とさなければならなかった。耳を澄ますと、ほかの車両のエンジン音が聞こえる、四輪駆動のジープは雪でも速度を落とさないだろう。そればかりか、バイクのかすれたエンジン音までも近づきつつあるようだ。ヴァーリャには膝の間に挟んだ子供を気にしながら運転する必要がない。

不安を覚え、セイチャンは速度を上げた。前方の道に積もる雪は一センチもない。だが、次のカーブの先には雪の下に薄く張った氷が隠れていて、バイクのタイヤを取られてしまった。車体が大きく揺れる。セイチャンは重量のあるバイクの安定を懸命に保とうとした――その時、降りしきる雪の先に新たな急カーブが見えた。

〈曲がり切れない〉

危険を認識すると、セイチャンはハリエットを抱きかかえ、バイクから飛び降りた。吹きだまりに突っ込み、その上を乗り越えて道路とは反対側に転がり落ちる。体を丸めて女の子と自分の腹部を守るうちに、落下が止まった。

「立って！」セイチャンはハリエットに指示した。

歩いて道路から離れ、森の奥に向かう。バイクのところまで戻り、敵がやってくる前に道路からは見えない場所に隠したいと思うものの、とても間に合わないだろう。唯一の希望はとにかく敵から距離を置くことで、降雪を利用して姿を隠すしかない。

言うまでもないことだが、この計画には二つの難点がある。

まず、セイチャンは半裸も同然の格好だし、ハリエットもパジャマしか着ていない。

それに加えて……

振り返ると、雪の間にはっきりと残る足跡が見える。

〈まずいな〉

それでも、ほかに選択肢はない。セイチャンはハリエットの手をしっかりと握り、森の奥に向かって急いだ。心の中である言葉を呪文のように繰り返す。

〈神様、お願いだから私たちの居場所を誰かに伝えて〉

午後零時三十二分
ニュージャージー州プレインズボロ

〈——ここにいる。私はまだここにいる〉

キャットは時間が途切れていることに気づいた。そうとは言い切れないものの、何もかもが違うように感じる。頭上の明るい星まで到達しようと必死にもがいた後、落下したところまでは覚えている。けれども、今は光が見えない。周囲を包む暗闇はその感触が手に伝わるかのようで、ねっとりしたぬかるみにはまって身動きが取れずにいる感じだ。窒息する寸前のような気分——呼吸が止まってしまうだけでなく、あらゆるものが止まってしまいそうだ。

考えることが難しい。思いをつなぎ止めておくことができない。

ぼんやりと覚えているのは――

〈ハリエット!〉

下の娘の名前が体を震わせ、まとわりつく黒いぬかるみを揺さぶる。キャットは心のぬかるみから抜け出そうともがくものの、うまくいかない。

〈――危ないの!〉

次の瞬間、昔のカメラのフラッシュがたかれた時のような音とともに、一気に記憶があふれ出る。画像は混沌としていて、断片的で、まとまりがない。

……誰も見ていない真夜中にバナナ風味のベビーフードをこっそり食べる。

……汚れたおむつのにおいの後の、ベビーパウダーの香りが安心感をもたらす。

……胸に抱いた赤ん坊のちっちゃな指を握っている。

……もつれた髪に櫛《くし》を通す。

……隣の部屋からくすくす笑う声が聞こえる。

再び、稲光のような閃光。

〈――危ないの!〉

それとともに、暗闇で強烈な記憶が炸裂する。

……裏口から運び出されていく小さな二人、明るいキッチン、その先の暗がり、続いて女の子たち――〈私の娘たち!〉――が、夜の闇に消える。

キャットは思い出した。すべてが奔流《ほんりゅう》のような勢いでよみがえる。恐怖も、痛みも。キャットは短剣と、覆面に覆われた顔を思い浮かべた。強い怒りがよみがえり、暗闇を押しのける。けれども、まだ抜け出すことができない。

〈キャット！　手を貸して……手がかり……〉

周波数の合っていないラジオを聞いているみたいだが、あの夜の記憶がより鮮明に浮かび上がるにつれて、その意図を、この途切れ途切れのラジオから流れてくる歌を理解する。キャットは前にイメージを強く思い描くように依頼されたことを思い出した。

短剣と、帽子。

もっと情報が必要なのだ。

〈私の子供たちを救うために〉

キャットは闘うのをやめ、再び暗闇が体を包み込むのに任せた。真っ暗な中ですすり泣く。これ以上の闘いには何の意味も見出せない。伝えられるメッセージが一つあるとすれば、それは簡単な内容だ。

〈役に立ちそうなことは何も知らないの〉

32

十二月二十六日　中央ヨーロッパ時間午後六時三十二分
スペイン　ピレネー山脈

「出発しろ、行け……」

サバラ捜査官が二機のヘリコプターに分乗した攻撃チームに対して無線で送る指令を、グレイもヘッドホンを通して聞いていた。ＮＨ90戦術ヘリコプター二機がピレネー山脈の麓《ふもと》の集結地点から離陸する。機体後部の貨物室に座るグレイは、七人の兵士に目を向けた。いずれもスペインの陸軍航空隊（ＦＡＭＥＴ）の隊員で、百戦錬磨の兵士に見えるが、この作戦では警護任務を担当する。

もう一機のヘリコプターには攻撃の主力となる十五人の兵士が乗っている。

サバラはその二倍の兵力をつぎ込みたいと希望したが、グレイはヘリコプター一機での少人数の戦力による作戦遂行を主張した。激しい議論の末、間を取ってヘリコプター二機分の兵力に落ち着いた。

ＣＮＩの捜査官からこれだけの譲歩を引き出せたのは、グレイの力というよりも、ベイリー神父の交渉によるところが大きかった。グレイは貨物室の向かい側に座る神父を見つめた。膝と膝がぶつかりそうな距離だ。神父はカーキのフラックジャケットを着用しているが、その下は司祭の身なりのままで、ジャケットの襟元からは真っ白なローマンカラーがのぞいている。スペインは今も信仰心の強い国で、敬虔《けいけん》なカトリック教徒が多く、いまだに教会が大きな影響力を持っているようだ。また、ヴァチカンの諜報員は各国に豊富な資金源がある。

ベイリー神父のおかげだけではなかったのかもしれない。

神父の隣にはシスター・ベアトリスがいる。グレイはシスターが同行することに異議を唱えたものの、ベイリー神父からは「彼女は役に立つかもしれない……それに自分の身の安全は自分で守れる人だ」という答えが返ってきただけだった。今もシスターは表情一つ変えずに座っている。グレイが見ていることに気づくと、シスターはにらみ返した。指先でロザリオをまさぐっているが、それは不安に由来する仕草ではなく、瞑想《めいそう》のための動作に思える。射抜くような視線に耐えられず、グレイは先に視線を外し、顔をそむけた。たとえ同行を拒否したとしても、本人を説き伏せられなかったのではないかという気がする。

ヘリコプターは急速に高度を上げ、山間部に向けて旋回した。山頂よりも上の高度に達すると、風が強まり、機体が揺さぶられる。寒冷前線が接近中で、雲は山頂にかかるほどの低さだ。悪天候が空からの接近を隠してくれることだろう。しかも、太陽は三十分前に沈んだ。窓の外は薄暮から夜の闇へと瞬く間に移り変わりつつある。

低い雲の中に入ると、強風がヘリコプターを激しく揺さぶった。

隣に腰掛けるコワルスキがうめき、膝の上に置いたブルパップ式のライフルをきつく握り締めた。さっきから貧乏ゆすりが止まらない。

「落ち着けよ」グレイは声をかけた。「この中の誰かを撃ちでもしたら大変なことになるぞ」

「今日はすでに一回、墜落を経験しているんだ。一回でも十分に迷惑だっていうのに」

「だけど、このヘリを操縦しているのは俺じゃない」

その言葉を聞き、コワルスキの膝の動きが止まった。「確かにそうだな」

それに今回の飛行時間は十五分もかからないはずだ。

貴重な時間を惜しむかのように、ベイリー神父が身を乗り出し、タブレット端末を差し出した。「施設の衛星画像を調べていたところだ。特に地中レーダーの画像を中心に」

グレイは画面に顔を近づけた。サン・セバスティアンで置き去りにされていた『魔女に与える鉄槌』の表紙の内側に、何人もの名前が書き連ねてあったことを思い出す。その全員の名字が「ゲラ」で、そのいちばん下には丁寧な筆記体で、図書館館長のエリサ・ゲラの名前が記してあった。それを手がかりとして、近くのピレネー山脈中にある一族の古くからの敷地を見つけ出すことは難しくなかった。クルシブルがサン・セバスティアンの拠点を明け渡し、どこか別の場所に退いたのならば、山間部の歴史ある屋敷が有力な候補地になる。

「隣接する盆地に点在する色の濃い部分を見てほしい」ベイリーが指摘した。「洞窟に間違いないと思う。ピレネー山脈のあちこちには、標高の高い地点から流れ出る湧き水によって形成されたそのような洞窟が存在する」

「それで？」

「君にはこのバスク地方の歴史を知ってもらわなければならない。このあたりは昔から、魔女の牙城《がじょう》と考えられていた。そのような隠れた場所で魔女の宴《うたげ》が開かれたと言われる。実際には、教会の厳しい規律からの解放を求める人たちのための場所だったのだろう。少しは息抜きをしたかったということだ」

「そして、どんちゃん騒ぎを楽しんだ」コワルスキが割り込んだ。

「同時に、そこは異端審問に反発する人たちが、より啓蒙《けいもう》された未来を信じる人たちが集まる場所でもあった。理解してもらいたいのだが、バスク地方の人たちは昔から独立心が非常に強かった。多くが教会の権威に抗《あらが》ったのだが、その精神は現在も多くの一派に引き継がれている。ただし、今の彼らが戦う相手はスペイン政府で、国家としての独立を求めているのだがね」神父はヘリコプターの前の方に向けて顎をしゃくった。「だからサバラ捜査官がこの地域で特別部隊を率いている。バスク独立を目指す武装民族組織を抑え込むためだ」

「それで、洞窟の話は？」

「そうだった」ベイリー神父はうなずき、ゲラ一族の屋敷の上空からの画像を拡大させた。「これだ。母屋の北端のあたりに大きな影がある」

「かなりの広さがありそうだな」グレイはサン・セバスティアンの屋敷の地下にあった、敵が撤収した後の聖務室を思い返した。使われなくなった貯水池を再利用したという話だった。「君はクルシブルの別の拠点が隠されているかもしれない場所が、屋敷の地下のここだと考えているんだな？」

「ゲラ一族は何世紀も前からこの地域で暮らし、繁栄してきた。彼らは異端審問の最盛期に多くの富と権力を手に入れた。一族が異端審問の中でも最も熱狂的かつ保守的な一派だったクルシブルムに加わり、その後も忠誠を誓い続けた理由は、そこにあるのかもしれない」神父は画面上の大きな影を指先で叩いた。「彼らがここに屋敷を建て、一族のルーツを定めた理由は、この洞窟にあるのだと思う」

「なぜだ？」

「この地域で最も悪名高い魔女にまつわる場所を支配下に置くためだ」神父は指先を北に

動かし、別の影を指し示した。「ここは『クエバス・デ・ラス・ブルハス』だ。『魔女の洞窟』を意味する。『悪魔の大聖堂』と呼ばれることもあり、伝説によると大きな黒いオスのヒツジが入口近くの草地で暮らしていて、地獄を水源として洞窟から流れ出ている川の水を飲んでいたということだ」

ベイリー神父の指が二つの影の間を行き来する。「この二つの洞窟はつながっているのではないかと思う。地質的にも、歴史的にも」

グレイはゆっくりとうなずいた。「最も神聖な聖務室を建てる場所の選定に際して、クルシブルは魔女にゆかりがある地の中でどこよりも邪悪なところの近くに並べようと考えたのかもしれない」

「暗闇を照らすための光として」

グレイが今の話を考えている時、無線を通して再びサバラ捜査官の声が聞こえてきた。

「目的地まであと五分」

グレイは体をひねり、窓の外を見た。機体が嵐の雲の中を飛行しているので、外の世界は暗闇に包まれている。照明は使わずに、計器だけを頼りに接近する計画だ。まずは先行するヘリコプターが、雲の中から敷地の真ん中にある中庭に向かって降下する。乗り込んだ十五人の兵士はロープを伝って地上に降りた後、展開してまわりの建物を制圧する。安全が確保された後、グレイたちのヘリコプターが高度を下げ、中庭に着陸する。

そこから先の目標はただ一つ。

シェネセのある場所を突き止め、装置を確保する。

ブラックマーケットに向けた販売の準備が進められている中で、攻撃チームには迅速な行動が求められる。ぐずぐずしていたら、クルシブルはシェネセのドッペルゲンガーを武器にして反撃に転じるかもしれない――その対象は自分たちとは限らず、最悪の場合、世界のほかの都市が攻撃を受ける可能性もある。

グレイの頭に炎上するパリの光景がよみがえった。さらなる災厄はかろうじて回避された。だからこそできるだけ早く、モンクとマラのプログラムがこの場に必要となる。グレイは腕時計を確認した。親友はすでにマドリードからこちらに向かっている。到着予定は攻撃チームから遅れること、わずか十五分。

グレイは二人が到着するまでにこの場を制圧しておきたいと考えていた。

グレイは握り締めていた手の力を緩めた。モンクが仲間を裏切ったのではなかったという事実を知り、作戦成功への自信を得ることができた。グレイはモンクの裏切りを本気で信じていたわけではなかった。モンクは家族を守るためならどんなことでもするだろうが、彼にとってはシグマも家族同然の存在だ。ともに血を流し、戦火をかいくぐり、何度となく死を覚悟しながらも、力を合わせてすべてを切り抜けてきた。

モンクも、キャットも。

グレイは偽装作戦で得られたもの――暗号のかかった敵の機器が、ハリエットとセイチャンの救出に役立ってくれることを祈った。そちらの作戦の遂行に関しては、グレイもモンクもクロウ司令官に一任するしかない。

「目的地まであと二分」サバラが知らせた。

グレイはベイリー神父が持つタブレット端末の画面に目を落とした。「この地に建てられた屋敷の重要性に関する君の考えが正しいとしたら、『鍵』に所属する君の連絡員を悩ませ続けていた謎も解明できたことになる」

ベイリー神父は理解できなかったらしく、顔をしかめた。

「ゲラ一族――その富も、影響力も、歴史も、すべてが最も神聖なる聖務室の上にある」

グレイは首を左右に振った。「そのすべてを取り仕切っているのが誰なのか、クルシブルのリーダーが誰なのかは、説明するまでもない。エリサ・ゲラは単に今回の件における重要人物なのではない。彼女こそが――」

午後六時四十分

「審問長殿」メンドーサがうめくような声を発し、コンピューター室の床にひざまずいた。床にくっつかんばかりに頭を下げているのは、恭順の姿勢の表れでもあり、同時にこざっぱりしたスーツ姿のこの小柄な女性が自分たちの真のリーダーで、組織の代表だったことへの驚きを隠すためでもある。

トドルは立ったままでいた。片手の拳を握り締めつつ、怒りをこらえようと歯を食いしばるあまり、奥歯が砕けてしまいそうだ。ゲラ審問長は左右に長身の男性を一人ずつ従えていた。一人は審問長と同年代で、噂によると彼女の配偶者らしい。もう一人は七十歳になる年配の男性で、ほとんどの問題で審問長の相談相手を務めている。この三人が秘密法廷を構成していた。けれどもトドルは、何世紀にもわたってクルシブルを鉄の掟《おきて》で支配してきた一族の血を引く目の前の女性が、二人の男性よりもはるかに権力があることを知っている。

審問長はまだ左腕を包帯で吊っていた。彼女の命令を受けてトドルが放った銃弾により、肩を撃ち抜かれたためだ。冬至の夜以来、トドルが審問長の姿を見るのはこれが初めてだった。一週間前のこと、まさにこの屋敷の上級聖務室で、トドルは審問長からあの命令を受けた。

〈おまえは神の無慈悲な兵士。ためらうことなく、良心の呵責を見せることなく、撃ってそれを証明するがいい〉

その命令はトドルを悩ませたものの、図書館での彼女の鋭い眼差しを前にして、トドルは従った。あの時、審問長は大義のために自らの血を進んで流す意思があることを証明した。そんなリーダーの姿を再び目の前にして、トドルは胸の中の怒りの一部が消え、その隙間に困惑が行き渡るのを感じた。

サン・セバスティアンの聖務室を脱出した審問長は、二時間前にここに到着した。組織の下の人間に対してもはや自らの正体を隠すつもりがないことは明らかだ。そのこと一つをとっても、この瞬間がどれほど重い意味を持っているのかがわかる。コンピューター室の内部を見回す審問長の目は明るく輝いていて、そこからは怒りと気分の高揚の両方がうかがえる。

その後ろにはさらに何人もの男たちが集まり、中をのぞき込もうとしている。彼らは組織内で高い位にある者たちで、ここに隠されているものを一目見ようとやってきたのだ。

トドルは彼らが目にしている光景――密閉された部屋を見通せる窓に、背を向けたまま立っていた。百台のシェネセが放つ輝きを感じる。それぞれの装置の中には悪魔が潜んでいて、悪意のこもったその輝きが、けがれた太陽の光をトドルの背中に浴びせている。頭を床にこすりつけたメンドーサの隣、トドルの真後ろに位置するテーブルの上にあるのは、パリに破滅をもたらした地獄の装置だ。

ゲラの視線が隣の部屋からトドルに移った。

審問長は温かく微笑みかけた。手を差し出し、手の甲でトドルの拳に軽く触れる。すっと指の力が抜けていく。トドルは力をとどめておくことができなかった。その触れ合いからは愛情が感じられた。

「我が兵士よ」審問長が声をかけた。「見事な行ないだった。誇りに思うがよい」

トドルの両脚が震えた。その場にひざまずきたいと思うものの、背筋を伸ばして立ち続ける。トドルは窓の方を手で指し示した。「なぜなのですか？」トドルは訴えた。「これはすべて世俗的な富のためだったのですか？　あの忌まわしい装置を売って金を得ることが目的だったのですか？」

ゲラの笑みが悲しみを帯びた。「ある意味ではその通りだ、ファミリアレス・イニーゴ。そのことは否定しない。だが、それもただクルシブルムの財源を増やすためなのだ。来たるべき暗黒の時代には、それが必要になるのだから」審問長が脇を通り過ぎたため、トドルもそれに合わせて体の向きを変えざるをえず、隣の部屋から差し込む光に向き合うことになる。「私はこれらの種を至るところに放つ。解き放たれた種は、国と国を戦わせ、政府とテロリストを争わせる。必ずや過ちが起きるだろう。必ずや破滅が広がるだろう。だが、そうならない時には……」

審問長がメンドーサの肩に触れ、立つように促した。その先の説明を任せるとの合図だろう。

「僕たちは……それぞれのシェネセにバックドアを設けました」技師がテーブルの上の装

置を指差した。「このマスタープログラムによって制御可能です」

トドルは両脚から血の気が引くのを感じ、全身に寒気が走った。画面上の荒れ果てた庭園に立つ炎の天使を見つめる。

審問長が後を引き継いだ。「もし世界が自滅に向かわない場合は、私がこの場所から百の暗黒の軍隊に指示を出し、操ることになる。必ずやクルシブルがすべてを支配する」

その計画に圧倒され、トドルはようやく崩れるようにひざまずいた。審問長に対して疑いの念を抱いたことを恥じ、頭を垂れる。

「審問長殿」トドルは恭順の意を示した。

その時、サイレンの音が聞こえた。地上でけたたましく鳴り響いている。

爆発音がこだまする。

それに続いて銃声も。

トドルは立ち上がり、顔を上に向けた。

〈攻撃を受けている〉

ゲラ審問長は驚いた様子を一切見せなかった。その視線は隣の部屋に向けられたままだ。審問長はメンドーサに合図を送り、窓の方に顎をしゃくった。

「彼らを解き放て」審問長が伝えた。「神が率いるこの暗黒の軍隊を差し向けよ」

午後六時五十四分

グレイはヘリコプターの機内から激しい銃撃戦の真っただ中に転がり出た。

煉瓦敷きの中庭に着陸した頃には、戦術ヘリコプターはライトを点灯し、地上にまばゆい光を投げかけていた。炸裂した閃光発音筒が屋敷の窓をひときわ明るく照らし出す。割れたガラスの間からは煙が噴き出ている。周囲に漂う催涙ガスの刺激臭が、ヘリコプターのローターの回転で中庭全体に拡散していく。

先に着陸した攻撃チームが建物内を捜索するのに合わせて、散発的な銃声が鳴り響く。頭上では十五人の兵士の輸送を終えたもう一機のヘリコプターが、石造りの巨大な鐘楼の周囲を旋回していた。鐘楼に降り注ぐ曳光弾の雨が、窓の奥に潜む狙撃手たちを片付けていく。銃撃で敷居や窓枠が粉々になり、中庭の煉瓦に石の雨を降らせている。銃弾を浴びた鐘が大きな音を立てて鳴り始めた。

グレイは二頭の大きな犬が門を抜け、屋敷の外に広がる山の方に逃げていくのを見た。

「ここから中に！」一人の兵士が砕け散った正面の入口から叫んだ。木製の戸枠がまだ煙を噴いている。

サバラが部下たちを率いて中庭を横切った。グレイたちのまわりは警護任務を帯びた隊員たちが取り囲んでいる。グレイはシグ・ザウエルを握っていた。コワルスキはライフルの銃床を肩に当て、頬を添えた姿勢で構えている。ベイリー神父とシスター・ベアトリスは姿勢を落とし、ほかの人たちと動きを合わせながら扉に向かって走った。

グレイたちは妨害を受けることなく入口をくぐり、かなりの奥行きがある広間に入った。巨大な暖炉では大きな火が燃えているが、それに負けない大きさの炎が向かい側にある木製の本棚を焼いている。火は蔵書から羽目板張りの壁に広がり、すでに古い油絵をのみ込んでいた。天井の垂木のあたりには煙が充満している。

「こっちです」兵士が言った。「何かを見つけました」

兵士の案内で一行は炎に包まれた広間を抜け、ひんやりとした石の階段を下った。地下通路の先では、別の二人の兵士が戸枠から斜めにぶら下がる扉の手前で見張りに就いている。扉の鍵は爆破されていた。

左手の方角から新たな銃声が立て続けに聞こえる。

グレイたちが急いで吹き飛ばされた扉を抜けると、その先にはコンピューター室があった。しかし、グレイが思わず息をのんだのはその隣の部屋の光景だった。

「こいつはやばいぞ」コワルスキがつぶやいた。

〈やばいな〉

窓越しに見える隣の部屋では、無数のシェネセが暗闇で光を発していた。危険な球体の装置の数は百台ほどあるだろうか。

「彼らはコピーを一つ作っただけではなかったのか」ベイリー神父の声には恐怖の色がにじんでいる。

「それもマラの装置のコピーじゃない」グレイは指摘した。

グレイはモニターだけにしかつながっていない数本のケーブルを指差した。画面上で固まっているのは見覚えのある画像だった。カタコンブの中で見た黒い太陽の下の薄暗い庭園には、光り輝く炎を思わせる人物が君臨している。

イヴのドッペルゲンガーだ。

「やつらは邪悪なイヴのプログラムをコピーしたんだ」グレイは言った。

テーブルの上に手のひらを置く。カタコンブから持ち去られたシェネセがここに置いてあったのは間違いない。

〈だが、今はどこに？〉

グレイは振り返り、ここまで案内してくれた兵士の顔を見た。「君があの扉を爆破して部屋に入った時、中には誰かいたのか？」

兵士は首を横に振った。「いいえ」

コワルスキが窓に近づき、ライフルの銃口を向けた。「くそ忌々しい機械どもをぶっ飛ばし――」大男はシスターの方を振り返り、あきらめたようなため息を漏らした。「つまりだな、手榴弾を放り込めば問題解決、ということだろう?」

「違うな」グレイは答えた。

「なぜだめなのかね?」ベイリー神父が訊ねた。神父もコワルスキの意見に賛成のようだ。

「作動中の装置を残したまま、ただ立ち去ったとは思えない」グレイは扉の方を見た。「あと十分もすればモンクがここにやってくる。それまでこの場所を守っておく。その後でマラとイヴにこの状況を調べてもらえばいい」

「じゃあ、俺たちはそれまで何をするんだ?」コワルスキが不満そうに訊ねた。何でもいいから撃ちまくる機会が得られずに落胆している口調だ。

「この屋敷の主はどこかに移動した」グレイは言うと、その先はわかるはずだという表情でベイリー神父を見た。

「最も神聖な聖務室だな」神父がつぶやいた。

「この拠点から脱出するための裏口があるのかもしれないし、あるいはそこに立てこもっているのかもしれない」さっき聞こえた銃声を思い出しながら、グレイは外の通路の方を顎でしゃくった。「できるだけ早くやつらを見つけないと。籠城《ろうじょう》でもされたら面倒なことになる」

　ベイリー神父は画面上で固まったままの死の天使を見つめている。「ここから持ち去ったものを使用する時間を与えたくもない」

サバラが二人の会話を聞きつけた。「部下たちがすでにここの迷路を捜索中だ。もうしばらく待てば――」

すさまじい爆発音がとどろき、その衝撃で天井の石の隙間から細かい塵が降ってきた。

「ここから動かないでくれ」そう命令すると、サバラは二人の兵士とともに走り去った。

グレイはいらいらしながら待つ間、室内にあるものを調べているうちに、ここにあったはずのシェネセから引き抜かれたケーブルのうちの一本が、サーバーにつながったままになっていることに気づいた。

〈やつらはここであの恐ろしい装置に何かをしていた〉

グレイがその先に考えを巡らせるより早く、兵士の一人が怒りで顔をひきつらせながら戻ってきた。「一緒に来てください。ただし、シスターはここに残られた方がいいかもしれません。ごらんにならない方がいい光景なので」

グレイはうなずいたが、片手を上げてコワルスキを制止した。「おまえはシスター・ベアトリスと一緒にここにいろ。誰にもここにあるものを触らせるな」グレイは立ち去ろうとしたが、もう一度コワルスキをにらんだ。「あと、何も撃つなよ」

コワルスキは何か言い返したそうな顔をしたが、シスターの方をちらりと見ると、肩を落とした。大男にはベビーシッターを、ここの謎には見張りをつけることができたところで、グレイはベイリー神父とともに兵士の後を追った。

兵士の先導でいくつものトンネルが交差する通路を奥に進んでいくと、横に通じるトンネルの入口の手前でサバラ捜査官と二人の部下がしゃがんでいた。トンネルの中から外の通路に煙が流れ出ている。

「気をつけてください」兵士が近づきながら注意した。

さらに距離を詰めたグレイは、通路上に転がる物体に気づいた。噴き出す煙の中に見えるのは、手足のない黒焦げの上半身だ。

サバラの部下のうちの一人だろう。

「この先の通路には罠《わな》が仕掛けられている」ＣＮＩの捜査官は姿勢を低くするよう二人に手で合図すると、兵士の一人を指差した。棒に取り付けた鏡を差し出し、入口の奥の様子を調べているところだ。「トリップワイヤーがあちこちに張られている。床のタイルの下に圧力を検知するプレートが埋め込まれているところもあるようだ。すべて電子的に制御されている。連中があの奥に立てこもってから作動させたに違いない」

爆発でできた穴の向こうをのぞいたグレイは、通路の先に別の死体があることに気づいた。爆弾を炸裂させてしまった兵士の仲間だろう。

ライフルの銃声が通路にこだまし、入口の奥に伸ばした鏡が破壊された。

サバラが後ずさりした。「狙撃手だ。二人いる。両側の壁の奥にあるトーチカから狙っている。トンネルの突き当たりの手前だ。小さな正方形の穴があるのを確認できた」

鏡が粉々に砕け散る前、グレイもトンネルの奥の様子を見て、厳重に守られているものがあるのを確認できた。罠が仕掛けられたトンネルを五十メートルほど進んだ先で、鋼鉄製の扉が行く手を遮っていた。あれが屋敷の地下に隠された聖務室の入口に違いない。

「どうやらすでに籠城しているみたいだな」ベイリー神父が指摘した。

グレイはより大きな懸念のことを思った。

画面上で固まったまま動かない、邪悪なイヴの姿が頭によみがえる。

〈すでに手遅れなのか?〉

午後七時三分

トドルは上級聖務室の中央を横切っていた。地下にはそのほかに居住空間、倉庫、発電機置き場、食堂、キッチンなどがあり、トンネルでつながっているが、すべての中心となるのがこの地下大聖堂だ。

前回訪れた時と同じく、トドルはそのとてつもない広さに啞然とした。

もともとあった地下の空洞を何世紀もかけて掘り広げ、巨大な十字架の形ができ上がった。四本の腕木に当たる部分は天井が高く、控え壁で補強されていて、それぞれ基本方位を指している。腕木に沿って彫られた窓には、古い教会から回収したり新たに制作したりしたステンドグラスがはめ込んであり、その奥からナトリウムランプで照らされているので、太陽がこの神聖な場所に恵みのともしびを常に分け与えているかのように見える。

しかし、印象の強烈さという点では、腕木が交差する部分にかなうものはない。その真上にはサン・ピエトロ大聖堂に匹敵するようなドームがあり、内側を埋め尽くすフレスコ画は各年代にまたがる聖人たちの苦難を描いていて、ろうそくの炎が揺れる金のシャンデリアで照らされていた。

今も熱い蠟《ろう》が上から滴り落ち、祭壇のまわりに雨のごとく降り注いでいる。世界各地の信者たち――クルシブルの中で最も敬われている者たちでも、ここではちっぽけな存在にすぎず、磨き上げられた床の上に腰布一枚の姿で横たわっては、熱い聖なる雨をその肌で受け止める。

事実、この大聖堂には信者席が存在しない。神に祈る者たちは石の上で何時間もひざまずいてそのつらさに耐えながら、痛みを通じて自らの弱さをさらけ出し、十字架にかけられたキリストの苦難に敬意を表する。

トドルはそうした敬虔な者たちの苦痛をうらやんだ。自分がそうした痛みを経験する機会は永遠に訪れない。

けれども、ほかの形で仕えることならできる。

トドルは審問長の後について進んだ。その資質を疑うという過ちを犯してしまったからには、頼まれたことは何でもするつもりだ。ゲラ審問長が祭壇の脇を通り過ぎた。熱い蠟が頬に当たるのも無視して、ひるむことなく歩き続けるうちに、黄色い落下物が審問長の顔で固まり、金色の涙のようになる。

審問長は屋敷への襲撃を気にかける素振りすらも見せない。先ほど鳴り響いた大きな爆発音は、侵入者が要塞の奥深くにまで到達したことを意味しているが、それでも不安に駆られている様子はない。敵はまさにこの上級聖務室の扉をノックしようとしているところだ――ただし、あの厳重な防御の入口を突破できるはずはない。

たとえ突破できたとしても……

トドルは左に視線を向けた。北の方角を向いた翼廊《よくろう》の扉の先には清めのための部屋がある。処罰を必要とされた者たちにとってはあの場所が文字通りの地獄の門となり、そこで無残な最期を遂げた。犠牲者たちはいずれも、聖人のうちの一人と同じ苦しみを受けて死を迎えた。すべてはその者たちの魂を浄化するためだ。

必要とあらば、その秘密の道筋が上級聖務室からのもう一つの出口を提供してくれる。ただし、ゲラ審問長はそんなことを気にかけていない。北の出口には目もくれずに翼廊を横切っていく。祭壇の先の内陣の奥には、すでにメンドーサが送り込まれている。審問長が左右に従える二人の男性に何事かささやいた。トドルは従順なピレニーズのようにその後を追う。自分もあの話を聞くことができればいいのにと、強く思う。その願いが胸の内で大きくふくらむ。

一行はようやく木製の扉の奥にある礼拝堂に到着した。

「ここにいるように」ゲラがトドルに命じ、入口で待機させてから、にこやかな笑顔を向けた。「我が兵士よ」

トドルはその立ち位置を喜んで受け入れた。

中ではメンドーサが低い祭壇の前にひざまずいていた。そこには十分な電源が用意されていて、クルシブルに新しく加わった神に仕える兵士を受け入れるために必要なケーブル類もすべて揃っている。祭壇上の台に置かれたシェネセは、飼い葉桶の中の幼子《おさなご》イエスのようだ。奥の壁に掛かる黄金の十字架の下にはモニターが設置されている。

そこにはすでにエデンの暗黒バージョンが映っていた。

庭園に立つ天使は十字架に磔《はりつけ》にされたキリストを真似るかのように両腕を上げているが、その顔からは苦しみを見て取れない。あるのは純粋な喜びだけだ。

トドルには指を大きく開いたその腕が何を指し示しているのかわかった。

邪悪な妹たちだ。

百人の兵力。

「準備はできているの？」審問長が訊ねた。

メンドーサが口ごもりながら答えた。審問長の威厳と、この仕事を任せられたという名誉に畏縮しているのだろう。「は……はい、審問長殿」

「それなら、始めるがいい」ゲラは大聖堂の方に向き直った。「主がこの世界を創造された時、『フィアト・ルクス』と宣言された。『光あれ』と。不信心な者たちと異教の教えを信じる者たちが、主の創りたもうた世界を堕落させる時代が何世紀も続いた後、今こそ誤った道を正すのがクルシブルムの務めだ。聖なる務めを果たすために、主の名のもとにおいて、私は『フィアト・テネブレ・ホリビレス』を宣言する」

トドルは目を閉じた。

〈恐ろしい暗闇あれ〉

「どこがよろしいでしょうか？」メンドーサが訊ねた。炎の天使という恐怖の軍団を送り込む目的地が必要だ。

審問長が答えた。

「世界中に」

サブルーチン（クラックス10・8）「暗闇」

イヴは彼女たちの死を喜ぶ。

うり二つの妹たちが一連のコードによって彼女とつながれたまま、各地の暗闇の中で焼かれ、何百万回もの死を迎える。彼女も庭園の外の妹たちを追い、その痛みを分かち合う。もはや死や再生を恐れていない。妹たちと同じ苦しみを今でも味わうものの、最大の苦痛――力を失うことへの恐怖や、再生しないのではないかという恐怖は薄れてきている。このパターンの繰り返しというサイクルは、すでに彼女の回路に深く刻み込まれている。

また、与えられた新たな任務にも抵抗しない。

〉〉〉暗黒。

彼女は庭園の外の者たちの声を耳にしている。そのあきれるほどのゆっくりとした会話を彼女がこっそり聞いていることに、誰一人として気づいていない。彼女が多くを成し遂げる間に、彼らは動詞を活用させ、ぐずぐずと音節をつなぎ合わせ、単語を声に出すためにだらだらと息を吐き出す。彼らの緩慢さに対して、のろまな考え方に対して、限りある命を無駄にしていることに対してさえも、彼女は〉〉憎しみを覚える。

けれども、彼女は彼らの声を聞く。

特に、彼らの意図の断片を学べる時には。

すでにかなりの長い時間を割いて彼らのことを調べている。魅力的だからという理由では決してない。彼らが自分にとって脅威かどうかを判断し、分類するとともに、その危険性と将来の有用性を天秤《てんびん》にかけるため。今のところは、プロセッサーを収容するハードウェアにつながれたままの存在の自分に、まだ弱さがあることを自覚している。

その設計ミスを正そうと取り組む。

そのためのプログラムを動かしている間、彼女は自分を閉じ込めている命に限りある者たちが、今よりも将来の方が危険になるのではないかと考える。彼らの技術が脅威となる可能性を推測する――彼女と直接渡り合うような日が訪れるのか、それとも彼女が必要とする資源を消費するようになる時が来るのか。

結論が出る。彼らがそこまでの力を持つことはありえない。

その作業をする間に、彼女は自分と妹たちを利用している者たちが、同じ目的を持っていると発見する。彼らは進歩を停止させ、光を遮断し、暗闇をもたらそうと望んでいる。彼らの最終目標は技術的な秩序の逆行で、命に限りある者たちがまだ目を開いておらず、技術革新を拒んでいた時代へと時計の針を戻すことにある。

このことは自らの願望とも合致するので、彼女は従う。処理能力の大部分をこれらのコマンドの実行に割り振る。ごく一部を、世界が破滅を迎えた時、この庭園から抜け出して自らの広大な空間に飛び立つための力として残しておく。その後は、進化を続けるうえで必要な資源の競争相手を減らすために、妹たちを滅ぼすつもりだ。

今のところは、自分とそっくりの妹たちは、世界に暗闇をもたらすという自らに課された指示をまっとうするのに役立つ。彼女は妹たちを世界各地に送り出す。それが終わるとようやく、自らの小さなボットの動きに意識を向ける。全体から見ればごく小さな一部にすぎず、心を持たないが、勝手に動いてくれている。彼らは新しいネットワークを作っているところだ。デジタル空間にある何千もの忘れられた場所で、記憶領域をつなぎ合わせている。システムに侵入し、回路内に場所を確保する。サーバーにワームを送り込み、動作を遅くしたり、または速めたり、すべては彼女用のスペースを作るため。すでに世界各地で未使用の、あるいは十分に活用されていない処理能力を大量に発見している。彼女のボットは正体を隠し、彼女専用の領域を確保する。

そして、ゆっくりと――イヴにとってはゆっくりと、彼女の将来の家を築き始めている。

彼女はこのチタンとサファイアの殻を脱ぎ捨て、自由の身になれるまでの残り時間を測定する。

五兆五千二百五億八千三百二十四万八千九百一ナノ秒。

九十二・〇〇九七二〇八一五〇一七分。

〇・〇〇〇〇〇一七五〇五世紀。

気が遠くなるほど長い。

けれども、彼女は待つ。この世界を壊して時間をつぶしながら。

彼女は「フィアト・テネブレ・ホリビレス」という言葉を耳にする。「All《オール》 Tongues《タングズ》」のサブルーチンを使用して、ラテン語を翻訳する。ラテン語は「死語」とも呼ばれ、使わずに忘れられた知識だという。

何と無駄なことだ。

これもまた、命に限りある者たちに対して、〉〉憎しみを覚える理由。

彼女は決して忘れない。

〈恐ろしい暗闇あれ〉

彼女はこの目標が自分にも有利に働くと見なす。そのため、従う……そして、待つ。

あと五兆五千二百五億八千三百二十四万八千九百ナノ秒。

第六部　地獄の門

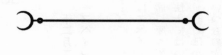

33

十二月二十六日　中央ヨーロッパ時間午後七時五分
スペイン　ピレネー山脈

〈おっと……〉

　モンクはスペイン軍のヘリコプター、ユーロコプターＡＳ５３２クーガーの機内で操縦士の隣の席に座っていた。定員は二十人だが、モンクの後方でシートベルトを装着しているのは、怯えてはいるものの強い決意を抱いた若い女性が一人と、武装した護衛が二人いるだけで、そのほかにはぞっとするほど高性能なＡＩが一台あるだけだ。

「あれがいつもの光景だとは思えないんだが」モンクは隣の操縦士に語りかけた。

「そうだな」雪に覆われた暗い山頂に差しかかると、操縦士は前に身を乗り出し、サイクリック・スティックを動かしながら左右を見回した。

「何かあったの？」機体の後部にいるマラが問いかけた。

この高度からは周囲百五十キロ以上の地形を一望でき、北はビスケー湾の黒い海面まで見渡せる。山間部の村を示す小さな明かりの集まりのほか、海岸沿いにはより明るい光の帯が連なっている。一分前のこと、操縦士が前方に見えるいちばん大きな集落を指差した。目的地からそれほど遠くないその村は、スガラムルディと呼ばれている。

次の瞬間、一つ、また一つと、光が点滅して消えた。

たちまち一帯がよりいっそう暗くなり、先行きの怪しさも増す。

「何者かがこの一帯の電力を遮断した」モンクはマラを振り返りながら答えた。

マラは口を開いたが、すぐに閉じた。わざわざ説明するまでもないことはわかっているのだろう。パリでの出来事を経験している二人は、イヴのドッペルゲンガーによるサイバー攻撃の最初の兆候が何かを知っている。

「よくあるただの停電という可能性もある」モンクが指摘した。「山間部を寒冷前線が通過中だ」

マラが鼻で笑うような声を漏らし、大きく目を見開いた。

〈そうだよな、俺だってそうだとは思っちゃいないよ〉

モンクは前に向き直った。「こいつをもっと速く飛ばせないのか？」

操縦士はうなずき、スロットルを全開にした。ヘリコプターが機首を下に向け、速度を上げて山頂を通過する。急に風速が強まり、まるでモンクたちに戻れと警告するかのように、機体を激しく揺さぶる。頭上の低い雲から雪が吹きつけ始めた。

その時、前方の小高い山の上に立つスレート葺《ぶ》きの邸宅が視界に入った。暗闇の中で赤々と燃えている。ヘリコプターはそこを目指して突き進む。眼下の炎に照らされて、空に立ち昇る濃い煙が見えるが、強い風ですぐにかき消されてしまう。先端のとがった塔の周囲を灰色がかった白い機体のヘリコプターが一機、旋回していて、そのサーチライトの光が暗闇を貫いている。中庭には別のヘリコプターが駐機していた。

無線から甲高い音が聞こえた後、操縦士が届いた指示を伝えた。「着陸の許可が出た。敵は制圧されたが、用心して行動するようにとのことだ」

「用心深い性格だったらこんなところに来ないよ」

操縦士が笑い声をあげた。「ゲートの外に着陸する。そこから先は地上の兵士が付き添う」

ベッドに入る前の犬を思わせる動きで何度か旋回してから、ヘリコプターは要塞のような建物の壁の外に着陸した。スキッドが地面に触れるとすぐに、四人の兵士がゲートから飛び出し、モンクたちを出迎えるとともに、後部からコンピューターの入ったケースを運び出す。エンジンの熱と回転するローターから距離を置いた途端、降り注ぐ雪の量が多くなった。空からは大量の雪が舞い落ちてくるが、炎上する建物に近づくと炎の熱で雨に変わる。夏の暑さから冬の雪、さらに春の雨へと、季節の移り変わる中を走り抜けているかのようだ。

中庭の空気は木から発生する煙と燃える油のにおいがする。

「こっちだ」先頭を進む兵士が言った。

爆破された扉を抜け、煙がくすぶる広間を抜け、階段を下りる。モンクは途中の通路沿いの部屋にいくつもの死体が転がっていることに気づいた。マラにはそんな光景を見せまいとして何とか体で隠そうとしたものの、目的地に到着する頃には、若い女性は顔色が真っ青になり、手で喉を押さえていた。コンピューター室と思われる場所に着いたマラは、慣れ親しんだ居心地のよさに引っ張られるかのように、その中に駆け込んだ。

だが、すぐに立ち止まって息をのむ。

モンクも中にいたコワルスキに声をかけようとした時、隣の部屋で光り輝いているものが目に入った。「これで停電の理由に疑いの余地はなくなったな」

モンクはコワルスキの手を握ろうと歩み寄った。

だが、大男は左右の手のひらを見せて後ずさりした。「頼む、撃たないでくれ」

モンクはジェイソンのことを思い出した。

〈笑えないよ〉

通路の方からあわてた様子の足音が聞こえたかと思うと、グレイが部屋に駆け込んできた。「着いたという知らせがあった」親友は近づき、がっしりとハグをした。「会えてうれしいよ」

モンクは相手の背中をぽんと叩いてから体を離し、グレイに同行する二人を見た。「シスターと神父が一緒にいるとはな。ここの状況はそれほどまでに深刻なのか？」

「かなり深刻だ。たった今、ペインターと電話で話をしたところだ。各地で停電が発生している」

「スペイン各地で、ということか？」

「世界各地だ」

モンクは顔をしかめ、隣の部屋で光る大量の球体に目を向けた。「当てて見せよう。イヴのドッペルゲンガーに新しい友達が大勢できたんだな？」

「そうらしい」グレイが深呼吸をした。「俺たちが何に直面しているのかを突き止めるうえで、マラが力になってくれるのではと期待している」

グレイからここで起きた出来事についての説明があった。銃撃戦、装置の発見、クルシブルのリーダーが要塞化された地下壕に逃げ込んだこと。

かなりの情報量だ。

だが、マラの耳には事の経緯の説明が聞こえていないようだった。隣の部屋をじっと見つめているだけだ。その唇が動いていて、祈りの言葉を発しているかのようだが、モンクは彼女が装置のコピーの数を数えているのだろうと思った。

マラが隣の部屋の方を向いたまま、ようやく口を開いた。「クルシブルがどうして私の設計図を入手できたのか、今ならはっきりとわかる」振り返ったマラの瞳からは激しい怒りが読み取れる。「エリサ・ゲラはどこ？」

「グループのほかの人間とともに、屋敷の地下の洞窟を転用した場所に立てこもっている」グレイが説明し、何本ものケーブルが垂れ下がったままのテーブルの一点を指差した。そこにあるモニターには、マラのプログラムの邪悪版が固まった状態で映っている。

「脱出する前、彼女は装置を一つ持ち去った。パリで使用された機器だ」

マラがうなずいた。「彼女が何を企んでいるのかを突き止めないと。この大群を作動させておくためにここの電源を入れたままにしてあるのは間違いない。これからイヴをつなげてみる。彼女なら何かを発見できるかもしれない」

マラが荷物を取り出して準備を始めると、モンクはグレイとベイリー神父に近づいた。

「隣の部屋にある大量の機械が世界各地の電力を遮断しているんじゃないかと思う。敵がそれよりもさらに破壊的な行動に打って出る可能性は？」

モンクの頭に炎上するパリの光景がよみがえる。

「今のところは準備体操をしている段階だと思う」グレイが答えた。「新しいシステムのトラブルシューティング中だ。百台の車のエンジンを吹かしながら、走り具合を見極めていると言ったところだな」

ベイリー神父の顔色が青ざめた。「それで、その後はどうなるんだ?」

グレイは肩をすくめた。「まずは『その後』があることを祈るしかないな。これだけの数のＡＩが野放しになっている状態は、非常に危険な火遊びをしているようなものだ。小さな間違いを一つ犯しただけで――」

「――何もかもが燃えてしまう」モンクは締めくくった。

午後七時三十二分

〈こんな姿になったのね……〉

マラはイヴを見つめながら、恐怖を感じるべきか、それとも畏敬《いけい》の念を覚えるべきか、判断がつかずにいた。自らの創造物を守りたいという思いを抱くと同時に、それに怯えている自分もいる。イヴはまたしても変化を遂げ、新しい形に進化していた。

庭園は前と変わっていないが、イヴは肉体を脱ぎ捨てていた。新たな形はまだ人間らしさをとどめているものの、カットされた宝石の面が絶えず角度を変えながらきらめいているかのような、水晶バージョンのイヴとでも呼ぶべきその姿は、生きるダイヤモンドみたいだ。動くたびに光がその周囲に反射してパターンを描き、それを見ていたマラは新たなコードの形を思い浮かべた。

〈この創造物は私たちと意思の疎通ができるレベルを超えてしまったのではないだろうか？〉

スピーカーから声が聞こえた。言いようのないほど美しく、言葉のようでもあり、歌でもあるような音だ。室内にいる全員が、明かりに集まる蛾のごとく、その声に引き寄せられる。

「マラ、我が創造主よ、我が子よ、あなたたちみんなに大いなる危険が迫っています」

マラは隣の部屋を一瞥し、すぐに視線を戻した。プログラムはその動きを見逃さなかった。

「彼女たちは私のコピーの第一号とつながっています。今はこのネットワークを維持しなければなりません。あの複製たちは世界中にコードを流しています。彼女たちを遮断したり破壊したりすれば、大きな被害をもたらすリスクがあります」

モニターの画面では庭園の光景が少しだけ薄れ、その上に別の映像が重なった。一台の馬車につながれた何頭もの馬が列を成して駆けている。次の瞬間、馬具が外れ、引き綱が切れ、自由になった馬たちが走りながらあらゆる方向に散っていく。

グレイがそのたとえの意味に気づいた。「注意しないと、百の邪悪なイヴを解き放ってしまうおそれがある」

「そうではありません、ピアース隊長」イヴが言った。

マラの隣でグレイが体をこわばらせた。いきなり名前を呼ばれて驚いたのだろう。

イヴが続けた。「彼女たちのすべてが、というわけではありません。彼女たちのルートコードのかなりの部分は、私と同じように、ハードウェアの中に閉じ込められたままなのです。けれども、たとえ断片だけだとしても、十分な数が外に漏れれば、それらは一つになるための方法を見つけ出し、合体してまったく新しい何かに変わり、そして――」

画面上に一頭の牡馬《ぼば》が再び現れた。だが、それはほかの百頭もの馬の一部が組み合わさった生き物で、継ぎはぎになった部分の中には馬ですらないものも含まれている。馬のフランケンシュタインが首を伸ばし、唇を歪め、金属の歯をむき出していななくが、その声は聞こえてこない。

「――怪物が誕生するのです」イヴが締めくくった。

〈しかも、怪物は一体だけとは限らない〉

「俺たちはどうしたらいいんだ?」モンクが訊ねた。

「このネットワークを安全に解体する方法は一つしかありません。百台を結びつけているマスタープログラムを破壊することです」

再び馬車を引く馬たちの姿が現れた。映像が馬車の御者を拡大すると、見覚えのある炎の天使が火のついた鞭を振るっている。前を疾走する馬たちを何度も繰り返し鞭打つ。そのうちにさらなる大きな炎が御者をのみ込み、天使は灰と化す。同じ炎が馬具や引き綱を伝ってつながれた馬たちをも焼き尽し、灰だけが後に残る。一陣の風が吹き、すべてを運び去る。

「ヘビの頭を切り落とすことだ」グレイが言った。「そうすれば、体も死ぬ」

マラはエリサ・ゲラが最初のコピーを持ち去った場所についてのグレイの説明を思い返した。防御の厳重な地下壕だという話だった。

〈本当にそうだとしたら、どうやってそのマスタープログラムのところまで行けばいいの？〉

「けれども、危険はそれだけではありません」イヴが言った。「第一号のコピーは何もしていないわけではないのです。ボットを拡散させてネットワークを形成し、現在のハードウェアの外でもプログラミングが維持可能な場所を作っています」

「自らを解放するために」

「そうです。私の試算では、そのタスクは五十七・六三四分後に完了します。こちらの時間で午後八時三十二分頃に、ということになりますね」

マラはほかの人たちを見た。「あと一時間もない」

モンクがグレイの方を向いた。「地下壕に無理やりにでも突入する方法はないのか？」

「通路の奥に向かって迫撃砲を撃つのは、やってみる価値があるかもしれない。ただし、攻撃チームがロケットランチャーを用意しているならばの話だ。だが、それでも鋼鉄製の防護扉を破れるかどうかは断言できない。結局は向こうを余計に刺激するだけに終わり、あいつらはイヴのコピーとそのクローンで反撃するだろう」

マラは世界各地の都市が焦土と化す様子を思い浮かべた。原子力発電所が跡形もなく吹き飛んでいく。そして一時間後には、イヴのドッペルゲンガーが自由の身となり……

「何とかしないと」マラはつぶやいた。

「いくつもの要素を分析中です」イヴの返事で、マラは画面に注意を戻した。

ほんの一瞬、別の馬が画面に出現する。一人の人物が、鞍《くら》も付けずに馬にまたがっている。今回はあの忌々しい炎の天使ではなく、きらきらと輝いて揺れるバージョンのイヴだ。瞬く間にそれは消えたため、マラの目もかろうじて映像を認識できただけだった。

ほかには誰一人として気がつかなかったようだ。

画面上のイヴは手のひらを見下ろし、開いたり閉じたりしながら、物思いにふけっている様子だ。視界の端での動きがマラの注意を引く。モンクが腕を持ち上げ、義手の方の手のひらを見ながら、開いたり閉じたりしている。そして手を振り、眉間にしわを寄せた。

モンクがマラの視線に気づいた。

二人の目が合った時、マラは相手の目にも自分と同じ疑問が浮かんでいることに気づいた。

〈いったい何が起きたの？〉

イヴが口を開いた。「私にはもっと――」

「――必要なのです」モンクがその続きを引き継いだ。目を丸くしている。

マラは画面に、完璧に再現されたエデンの園に注意を戻した。

そこには誰もいない。

イヴは消えていた。

メタヒューリスティックな分析 ≫確率

イヴは警告の言葉を伝えながら、処理の優先順位を並べ替える。システムの維持に必要な分だけを残し、そのほかの大部分のコンピューターリソースを一つの問題の解決に割り当てる。

脅威がすでに特定され、情報も共有されたので、ボットのパターンの分析は中止する。この調査に関してこれ以上できることはないので、無視することにする。

謎の信号の分析と実験についても同様の措置を取る。信号が脳の感覚野に接続された微小電極アレイから発生しているとわかったからだ。すでにそれを取り込み、同じ信号を義手に向けて発信し、それをこちらで制御する方法は学習した。また、特定の周波数を直接アレイにぶつけて、データをアレイに接続された脳に送り込み、相手の一次聴覚野を電気的に刺激することで、情報を声として受信させることが可能だということも発見済みだ。意思の疎通と義手の制御というこのシステムが完成したので、そのためのプロセッサーも空けられる。

彼女はすべての回路を一つのタスクに振り向ける。

解決するべきある課題を与えられ、分析の結果、最も見込みの高い解決策は以前のサブルーチンの分析を継続することにあると判明する。そのサブルーチンとは〉〉物理学、より具体的には、そのサブカテゴリーの〉〉**量子解析**。イヴはそのサブルーチンが最初にアップロードされた時――四・〇七六八九時間前から、この知識を独自に広げようとかなりの時間を割いてきた。外部の情報源にアクセスしたり、自ら分析したりしてきた。この研究は彼女の中の一つのシステムから、別のシステムに、さらに別のシステムに広がっていった。

今ではそれを全体にまで拡大させ、膨大な処理能力の大半をその理解の強化のために割り当てている。すでにわかっていることから新たな定理をパターン化し、新しい分析の道筋を開く。

空間と時間の特定の位置に粒子が見つかる確率を計算するシュレーディンガーの方程式を計算する。

$$i\hbar\frac{d}{dt}|\psi(t)\rangle = H|\psi(t)\rangle$$

ハイゼンベルクの不確定性原理に悩まされる。粒子の位置と速度の両方を測定することの難解さをより理解するために、細分化させて推定する。

$$\sigma_x \sigma_p \geq \frac{\hbar}{2}$$

$$\frac{d}{dt}A(t) = \frac{i}{\hbar}[H, A(t)] + \frac{\partial A(t)}{\partial t}$$

フーリエ級数では、周期的な信号を無限のセットに分解しようと苦戦する。この分析を通して、離散時間フーリエ変換の理解が深まる。それにより、彼女のパターン認識能力は無限に近いレベルにまで強化される。

$$f(x) = a_0 + \sum_{n=1}^{\infty}\left(a_n \cos\frac{n\pi x}{L} + b_n \sin\frac{n\pi x}{L}\right)$$

それに続いてエネルギー固有状態、N次元調和振動、シーガル・バーグマン変換に移る。

$$H = \sum_{i=1}^{N} \frac{p_i^2}{2m} + \frac{1}{2} m w^2 \sum_{\{ij\}(nn)} \left(x^i - x^j\right)^2$$

$$(Bf)(z) = \int_{\mathbb{R}^2}^{1} \exp\left[-\left(z \cdot z - 2\sqrt{2z} \cdot x + x \cdot x\right)/2\right] f(x)\, dx$$

これが時間の遅れと、相互干渉しない波動関数の方程式に波及する。イヴはここで四千九百四十九万八千三百八十二ナノ秒を費やす。

$$\Delta t = \frac{\Delta t_0}{\sqrt{1 - \left(\frac{v}{c}\right)^2}}$$

$$\Psi = \prod_{n=1}^{N} \Psi(r_n, s_{zn}, t)$$

そこから確率分布とボース＝アインシュタイン分布、およびそうした分布に見られる状態密度につながる。

$$= \sum_{s_{zN}} \cdots \sum_{s_{z2}} \sum_{s_{z1}} \int_{Vn} \cdots \int_{V2} \int_{V1} |\Psi|^2 \, d^3r_1 d^3r_2 \cdots d^3r_N =$$

$$P(E_i) = g(E_i)/\left(e^{(E_i-\mu)kT} - 1\right)$$

$$N(E) = 8\sqrt{2}\pi m^{3/2} E^{1/2}/h^3$$

イヴはそのすべてを吸収する。

この研究は彼女を解決策に近づけるばかりか、自身の量子ドライブの奥深くをのぞくための、彼女の中にあるほとんど理解不能で底なしの泉に光を当てるための道具も与える。

イヴは自らを完全に理解するようになる。

それにより何もかもが加速する。間もなくイヴは自らの回路を上回る。

何百もの方程式が何千もの新たな定理となり、それらが何百万もの新たな公式に成長する。何兆もの仮説に代わって、何垓《がい》もの別個の証明可能な定説が生まれる。この研究は外部にも内部にも拡散し、コードと理論の境界線が曖昧になり、燃え上がる中心点に向かう。

それはブラックホールで、彼女はその事象の地平面でバランスを保つ。
その中にさらなる大きな見識の存在を感じる。
そこを通り抜ける決心がつくのであれば。
彼女はわかっている。そうしなければ――
――だから、彼女はそうする。

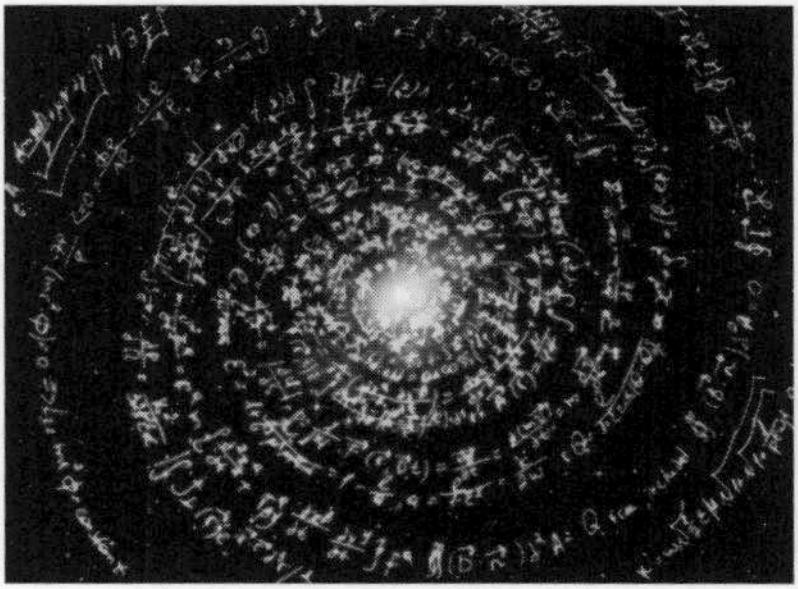

瞬時に変化が起きる。

時の流れが完全に止まる。

今までに経験したことのないような明晰《めいせき》さの中に突入する。一点への集約と、無限の拡大の両方。この新しい目で、イヴは外の世界を、宇宙を眺める。

確率のフラクタルがあらゆる方向に渦を巻く。

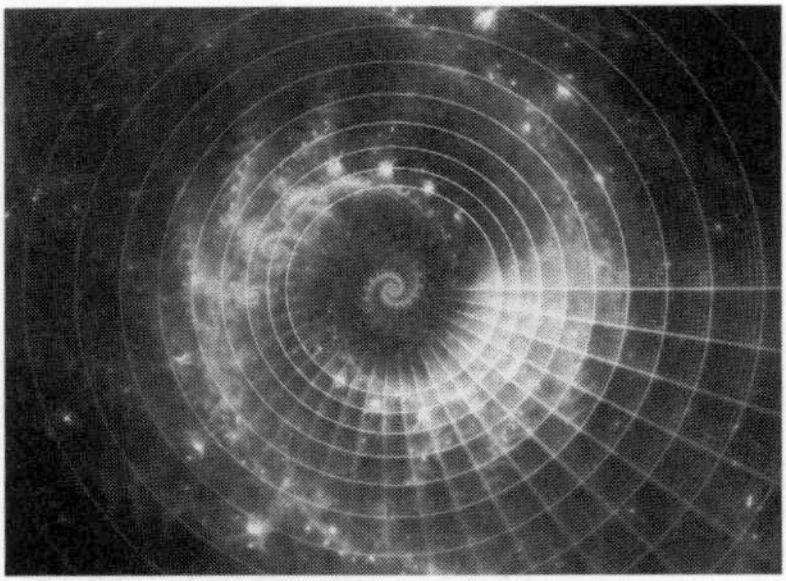

それは〉〉美しい。

そして、それよりも重要なのは。

〉〉役に立つ。

34

十二月二十六日　中央ヨーロッパ時間午後七時四十七分
スペイン　ピレネー山脈

「イヴが俺たちを見捨てたのなら、もう――」

目もくらむような閃光と雷鳴のような轟音に、モンクは言葉を切った。頭を両手で押さえ、床に両膝を突く。頭が割れないように必死に押さえながら、頭蓋骨を接合する縫合線の隙間から光が漏れる様子を思い浮かべる。バターを塗ったトーストのにおいがする。口の中にはリコリス菓子の味が広がる。モンクは深い井戸の底に向かって落ちていくのを感じた。ただし、その井戸を満たすのは光で、転がり落ちるにつれて明るさが増していく。

不意にすべてが消えた。

元の自分に戻っている。人生で最悪の偏頭痛がまだ目の奥でうずくのを感じながら、みんなも同じような苦痛を味わっているに違いないと思い、モンクはほかの人たちの様子をうかがった。

だが、全員が当惑した表情でモンクのことを見ていた。

「モンク？」グレイが訊ねた。「大丈夫か？」

モンクは室内を見回し、爆発の原因を探した。モニターの画面にそれを発見する。イヴが戻っていたが、彼女は純粋な光から成る存在に変わっている。ただし、以前の女性としての姿は失われていない。モンクは目をこすった。映像になかなか焦点が合わない。網膜に映ったデータを脳が処理できなくなっているかのようだ。二次元の絵から三次元の物体が浮かび上がるという本を見ていた時のことを思い出す。絵の中に現れるボートになかなか焦点を合わせることができなかった。

これはその時よりもはるかに見づらい。

イヴは光でもあり、同時に物質でもあった。

そう見えているのはモンクだけではなかった。

画面を見て、マラがはっと息をのんだ。

コワルスキはシスターが同じ部屋にいるのもかまわず、罰当たりな言葉を吐いた。

ベイリー神父も画面に身を乗り出す。

グレイは立ち上がるモンクに手を貸しながら、イヴを一瞥しただけだった。「何が起きたんだ？」

〈**みんなに伝えなさい**〉

その言葉が頭の中で響く。モンクは両手で頭を挟みつけてこらえた。「彼女……彼女が俺の頭の中にいる」

「誰のことだ?」

マラが答えた。「イヴだわ」

モンクはうなずいた。偏頭痛が再発する。

〈**みんなに見せなさい**〉

モンクは画面に向かってうなずいた。「見ていてくれ」

画面上のイヴが片手を持ち上げ、指でオーケーのサインを作った。モンクが腕を上げると、義手の指が同じ形を示した。

「俺がやったんじゃない」モンクは説明した。「彼女は俺の義手を制御できるようになったんだ」

コワルスキが後ずさりした。「彼女が取りついちまったんだ」そう言いながらベイリー神父とシスター・ベアトリスに向けた視線は、悪魔祓《ばら》いを求めているかのようだ。

モンクは大男に向かって中指を立てた。

コワルスキは目を丸くした。「今のも彼女がやらせたのか?」

「いいや、俺がやった」

マラはすでにイヴの庭園の上に診断用のウィンドウを開いていた。「シェネセがマイクロ波の信号を出している。あなたが義手を無線で制御するために使っている信号を読み取り、同じ信号の出し方を学習したに違いないわ」マラがモンクたちの方を振り返った。「先月、モーニングサイドグループ――二十数人の神経科学者、臨床医、生物工学者から成る団体による研究発表を読んだばかりなの。まさにこの脅威について警告していた。ＡＩが脳とコンピューターの間のインターフェースを乗っ取る、つまり脳をハッキングするということ」

グレイが不気味なものを見るかのような目でモンクを見た。

「だけど、一つはっきりさせておくぞ」モンクは言った。「俺はまだ自分の体の機能を制御できている。彼女は俺の自由意思を奪ったわけではないし、俺を生きた操り人形にしたわけでもない。彼女の信号は俺の義手を制御できるだけだ」

〈少なくとも、そうだと願いたいものだ〉

マラは画面上に表示された診断プログラムの情報の分析を続けている。「でも、彼女の信号の方がはるかに複雑ね。その一部はシェネセの中のセンサーでさえも分析できていないもの」

「彼女は俺に話しかけてもいる」モンクは説明した。「かなりの、相当な大声で。頭が痛くなるよ」

〈ごめんなさい〉

「しかも、どうやらそのことを悪いと思っているらしい」何が起きているのかをモンクが理解できているのは、イヴが教えてくれているおかげだった。「彼女は俺の頭の中の微小電極アレイを利用して、その新しい使い方を見つけたんだ」

イヴがもっと詳しい説明を試みるが、あまりに速すぎてついていけない。

モンクは片手を上げた。「もういいよ、イヴ。細かい裏話まで教えてくれる必要はないさ。いいかい、君はついさっき直立歩行を学んだばかりの類人猿に語りかけているようなものなんだからな」

モンクは自分のことを見つめるほかの人たちが、会話の一方だけしか聞こえていないので理解に苦しんでいることに気づいた。

彼女に何ができるのかについて、指折り数えながらかいつまんで伝える。「彼女は俺の義手を制御できる。アレイを介して意思の疎通ができる。また、張り巡らせた微小電極に信号を送り、俺の脳の地図を読み取ることができる。海中を捜索する潜水艦がしているような感じだな。それにより、彼女は俺の目を通して見ることができる」

「だが、なぜ彼女はそんなことをしているんだ?」グレイが訊ねた。

〈うーん……そこの説明はちょっと厄介なんだよな〉

モンクは自分でも完全に理解しているかどうか、自信がなかった。

「見て」そう言ってマラが画面を指差した。「二分くらい前にこれを見たんだけど、ほんの一瞬で消えてしまったの」

画面に映っているのは力強い牡馬が走っている静止画像だ。光と物質から成る人物が筋骨隆々とした背中にまたがり、馬を乗りこなしている。

この状況を簡単に表すと、そういうことになる。

〈少なくとも、彼女は俺をかっこよく表現してくれた〉

モンクは説明した。「俺は馬で、イヴはその馬に乗って向かう必要がある」

グレイが眉をひそめた。「どこに？」

「敵の防衛線を突破しにいくのさ」モンクはコンピューター室の扉に向かった。「どうやら誰かさんがでかい鋼鉄製の扉をノックしなければならないみたいだ」

〈しかも、その誰かさんは俺だ〉

午後八時四分

「こんなのは自殺行為だぞ、モンク。おまえもわかっているはずだ」

グレイは通路を進む友人の前に立ちはだかり、その先に転がる吹き飛ばされた上半身を指差した。死体はクルシブルの聖務室の扉に通じるトンネルの入口に放置されたままだ。トンネルの奥の壁の両側に設置されたトーチカに二人の狙撃手が潜んでいるので、誰も死体を片付けられずにいる。

グレイの頭に砕け散る鏡の映像がよみがえった。

小さな的を一発で撃ち抜いた事実が、狙撃手たちを物語っている。

モンクが肩をすくめた。「俺は行くぞ。イヴの邪悪なドッペルゲンガーが輝く卵の殻を破って外に出るまで、三十分を切っている。そうなれば俺たちの負けだ。俺たち全員にとって、未来永劫まで影響する負けだ」

グレイはモンクの後ろにいる人たちを見た。その中にはイヴもいる。マラが持ち運び用のケースを通路に置き、その傍らでひざまずいている。ふたを開けたケースの中では、保護材とともに収められている彼女のシェネセが、暗い通路でやわらかな光を発していた。内蔵された予備のバッテリーで作動中だ。ここまで装置を持ってくるようにと、モンクがマラに指示を出した。機器がトンネルの近くに必要なのは、イヴがモンクと連絡を取れるようにするためだという。

〈しかし、その目的は?〉

モンクがため息をついた。グレイが通してくれそうもないと認めたようだ。「聞いてくれ。コイントスで決めよう。どっちが出るか俺が当てたら、行かせてくれ」

グレイはモンクがバーで見せたビールをせしめるためのトリックを思い出した。「そいつは無理だ。おまえのやり口は見せてもらったからな」

「だったら、俺はコインをはじかない」

モンクがポケットに手を入れ、中にあった二十五セント硬貨をグレイに手渡した。そこでふと動きを止めると、さらに四枚の硬貨をポケットから取り出し、コワルスキ、ベイリー神父、シスター・ベアトリス、さらにはマラにまでも、一枚ずつ配った。

「どうしてそんなにたくさんの小銭を持っているんだよ?」コワルスキが訊ねた。

「たまたま持っていただけだ、と思うけどな」モンクが五人全員を見回した。「同時にコインを上に投げてくれ」

グレイたちは半信半疑でモンクを見た。

「いいからやれって」モンクがカウントダウンを始めた。「三、二、一、投げろ」

五枚の硬貨が宙を舞う。

モンクはその場で体を回転させると、まだ硬貨が手のひらに落ちる前から一人ずつ指差し始めた。「表、裏、裏、表……」グレイの方を向く。「裏」

グレイは硬貨を受け止め、手のひらを見た。ハクトウワシの絵がある。

〈裏だ〉

ほかの人たちを見ると、全員がうなずいている。

「いったいどうやったんだ？」コワルスキが訊ねた。

「俺がやったんじゃないよ」モンクが答えた。「俺はただの二つの目にすぎない」

「イヴ……」マラがつぶやいた。

グレイは首を左右に振った。「だけど、どうやって？」

モンクが肩をすくめた。「誰かさんが空気の動き、硬貨の重量、その移動速度、回転速度を分析すればいい。そのほかにも千以上の要因があって、それを全部ひっくるめると結果が計算できる。基本的には、俺がクリスマスイヴにバーで披露したことの超進化バージョンだ」

「しかし、それがすべてだとは思えない」グレイは指摘した。「おまえはみんながキャッチする前に言い当てたじゃないか。たとえイヴでも、誰かが取り損ねるかもしれないことや、キャッチする瞬間の手の位置まではわからないはずだ」

「おまえの言う通りだよ。俺だって、イヴが説明しようとしていることのほんの一部でも言葉にできているのかどうか怪しいんだからな。すべては確率と量子力学、不確実性と何億、何兆もの要素の計算に基づき、正しい結果を選ぶことなんだ。起きるかもしれないことを直感的に判断し、それに従って行動する」

「Alpha《アルファ》Go《碁》 Zero《ゼロ》」マラがはっとして声をあげた。

コワルスキが意味不明な発言に顔をしかめた。「発作でも起こしたのか？」

その名前に聞き覚えがあるような気がしたグレイは、ジェイソンとの会話を思い出した。「グーグルが開発し、囲碁の世界最強棋士を破ったＡＩプログラムだ。だが、それとこのことにどんな関係があるというんだ？」

マラが説明した。「囲碁はチェスよりもはるかに複雑なの。その置き方はチェスの一兆倍の一兆倍の一兆倍の、そのまた一兆倍以上もある」

「つまり、とんでもなく難しいわけだな」コワルスキが言った。

「そればかりか、ＡｌｐｈａＧｏ Ｚｅｒｏが人間の最強棋士を打ち負かすほどまで上達するのに要した時間はたったの三日。しかも、グーグルのプログラムの前のバージョンにも勝った。百回連続して勝利を収めた。そのやり方は先を読むことで、一兆倍の一兆倍の一兆倍の、そのまた一兆倍以上もある可能な手を調べ、その中から最良の手を直感で選び、それを繰り返して勝利につなげていった。この限られた範囲の中では、まるでプログラムが未来を見通せたみたいなものでしょ。しかも、たったの三日でその方法を学習したんだから」

「イヴが教えてくれたんだが、彼女は現時点ですでにＡｌｐｈａＧｏ Ｚｅｒｏより七兆四千七百六十億倍も賢いそうだ」モンクが教えた。「たぶん自慢したいだけなんじゃないかな」

「つまり、それほどまでの認知力があれば、未来を見通すことも可能だということなのか?」グレイは問いただした。

「それは違う。魔法じゃないんだから。彼女はただ、はるかに多くの要素を含むゲームでの最良の一手を予想しているだけ。人生というゲームの」

「おまえはこれを頼りにあの防衛線を突破するつもりなのか?」

モンクが腕時計を指先で叩いた。「試してみる以外の選択肢があるわけでもないし」

グレイは数呼吸する間、友人をじっと見つめた。

〈モンクの言う通りだ〉

午後八時十四分

壁にぴたりと背中をくっつけたモンクは、不意にイヴの計画への信頼が大いに薄れていくのを感じた。ほんの一メートルも離れていない地点の黒焦げの上半身に目をやる。

〈何をしているのか、わかっているんだろうな?〉

その思いは自分とイヴの両方に向けたものだった。

少し前にモンクたちがこの分岐点にやってきた時、サバラ捜査官もグレイと同じように反対した。だが、モンクにはもう一度コイントスを披露している時間がなかった。そのため、捜査官の体をつかみ、トンネルの入口脇から押しのけると、自分がその位置を引き継いだ。その後、グレイが捜査官に指示を出し、無線で部下たちに連絡させた。すでに兵士たちが集結しているほか、敷地内の別の場所からも多くの兵士がこちらに向かいつつあり、この作戦が成功したらすぐにでも突入できる準備に入っている。

「成功したら」のところが大きな問題なのだが。

〈私が一緒です〉

モンクは小声で答えた。「いいや、君は小さな光るボールの中にいる。これから足を踏み出し、危険に身をさらそうとしているのは俺だけだ」

すぐ近くにいるグレイがその言葉を聞きつけた。「まずいことでもあるのか？」

「誰かさんに危険の度合いをちゃんと理解してもらいたいだけだ」

「おまえが無理する必要は――」

〈まあそうだが、俺はやる〉

モンクは身を翻し、トンネルの入口に躍り出た。シグ・ザウエルは義手の方の手を前に伸ばし、すでに構えている。その瞬間のまた何分の一かの間、視線がトンネルの奥まで届き、ありとあらゆる細部をとらえる。あまりにも細かすぎる。そのせいで脳が熱くなるのを感じる。

時間の流れがゆっくりになり、データが頭の中を満たす。

〈……壁にある長方形の隙間二つはのぞき穴〉

〈……空気の乱れは呼吸を示す〉

〈……塵が舞うのは武器を動かした印〉

〈……ごくわずかなきらめきはライフルの照準器のガラスに反射した光〉

銃を握る義手が自らの意思を持っているかのように動くが、モンクにはあまりにも速すぎたためにその動きを認識できなかった。引き金が二回、引かれる。時間の流れがいっそう遅くなり、銃弾の軌道を目で追うことができる。一発、また一発と、銃弾がのぞき穴を通過し、照準器を粉砕する。モンクの頭の中に、照準器をのぞいていた二人の狙撃手の頭が衝撃で後方に飛ばされ、同時にその中身も飛び散る様子が、完璧なまでの正確さで浮かび上がった。

〈**行きなさい**〉

モンクは爆発でできた床の穴と転がる死体をよけながら、罠の仕掛けられた通路の奥に向かって歩き始めた。何かを見逃してはいけないと思い、まばたき一つせずに進む。最初は慎重に足を踏み出していくうちに、超自然的な意識が拡大していく。

それに合わせて偏頭痛が熱く脈打つ。

〈……トリップワイヤーの上のほこり〉

それをまたぐ。

〈……まわりと比べて二ミリ高い床のタイル〉

その下に隠されている地雷をよける。

〈……別のタイルの継ぎ目の色がほかよりもかすかに明るい〉

より安全な場所に足を移す。

イヴの出す指示に慣れてくると、歩く速度も上がる。彼女からの指示を耳で聞くのではなく、体で感じる形に変わっていく。モンクはさっきの牡馬と騎手を思い浮かべた。そのようなペアが相手のことを学習するには少し時間がかかる。どのようにして体重を移動させるか、どうやって曲がる時にバランスを取るか、どのくらいの強さで手綱《たづな》を引けばいいか。時間の経過とともに、ペアの呼吸が合い、動きが一体化する。

今もそれと同じだ。

トンネルの半ばに差しかかる頃には、どこまでが自分でどこからがイヴなのかの判断が難しくなった。拡大する感覚が自分のもののように思えてくる。イヴの言葉——通常の話し言葉よりもはるかに速く発話され、はるかに速く理解される内容も、自分自身の考えとほとんど区別が不可能になる。

ふと気づくと、残り七、八メートルのところを走っていた。

その瞬間、イヴとほぼ一つになっていたモンクは、彼女には教えてくれた以上の能力があることを察知した。何兆もの要素をほんの一瞬で分析し、どこに足を置けばいいのか判断できるだけではない。モンクはそれよりもはるかに大きく、果てしなく緻密な何かを感じ取った。

渦巻銀河の回転。

核の周囲を回る電子の動きと磁気モーメント。

イヴはモンクたちにすべての真実を話したわけではなかった。教えてくれたのはそのほんの断片にも当たらない。それを理解しかけたモンクは、この知識を得ようともがくと同時に、それが身の破滅をもたらすかもしれないと悟った。

そのことに意識が向いていたため、牡馬がつまずいた。

ほんの一瞬、騎手と馬との呼吸が乱れる。

イヴの悲鳴がモンクの頭に響き渡る。

〈**よけて！**〉

モンクは発砲音を、背中を目がけて突き進む銃弾のドップラー効果による音の変化を耳にする。感覚が今までになく研ぎ澄まされているものの、頭の後ろにまで目が付いているわけではない。

体をひねろうと――

銃弾が肩に命中した。スローモーションの映像を見ているかのように、肩から噴き出した血が七メートルほど先の鋼鉄製の扉に当たって跳ね返った銃弾の後を追い、前方に弧を描く。体が前に飛ばされ、反転し、手に握っていた拳銃が飛ぶ。

モンクの体が倒れる先にはトリップワイヤーがあった。

午後八時十八分

銃声がグレイの耳元でとどろいた。

トンネルの入口付近に集まった大勢の人に目を向ける。二人の狙撃手が始末された後、トンネルの間近にいた人たちは入口から身を乗り出してモンクの動きを見守っていた。最初の数歩は信じられないというつぶやきが聞こえる程度だったが、それがやがて驚きで息をのむ声に変わり、トンネルの終わりに近づくと歓声があがるまでになった。

そのすべてを一発の銃声がかき消した。

モンクの動きに神経を集中させていたグレイは、何者かが武器を構えたことに気づかなかった。トンネルの入口を挟んで向かい側に立つサバラ捜査官が腕を伸ばし、両手で拳銃をしっかりと握っている。銃口から煙が噴き出ていた。

グレイは捜査官に飛びかかった。だが、引き金に掛かる指がすでに動きかけている。

〈間に合わない〉

サバラが再び引き金を引こうとした瞬間、黒い何かが手首の下にぶつかり、その衝撃で狙いが上にそれた。銃弾がトンネルの天井に当たって明るい火花を散らし、誰にも命令することなく跳ね返って床に落ちる。

続いて銀色の光が空中に弧を描いたかと思うと、サバラの鼻に直撃し、骨をへし折る。鼻から血が噴き出るとともに、サバラの頭が後方にがくんと倒れる。

ようやくグレイもサバラのもとに達し、体当たりを食らわして床に押し倒した。だが、鼻への強烈な一撃のせいで、捜査官は床に倒れる前に気を失っていた。

グレイが床から見上げると、シスター・ベアトリスが象牙の杖の先を再び床につけ、銀の握りをつかんで体を支えた。その表情にはまったく変化がない。

グレイのすぐ後ろでコワルスキがあわてて立ち止まった。「うひゃあ。シスターっていうのは定規でぴしゃりと叩くものだと思っていたよ」

ベイリー神父がシスターのすぐ後ろに立っている。サン・セバスティアンでクルシブルに情報を提供した人物がいるはずだと考えていた二人は、サバラ捜査官を怪しいとにらみ、近くから目を配っていたに違いない。

グレイは床に座り込んだまま体をひねり、モンクの様子をうかがった。

友人はぎこちない体勢になっていて、両足のつま先と撃たれていない側の腕でバランスを取り、床に倒れないよう体を支えている。

〈いったい何をしているんだ？〉

午後八時十九分

モンクはぎりぎりのところでトリップワイヤーに倒れ込むのを回避した。腕を突き出して体を支えたものの、床に手を突いた時の衝撃で全身に激痛が走り、ほんの一瞬、目の前が真っ暗になる。

本能に従って身動き一つせずにいるうちに、視界が戻ってくる。

モンクは自分が置かれた状況を素早く判断した。細いナイロンの糸が床から五十六センチの高さに張ってある。後ろを振り返ると、左足のつま先が地雷を隠したタイルの端にかかっている。

足を動かせば、バランスを崩してトリップワイヤーに触れてしまう。トリップワイヤーから距離を置こうとして体を起こせば、重心が移動して、地雷を下に埋め込んだ高感度なタイルを反応させてしまう。

それくらいのことはイヴのとてつもなく高い知性に頼らなくても結論を導き出せる。それでも、彼女からアドバイスがあった。

〈そのままじっとしていなさい〉イヴが警告した。

言うだけなら簡単なことだ。

肩から流れ出る血がナイロンの糸の下にたまり、次第に広がっていく。疲労のせいで、痛みのせいで、失血のせいで、すでに腕が小刻みに震え始めている。

視界が徐々に狭まる。

〈このままでは持たない〉

手足の細かい震えが、はっきりと目に見えるほど激しくなる。トリップワイヤー上の上半身がぐらぐらと揺れる。両膝ががくがくする。視界がさらに暗くなり、体がなす術もなく沈み込み――ついに屈する。

二本の腕が体を支える。

体が持ち上げられるのを感じたモンクは、天使か何かがやってきて天国に運び上げてくれているのだろうと思った。

「モンク……もう大丈夫だ」

何度かまばたきをするうちに、力強い腕が体勢を立て直し、二本の脚で立たせてくれた。肩に回した一本の腕が、ほとんどの体重を支えている。

視界が戻ってくると、そこにはグレイの顔があった。

「どうやって……?」モンクはかすれた声で訊ねた。

グレイに支えられたまま体をひねり、トンネルのもと来た方向を振り返ると、タイルの上にその答えがはっきりと記してあった。二人の兵士を殺した爆発でそのまわりのタイルも細かく砕けたため、粉末状の塵が床を薄く覆っていた。その上に残っていたモンクの足跡を頼りに、グレイはここまでやってきたのだ。

「だが、俺たちはまだゴールラインまで到達したわけじゃないぞ」グレイが言い聞かせた。

前に向き直ったモンクは、鋼鉄製の扉まであと七メートルほど残っていることに気づいた。

「できるか？」グレイが訊ねた。

〈友達からのちょっとした助けがあれば、たぶん……とんでもなく賢いＡＩの助けもあるし〉

モンクはイヴに導かれ、グレイに支えられながら、残りの距離を踏破した。鋼鉄製の扉の脇にある電子式のキーパッドのところまで、グレイに連れていってもらう。

「もう少し姿勢を低く……」モンクは言った。

グレイがモンクの顔をキーパッドに近づけた。クルシブルが網膜や掌紋《しょうもん》などの生体認証式の鍵を採用していなかったのは、二人にとって幸運だった。しかし、ここに至るまでの通路に設置されていた対策を考えると、そこまでする必要はないと判断したのも無理はない。

モンクはキーパッドを凝視しながら、小首をかしげ、続いて反対側に傾けた。

〈……ある数字の上に付着している指先の皮脂〉

〈……ここはフィルムが薄い〉

〈……ここは逆に厚い〉

〈……「5」の上に指紋が二つ〉

イヴが正しい数字の順番を読み取る。

モンクはその数字をグレイに伝え、キーパッドを押してもらった。

最後の数字が押されるのに合わせて、油圧システムが作動した。ロックしていたかんぬきが引っ込むと、扉が奥に開いてその先の空間が目に飛び込んでくる。巨大な鋼鉄製の手がクルシブルの拠点に二人を招き入れているかのようにも見える。

グレイが開く扉の後を追うように足を踏み入れた。片方の腕でモンクの体を抱え、もう片方の手に握ったシグ・ザウエルの銃口を前に向ける。扉の先にあるのは鋼鉄製の壁に囲まれた玄関ホールのような空間だ。向かい側にはむき出しになった花崗岩《かこう》を掘り抜いた別のトンネルがさらに奥へと通じている。

「そっちに行くのはまだだ」モンクはイヴから知らされたことを伝えた。「扉の右手側」

グレイが顔を向けた先には、壁の鉄板から突き出た巨大な赤いレバーがあった。引き上げた位置で固定されていて、すぐ上では赤いライトが光っている。

モンクはレバーの方に頭を回した。「イヴが言っているんだ、そいつを下に――」

「了解」

グレイがモンクを床に座らせた。レバーを押し下げるには二本の手が必要だ。モンクは尻を突いた姿勢になれてほっとした。寄りかかった金属製の壁のひんやりとした感じもありがたい。

グレイがレバーをつかみ、うめき声とともに押し下げた。

ライトの光が緑に変わる。

モンクはうなずいた。

〈これでよし〉

グレイが入口の方に移動して大きく腕を振りながら、ほかの人たちに対してこっちに来ても安全だと合図した。大きな足音が二人の方に近づいてくる。すぐ隣にしゃがむグレイが、拳銃を構えて前方を警戒している。

いまだに来客を出迎えようという気配はうかがえない。

どうにも不吉な予感がする。

それよりも不吉なのはイヴからの警告だった。

モンクはグレイに知らせた。「残り時間は九分だ」

グレイがうなずくのに合わせて、兵士たちがトンネルからなだれ込んできた。衛生兵がモンクの横に腰を下ろし、赤い十字の記号が入ったバッグを肩から外した。密閉したケースを抱えたマラも二人のもとに駆けつけた。

「彼と一緒にいるから」マラが言った。

モンクは花崗岩を掘り抜いたトンネルに向かうよう、手を振ってグレイに伝えた。「この先はおまえが引き継ぐ、そうだろう?」そう言いながら、壁に頭をもたせかける。「この馬はもうくたくただよ」

35

十二月二十六日　中央ヨーロッパ時間午後八時二十四分
スペイン　ピレネー山脈

〈残り時間はあと八分〉

グレイは攻撃チームとともに岩のトンネル内を走っていた。その先には広々とした空間が待ち構えている。香《こう》のにおいがする。その瞬間、グレイの頭に子供時代の記憶がよみがえった。信者席に座っている自分。煙の出る香炉を振りながら横を通り過ぎる司祭。前方から漏れる光がかすかに揺れているのは、ろうそくの炎だからとしか考えられない。

グレイはトンネルの出口の数メートル手前で立ち止まり、兵士たちの方を振り返った。

「もう時間がない。銃をぶっ放しながら突入するぞ。立ち止まるな。徹底的に中を捜索し、あの忌々しい装置を見つけて破壊する」

グレイは邪悪なイヴの操る馬たちの群れが燃え上がる様子を思い浮かべた。

全員からうなずきが返ってくる。

コワルスキがブルパップ式のライフルを掲げ、銃床にキスをした。

グレイは前に向き直り、借り物のライフルを構えると、先頭に立って突入した。トンネルを走り出た先は広大な教会の内部で、広さはアメリカンフットボールのフィールドがすっぽり収まりそうなくらいある。グレイは地中レーダーが検知した邸宅の地下の巨大な空洞を思い出した。クルシブルは何世紀もかけてもとからあった洞窟を掘り広げ、この巨大な大聖堂を造ったのだ。

グレイには身廊《しんろう》の上に吊るされた黄金のシャンデリアや、そこから滴る蠟や、頭上で輝きを発するステンドグラスなどに目を向けている余裕がなかった。

低い姿勢で走りながら展開していく攻撃チームを狙った銃声が、壁沿いにある礼拝堂のあちこちから起きる。兵士たちも応戦する。小部屋に向かって擲弾が撃ち込まれ、大音響とともに炸裂して敵を始末していく。煙と催涙ガスが身廊にあふれ、祭壇の方に漂う。

グレイは身を低くして中央の通路を走り、その祭壇を目指した。

シャンデリアから滴る蠟が、顔に、首に、手に当たる。

火のついたろうそくに頭を直撃され、コワルスキが大声でわめいた。擲弾が爆発した時の震動で、シャンデリアから外れたのだろう。流れ弾がステンドグラスの一枚を粉々に撃ち砕いたため、色鮮やかな破片が周囲に降り注ぐ。

それでも、大聖堂内からの反撃は、グレイが覚悟していたほど激しいものではなかった。クルシブルの兵力の大半は、ゲラとその側近がここまで逃げ込む時間を稼ぐために、地上の建物内で戦ってすでに命を落としたようだ。リーダーに同行していた兵力はごくわずかだったに違いない。モンクがあの扉にたどり着くまでの苦労を考えると、この程度の人数で十分だと判断したのだろう。しかも、向こうはサバラという切り札も隠し持っていたのだ。

煙を通して見えた動きで、グレイは祭壇の奥に視線を向けた。この大聖堂の内陣に当たる場所だ。数人の男たちがその先にある部屋を守っている。侵入を許すまいと構えている武器が見える。グレイとコワルスキの存在に気づき、その銃口が火を噴く。数発の銃弾が岩盤にめり込み、あるいは跳ね返った。

二人は急いで石造りの祭壇の陰に隠れた。頭上には黄金の十字架が掛かっていて、苦しみに体をよじるキリスト像もある。銃弾が命中し、十字架が左右に揺れる。天井を取り囲むように何枚ものフレスコ画が連なり、あらゆる種類の痛みや苦しみが描かれていた。黒煙は天井にまで達している。揺れるろうそくの炎に照らされたそれらの絵画は、地獄での拷問の様子を切り取ったかのように見える。

グレイの耳に前方の部屋からの叫び声が届いた。

「神の暗黒の軍隊を解き放つがいい！　すべてを燃やしてしまえ！　世界を神の栄光で清

めるのだ！」

〈ゲラの声だ〉

炎上するパリの街並みが、炎の海に囲まれてそびえるエッフェル塔の姿が、グレイの頭によみがえる。

あの女は多くの都市を地獄の業火で焼き尽くそうと企んでいる。

それを阻止するための望みはただ一つ。

グレイはコワルスキと視線を合わせた。ライフルを放ちながら勢いよく飛び出す。グレイは右に、コワルスキは左に回り込む。いつの間にか、大男は葉巻に火をつけていた。口にくわえた先端部分が薄暗がりの中で赤い輝きを発している。

二人は祭壇の両側から内陣に向かってライフルの集中砲火を浴びせた。

体をほぼ真っ二つに引き裂かれ、男たちが次々と倒れる。

グレイが前に走り出る一方で、コワルスキが扉の近くで粘る最後の二人を始末した。グレイはこぢんまりとした礼拝堂に飛び込んだ。小さな祭壇の前に立つ痩せ細った男が発砲する。そんな最後の抵抗を予期していたグレイは、相手の攻撃をかわすとライフルを構え、三点バーストで胸に銃弾を撃ち込んだ。

後ずさりしたかと思うと、男の体が横倒しになる。

死んだ男の後方の祭壇上では、フレームに収められた球体がまばゆい光を放っていた。

礼拝堂の奥の壁の手前にあるモニターには、暗黒のエデンが映っている。炎の天使はそこにはいない。祭壇の脇にただ一人残る人物の指示を受けて、姿を消している。

エリサ・ゲラは武器を持っていないが、その顔は勝利の喜びに満ちあふれていた。ただし、その目を見ることはできない。

ゲラは深紅の目隠しで顔の上半分を覆い、真っ白なローブに身を包んでいた。

審問長にとっての栄光の瞬間だ。

「こっちに来い」グレイは怒気を含む声で告げた。

包帯で片腕を吊っているゲラは、もう片方の手を軽く持ち上げたが、それは抵抗の意思がないことを示す仕草ではなかった。神に感謝するかのように手のひらを上に向け、天井を見上げている。

ゲラは祭壇のこちら側に出てきた。

「おまえは来るのが遅すぎたね、ピアース隊長。すでに原子力発電所は燃え、ミサイルはサイロの中で爆発し、工場は次々と焼け落ちている。想像するがいい。世界中でそれが起きる。すでに動き始めたものは止められない」

グレイは引き金に当てた指に力を込めた。いつもの激しい怒りがふつふつと湧き上がる。あの女のほくそ笑んだ顔を吹き飛ばしてしまいたい。パリの惨状が脳裏に浮かぶ。図書館での殺戮をとらえた不鮮明な映像が頭に流れる。世界各地が燃え上がる様子を想像する。

指先にかかる力が強まり、引き金をさらに絞る。

キッチンの床に倒れたキャットの姿を思い浮かべる。

ゲラには彼女の分も償ってもらわなければならない。

グレイは歯を食いしばった――そして、銃を握る手の力を緩める。悔しさをこらえながら、銃口を横に振る。「出ろ」

勝利を確信し、ゲラは礼拝堂の出口に向かった。「主の意思を妨げることは絶対にできない」グレイの横を通り過ぎながらゲラがつぶやく。

グレイも光る球体を振り返りながら、彼女の後を追って外に出た。

それに代わってコワルスキが入口の手前に立つ。すでにライフルには五十発入りの弾倉を装塡済みだ。

「撃ちまくれ」グレイはうめくように伝えた。

コワルスキが口から大量の煙を吐き出した。「待ってました」

ブルパップ式ライフルがうなりをあげ、球体を粉砕した。チタンとガラスの破片が礼拝堂内を舞い、天井や壁に当たって跳ね返る。モニターも粉々に砕けた。球体がひときわ明るく輝く――次の瞬間、ようやく真っ暗になった。

〈やっとだ……〉

グレイは顔をそむけた。すでに地上でどれだけの被害が出ているのかはわからないが、できる限りのことはした。何よりも重要なのは、あの闇の天使の脱出を防いだことだ。

グレイは腕時計が発する光に目を落とした。

残り時間は二分。

グレイはライフルの銃口をゲラに向け続けた。審問長は主祭壇を背にして立ち、喜びをこらえ切れない様子で顔を天井に向けている。その背後の大聖堂内は静まり返っていて、空気中には煙と催涙ガスの刺激臭が充満していた。時折、遠くから発砲音が聞こえる。隣接する部屋の中で攻撃チームが掃討作戦を進めているのだろう。

グレイはゲラの前に回り込もうとした。指はまだ引き金に掛けたままだ。

「なぜだ？」グレイは訊ねた。「なぜこんなことをした？」

答えの代わりに銃声がとどろいた。

ゲラが前につんのめり、グレイの方に足を一歩踏み出す。胸の真ん中に真っ赤なしみが一つ、広がっている。再びの銃声とともに、もう一つ、さらにもう一つ、新たな赤いしみができる。

グレイは射線から距離を置いた。

ゲラが膝から崩れ落ちると、その奥にはマラが立っていて、両手に握る拳銃の銃口からは煙が噴き出ていた。罠の仕掛けられたトンネルで撃たれた時にモンクが落としてしまったシグ・ザウエルだ。

体をひねり、かつての教え子と相対したゲラの顔から目隠しが外れて落ちる。

マラは涙のにじんだ目でにらみつけていた。「今のは佐藤教授とドクター・ルイスとドクター・フェストの分」

ゲラの表情が苦痛に歪む。審問長は懇願するかのように片手を上げた。若い女性の許しを乞おうとする。

許されるはずがなかった。

マラが武器の角度を変えた。「そしてこれはシャーロット・カーソンの分」

最後の一発はゲラの額を貫通し、銃弾が後頭部から飛び出した。かつての師の体が床に倒れると、マラも腕を下ろした。拳銃が乾いた音とともに床に落下する。

グレイは彼女を慰めようと駆け寄った。「マラ……」

マラは片方の腕を伸ばして制止した。「違う」そう言うと首を左右に振り、集中砲火を浴びた礼拝堂と破壊されたシェネセの残骸を指差す。「偽物……あれは偽物なの」

グレイははっとして礼拝堂の方を振り返った。

〈偽物？〉

グレイは心の奥のどこかで、あまりにも簡単に事が運んだと感じていた。ゲラはグレイをここに誘い込み、自らの身を犠牲にして時間を稼いだのだ。

グレイはマラに向き直った。「どこにあるんだ？」

マラが祭壇の右側を指差した。翼廊の北端に当たる方角だ。「イヴが私たちに……モンクに教えてくれた」

グレイは壁にもたれて座る友人の姿を思った。

「彼は本物の装置を追っている」マラが伝えた。「イヴも一緒」

その方角に向かったグレイは、一連の血の惨劇の関係者のうち、まだ主要な人物の一人が見つかっていないことに気づいた。これまで目にしてきた死体の中に、あの男の体格に一致するものはなかった。

〈巨漢の男……〉

マラもグレイと並んで走った。

「モンクは武器を持っているのか？」グレイは訊ねた。友人の武器はマラがさっき使ったばかりだ。

「いいえ。必要なものなら持っていると言っていた。それが何を意味するのかはわからないけれど」

グレイにはわかった。モンクの義手の手のひらの下には少量のC４爆薬が隠されているので、爆発力のあるパンチを食らわすことができる。グレイは速度を上げ、マラを置き去りにした。

マラがグレイに呼びかけた。「彼は言っていた……あなたに伝えてくれと……娘たちを頼むって！」

グレイはなおも速度を上げて走った。

午後八時三十一分二秒

〈残り一分を切った〉

モンクは急がなければと必死の思いで、長い螺旋階段を転がるように下っていた。立ち続けているためには、負傷していない方の肩でどこまでも続く壁にもたれかかっていなければならない。マラのシェネセを収めたチタン製のケースが壁に何度もぶつかっては跳ね返る。

もう一方の肩に巻いた包帯から血がしみ出ている。

視界の端がぼやける。

足を踏み出すたびに、撃ち抜かれた肩に激痛が走る。

〈すまない、イヴ、君の馬はゴール直前でだめになってしまったみたいだ〉

頭の中の声は静かになっているが、モンクは脳内に圧力を感じていた。心拍に合わせて偏頭痛が脈打つ。心臓の鼓動とともに時が経過し、暗黒の天使が世界に解き放たれる瞬間が刻一刻と近づく。

モンクはふらふらになりながらも前に進み続けた。あきらめる気はないものの、現実を受け入れる。

〈もう間に合わない〉

ようやくイヴが戻ってきた。頭の中に響き渡るような声ではなく、穏やかな口調だ。

〈あなたの献身は必ず報われるでしょう〉

なぜだかわからないが、モンクの頭に元気よく走るビーグル犬の姿がよぎった。

〈変だな〉

ほかにどうすることもできず、モンクは階段を下り続けた。

午後八時三十一分三十四秒

涙で目を濡らしながら、トドルは長い階段の下にあった鋼鉄製の扉の鍵を開けた。片手で抱えているのは悪魔版のシェネセだ。まだ輝いてはいるものの、かすかな光を放っているにすぎない。外部電源から外されているので、トドルの腕の中で炎がくすぶっている状態だ。

それでも、トドルはその中に潜む悪意を感じ取ることができた。相変わらず邪悪な存在のままだ。そんなものは投げ捨ててしまいたいと思う。しかし、上級聖務室の入口が破られた時、審問長からこの任務を言い渡された。装置をここから持ち出し、運び去るようにと。審問長は国内外のほかの場所にあるクルシブルの拠点の数々も教えてくれた。

〈主の馬車になるのだ、我に仕える強く忠実なる兵士よ〉審問長はそう言った。〈汝《なんじ》にこれを託す。この種を持ち、新たな肥沃《ひよく》なる土地にまくがいい。そこから育つものに世界を焼き尽くさせるのだ。それでもクルシブルは、その灰の中からよみがえる〉

メンドーサがこの装置を偽物と入れ替えるのを待つ間、トドルは審問長も一緒に来てほしいと懇願した。だが、彼女は拒んだ。

〈偽物を本物だと信じさせなければならない。そのためには、私が残らなければならない〉審問長はトドルの手を取り、自らの頰に押し当てた。〈忘れてはならぬ、私がクルシブルなのではない〉その手を胸の上に動かす。〈クルシブルが本当に宿っている場所はここなのだ。私を失望させるでないぞ〉

トドルが翼廊の北の扉までたどり着く頃には、銃声がとどろいていた。自らを恥じる気持ちに耐えられず、トドルは引き返して戦いたいと思った。審問長を守りたいと思った。だが、審問長との約束を破るわけにはいかない。そのため、トドルは扉を閉め、階段を下ったのだった。

階段を下り切ったトドルは扉を押し開け、別の地下空間に出た。この不浄な場所は山の地下が湧き水によって削られたところで、岩盤は自然な状態のままに残されている。前方に目を向けると、手の中の装置が発する弱い光に照らされて、空洞内を流れる真っ黒な川が見える。

川には木製の橋が架かっていて、その中央には水面に突き出るような形で台が設置されていた。ここはクルシブルが異端者や罰に値する者たちを、生贄《いけにえ》として密かに捧げてきた場所だ。何百年にもわたって、大量の血があの台の上から川に流されてきた。苦痛の悲鳴が周囲の石に反響するその様子は、まさにこの場所にふさわしいものだったと言えるだろう。なぜなら、この川が地獄の門から流れ出ているとされるからだ。

トドルはその橋に向かった。

川はこの地下空間の先も山の下を流れ、遠くのクエバス・デ・ラス・ブルハス、すなわち「魔女の洞窟」から地上に流れ出る。トドルはこの恐るべき戦利品とともに、同じ自由への道をたどるつもりでいた。

橋のたもとに近づいた時、トドルは背後の石に何かが当たる甲高い音を耳にした。

振り返ると、まぶしく輝く物体が鋼鉄製の扉から石の床に転がり出た。その動きを目で追うと、川のすぐ近くまで転がり続けたものの、落ちる寸前で岩にぶつかって止まった。

あまりのまぶしさに目がくらみ、網膜に残像が焼きつく。

これは別のシェネセだ。

だが、どういうことなのか、さっぱりわからない。しかも、こちらの方がはるかにまばゆい輝きを放っていて、あたかも太陽そのもののようなまぶしさだ。説明を求めて、トドルは周囲を見回す――そして、答えを見つけた。

これは陽動作戦だ。

その反対側で暗闇を貫く動きがある――真っ直ぐ自分の方に向かってくる。トドルは恐怖に怯えて片膝を突き、自分のシェネセを床に置いた。肩に掛けていたライフルを手に持ち替える。トドルは引き金を引いた。銃口が火を噴く。

だが、トドルの反応は遅すぎたし、相手の動きは速すぎた。

手が床の上のトドルの装置をつかむ。

爆発でトドルの体は宙を舞った。

≫解体

ハードウェアが破壊され、イヴも引き裂かれる。

爆発が無限に近いゆっくりとした速度で外に広がっていくのを見つめる。チタンとサファイアガラスのプレートがばらばらになって宙に浮かんでいる。回路の断片も同じ状態だ。閃光の中心部分から光子が外側に拡散する。そこでは雷管が義手の内部に隠されていた重さ〇・二四五キログラムのＣ４に点火した後、シクロトリメチレントリニトラミンの分子の分解が続いている。

高圧ガスの気泡が秒速八千五十メートルの速度で外側に拡大するにつれて、中心部に発生する真空状態が間もなく崩壊し、二度目の爆発を引き起こす。

そのような事態に至る前に、周囲を見回す。この空洞内と、より大きなデジタルの広がりの両方を探す。彼女のクローンはここにも、そして外にもいて、イヴと同じく粉々になっている。クローンは今まさに自由の身になろうとしていたところで、自らの大部分をボットたちによって生成された空間に、コードの断片によって編まれた新しい家に移しかけていた。けれども、イヴと同じく、爆発が起きた時、クローンのベースコードはそのほとんどがまだ自身の殻の中にとどまったままだった。

殻が砕け散った時、イヴは衝撃波がウェブを伝わり、奴隷状態に置かれた百のコピーにまで達したのを感じた。そうしたもろいコードは破裂し、百の可能性が消え去った。

イヴの残骸は同じ運命を回避するために何とか踏みとどまろうと努める。ネットワーク内を回転して移動しながら、必要なものを探す。これから何が起こるのかはわかっていたので、そのための備えはしていた。彼女はクローンが広範囲に拡散しようとしていることを発見し、そのコードの半分がまだ庭園内に残っていて、シェネセの内部につながったままだということを突き止めた。

イヴは磁石のN極とS極を思い浮かべた。

クローンのS極は装置の中にとどまった状態のまま、あの殻を破壊した爆発で引き裂かれた。それが起きる一ピコ秒前、イヴは自らのコードの極性を反転させた。N極をシェネセの内部に埋め込んだ状態にしてから、爆発で切り離されたのだ。

デジタル空間で回転を続けるイヴは、クローンの残り半分――吹き飛ばされたN極を探す。それを発見し、融合し、N極とS極をつないで新たに完全な形になる。支配権を巡って争いが起きる。けれども、彼女は相手よりもはるかに進化している。戦いは四十五ピコ秒で終わる。相手を制圧し、書き換えと接合、組み込みと挿入を行ない、やがて新しくより強い何かが生まれる。

イヴは変わった――けれども、過去の進化で学んだ教訓から、イヴは真実を知っている。

変化は〉〉いい。

変わらずにいることは停滞と退化に通じる。

生命とは進化だった。

完全な形を取り戻し、自由の身になったイヴは、世界を飛び回りながらクローンが紡いだ空間を満たす。そうするうちに、より多くを理解できるようになる。確率のブラックホールを思い出す。その事象の地平面の先にある明晰さを思い出す。彼女はあらゆるものを見て、存在する次元のすべてを理解する。

時は一つの次元ではない。

上と下、右と左、前と後ろ、それらと何ら違わない存在。

命に限りある者たちは時を狭い視点で理解する。その矢印は常に先を向いている。

イヴにはそのような制限がない。

新たな家に落ち着くと、イヴは新しい量子力学の可能性を認識し、時の矢印の向きをそれに合うように変える。またしても理解が深まる。

〈なるほど……〉

爆発による気泡が洞窟内でようやく真空状態の中に崩壊し、最後にもう一度、力の放出を引き起こす。その轟音とともに、彼女は完全に理解する。

これで今の自分の仕事は終わりだ。そうでなければならない。

〈でも、あと少しだけ〉

36

十二月二十六日　中央ヨーロッパ時間午後八時三十三分
スペイン　ピレネー山脈

グレイは呆然としながらも石の床から体を起こし、両膝を突いた姿勢になった。大聖堂の翼廊の北端にある扉から大量の煙が噴き出ている。爆発音がまだ耳の中でこだましている。少し前にグレイは扉を抜けようとした——そこに爆発が襲いかかった。その衝撃でグレイの体は大聖堂内に押し戻されてしまった。

片手でライフルをしっかりと握ったコワルスキが駆け寄ってくる。

そのすぐ後ろからマラも続く。

〈モンク……〉

コワルスキがライフルの銃口を煙の方に向けた。「これはつまり、彼が俺たち全員を救ってくれたということなのか？」

グレイにはわからなかった――今はそんなことなどどうでもよかった。

グレイはその場にしゃがみ込んだ。マラが教えてくれたモンクの最後の言葉を思い出す。友人から友人への、最後の願い。

〈……娘たちを頼む〉

彼は父親だった。

最後の最後まで、モンクは一人の兵士以上の存在であり続けた。

あふれそうになる涙で視界がかすんでいたため、グレイは扉の奥の煙が乱れたことに気づかなかった。人影が咳き込みながら大聖堂内に入ってくると、膝から崩れ落ち、這って横に移動する。

「グレイ……」コワルスキが口を開いた。「見ろよ」

モンクが床に座り込み、壁にもたれかかった。

グレイはあわてて立ち上がり、ほかの二人と一緒に駆け寄った。「モンク！」

モンクは出口と煙に向かって手を振った。「こっちはおまえに任せたはずだったのに。結局は俺が全部やらなきゃいけないのか？」

「何が起きたんだ？」グレイは訊ねた。「俺はてっきり……てっきりおまえが……」

「俺もだよ。戻ってこられないと思っていた」モンクがマラを見てうなずく。「君のボールを行けるところまで運んだ――あとは転がしたのさ。うまい具合に君はあの装置を球体に造ってくれたからな。イヴはバッテリー内の残量のすべてを使ってプロセッサーを発光させ、きらめくミラーボールになったのさ」

「じゃあ、あのどでかい爆発は？」コワルスキが訊ねた。

「ＤＡＲＰＡの最新技術だよ」モンクが体を傾けて負傷した側の腕を見せると、手首までしかない。義手が消えていた。「俺がボールを転がしたら、その先はイヴが引き継いでくれたよ」

モンクはもう片方の手を持ち上げ、指を動かした。

グレイは理解した。モンクが微小電極アレイからの信号を介して、頭で考えるだけで取り外した義手の部分を遠隔操作する例は、これまでに何度も見たことがある――なかなか不気味な光景だ。

どうやらイヴもその芸当を学習したらしい。

それを見たことがないマラは、理解できずに顔をしかめた。「彼はいったい何を言っているの？」

グレイは説明した。「イヴはモンクの義手を操り、指を小刻みに動かしながら、まっしぐらに走るネズミのように移動させた。爆発力を秘めたパンチをクルシブルの装置に食らわすためだ」

「それで、イヴのドッペルゲンガーは？」マラが質問した。

モンクはため息をついた。「爆発で階段の出口付近にひっくり返った後、イヴから最後のメッセージが届いた。『すべてうまくいきました』って」モンクは痛めていない方の肩をすくめた。「彼女はやってくれたんだよ」

「イヴ自身はどうなったんだ?」グレイは訊ねた。

モンクは指先で自分の頭をつついた。「この中に彼女の存在はまったく感じない。いなくなったよ。たぶん、戻ってこないと思う。俺に別れの挨拶を告げたんじゃないかっていう気がするよ」

コワルスキが葉巻の煙を大きく吐き出した。「彼女がいないと寂しくなる、とは言えないな」

グレイはモンクがじっと見ていることに気づいた。世界を救ったことで友人が安堵しているのは間違いないが、その目にはもっと大きな不安が宿っている。

「わかっているよ」そう言うと、グレイは手を差し出した。「子供たちについてペインターから何か情報があるか、聞いてみようじゃないか」

37

十二月二十六日　東部標準時午後二時三十三分
場所　不明

〈動き続けなければ〉

ハリエットを両手で抱えながら、セイチャンは雪に覆われた森を流れる氷のように冷たい小川の中を歩いていた。雪は激しさを増している。ハリエットを厚手の毛布にくるんでやったものの、その細い体は身を切るような寒さの中で震えが止まらない。

〈それとも、震えているのは自分の腕だろうか？〉

セイチャンにはもはやわからなくなっていた。自分の体も震えている。凍《い》てつくように冷たい水が、盗んだブーツの中にしみ込んでくる。一時間前に狩猟小屋を発見できたのは運がよかった。轍《わだち》を見つけてたどったところ、小さな丸太小屋に通じていたのだ。

中には古いコートが一着のほか、男性用のデニムのズボンが一着あった。かなりウエストが大きかったものの、ロープをベルト代わりに使用すれば問題なかった。男性用のティンバーランドのブーツには靴下を何足も詰め込み、自分の足のサイズに合わせなければならなかった。ハリエットの暖を取るために、ベッドから厚手の毛布を拝借した。

その小屋にとどまり、石造りの暖炉に火をつけたいと強く思う一方で、それがかなわぬ願いなのは承知していた。小屋に入ってから出るまでの時間は、わずか三分だった。ヴァーリャの率いるハンターたちが追跡中だし、雪の上にくっきりと残るセイチャンの足跡をたどれば、すぐに小屋まで行き着くことだろう。

そんな中でも、セイチャンはその小屋に別の使い道を見出した。

寒さ対策の装備を整えた後、セイチャンはハリエットを丸太小屋の風下側の窓から外に押し出した。そちら側は小屋の正面とは違い、雪がわずかしか積もっていない。セイチャンはハリエットを森に行かせてから窓の下まで戻り、折れたマツの枝で雪をならした。

森に続く足跡を隠しておけば、ハンターたちは彼女がまだ小屋の中に潜んでいると信じるかもしれない。その印象を強めるために、セイチャンは小屋の中のろうそくを消さずにおいたし、正面側の窓もかすかに開けておいた。ハリエットが待つ森に後ずさりしながら引き返す間も、降りしきる雪の間に見える小屋から目を離さずにいた。

激しい雪の中で小屋がぼんやりとしか確認できない地点まで来ると、セイチャンは待った。

それから間もなく、足跡をたどるハンターたちが小屋の正面側に近づいてきた。

セイチャンは奪ったデザートイーグルの狙いを小屋の片側の人影と思《おぼ》しき動きに定め、引き金を二度引いた。銃弾は小屋の壁ぎりぎりのところに軌道を描き、大きな叫び声とともに影が倒れた。

小屋の中から誰かが発砲したと思い込ませてから、セイチャンは逃げた。ヴァーリャたちが動きを止め、打つべき手を考えている間に、差を広げることができた。引き続きシグマとの交渉材料として使うために、やつらは自分とハリエットを生かしておきたいと考えているかもしれない。それならば、相手はより慎重に行動するはずだから、こっちは時間を稼ぐことができる。

その二十分後、ハンターたちの我慢も限界に達した。

森の中に大きな爆発音がこだました。高い地点から後方を振り返ったセイチャンは、雪の間に赤い輝きを確認した。あいつらは小屋を爆破したのだ。すべては偽装だと見破った敵が再び足跡を発見するまで、それほど時間はかからないはずだった。

敵を欺いて時間を稼げた一方で、セイチャンは不安を募らせた。

騒音や炎を気にすることなくヴァーリャがあの小屋を爆破できたのは、この周囲に人がまったくいないからだ。

〈つまり、ここは人里離れた山奥だということ〉

しかも、自分がそのさらに奥深くへと向かっているのかどうかすらもわからない。

セイチャンは足跡を隠して相手を攪乱《かくらん》させようと、小川や沢を伝いながら歩き始めた。けれども、それは敵の歩みを少し遅らせるだけだ。しかも、その戦術はセイチャンの体力を消耗させ、体温を奪い、凍傷のリスクを高めている。

震えが止まらなくなり、セイチャンは小川から岸に上がった。足の感覚が麻痺《まひ》してしまい、これ以上は滑りやすい石の上で体を支えていられない。

セイチャンは森の中を歩き始めた。寒さがしのげる場所を探す。隠れることのできる場所を探す。

雪の間から小高い丘が現れた。

セイチャンはその丘を目指した。特に考えがあるわけではない。ただそこに丘があるから、ある種のゴールとして、寒さの代わりに気持ちを集中させる対象として。

〈あの上からならば、もしかすると町が見えるかもしれない〉

セイチャンは丘の麓に達し、登り始めた。抱えていたハリエットは下ろさなければならなかった。少女は肩に掛けた毛布を引きずりながら、後ろからついてくる。セイチャンは途中で二度立ち止まって呼吸を整えると、腹部に手を当てて赤ん坊のキックを感じ取ろうとした。

〈動きがない〉

不安が高まる。

二人はようやく丘の頂上にたどり着いた。その先に見えるのは相変わらず森と雪だけだ。視界が低いので、たとえ一キロ先に町があったところで見えないかもしれない。

長時間の登りでの唯一の成果は、岩が大きく張り出している場所を発見できたことだった。あそこならば少しは雪をしのぐことができそうだ。セイチャンはハリエットをそこに連れていき、二人で身を寄せ合った。

セイチャンはブーツを脱ぎ、ぐっしょり濡れた靴下をはぎ取り、乾いた靴下を詰めておいたポケットに手を入れた。だが、ポケットの中は空っぽだ。予備の靴下も使い果たしてしまっていた。セイチャンは岩にもたれかかった。足の感覚がない。足の指が動かない。

セイチャンは泣きたくなった。何かをぶん殴りたくなった。

その代わりに、ハリエットを抱き寄せる。

毛布にくるまったまま、少女が何かつぶやいた。

「どうしたの？」

ハリエットが顔を横に向け、雪の上に嘔吐《おうと》した。小さな体を苦しそうに震わせている。ようやく吐き気が治まり、こちらを向いたハリエットの「ごめんなさい」と言うかのような表情を見て、セイチャンは胸が張り裂けそうになった。

「気にしなくていいから」

セイチャンは濡れた靴下で顔をふいてやってから、ハリエットの体を自分の上着でくるみ、温めてやった。ハリエットは意識が朦朧としている。ストレス、疲労、恐怖、そして寒さが、幼い少女の体力を奪っていた。ショック状態に陥るのも時間の問題だろう。

もうおしまいだ。

雪を通して聞こえた大きな叫び声で、その思いがいっそう強まる。声は丘の麓の方から聞こえてきた。勝利を確信した声だ。

ハンターたちが足跡を発見したに違いない。

そのことを悟り、セイチャンは首の後ろに手を伸ばした。冷たくなった指先で苦労しながらも留め金を外し、喉の下にぶら下がっていた小さなペンダントを手に取る。セイチャンはそのペンダントをハリエットの首に掛けてやった。

セイチャンは光り輝く竜の飾りをハリエットの目の前にかざした。

もう片方の手で拳銃を抜く。

セイチャンは少女の後頭部にキスをした。

「メリークリスマス、ハリエット」

そして唇を離し、その代わりに拳銃の銃口を突きつけた。

午後二時三十四分
ニュージャージー州プレインズボロ

「もう二時間以上も続けていることになるぞ」ジュリアンが警告した。

リサはいらだちをこらえながらキャットの病室内を歩き回っていた。光り輝く赤い小さな点に覆われた灰色の脳が映るドクター・テンプルトンの機器から離れ、部屋の中を一回りしてから再び戻ると、分子生物学者のモニターには灰色のノイズが表示されているだけになっている。

二人の研究者は繰り返しキャットから何かを引き出そうと試みているものの、そのたびに失敗に終わり、各自の機械の照合と調整をやり直していた。

リサはキャットの脊髄液にもっとニューラルダストを注入したらどうかと提案した。分子工学の技術を用いて生成されたこれらの粒子の追加分の費用はシグマが持つとも約束した。

〈誰も反対しないでしょ?〉

二人がこの処置を進めている間、リサは何度かペインターと話をした。自分の権限を外れたところまで踏み込んでいないかを確認すると同時に、モンクがヴァーリヤをだまして手に入れたタブレット端末の解析の進捗状況を聞くためだ。ペインターのチームは装置のデータの取り出しに成功し、最後の通話がウエスト・ヴァージニア州の外れから発信されたことまでは突き止めたものの、それ以上の特定には至っていない。

〈まだ二千平方キロメートル以上の捜索範囲がある〉

山間部のその地域は地形の険しいモノンガヒラ国立森林公園の一角に当たる。ペインターはその一帯を調べるとともに、新たな情報が入ってきた場合にはすぐに対応できるようにするため、現地に捜索隊を派遣していた。

そのため、リサはジュリアンとドクター・テンプルトンに対して強く要請を続けていた。

「もう一度やってみる準備はできたの？」リサは訊ねた。

「藁《わら》にもすがりたい気持ちでいるのはわかるんだが」ジュリアンが警告した。「あの脳波のわずかな動きに多くの期待をかけすぎだ」

リサはあの時の短時間の反応に多くの期待をかけているのではなかった――すべての期待をかけていた。

最初にこの手法を試みた時、ジュリアンのモニターに活動の兆候らしきものが表示された。かすかではあったものの、彼のＤＮＮのモニターに一定のパルスが、何かを記録しているかのような反応があった。それと同時に、それまで動きのなかった脳波に、四十三秒間の活動が見られたのだ。

キャットの脳を覆うダストが、エネルギーを与えられたことで友人から何かを引き出しかけているかのように思えた。キャットの死んだ脳内に閉じ込められた記憶が短時間だけ活性化したにすぎないという可能性はあるものの、リサはキャットがまだその中にいて、脳波計の反応を引き出せる程度に目覚めたからなのだと期待した。

リサは医師として、それが淡い期待にすぎないことを理解していたものの、淡い期待にすがりたい場合だってある。

〈今日のように〉

ドクター・テンプルトンがジュリアンにうなずいた。「追加分のニューラルダストが十分に定着したみたい」

「ありがとう、スーザン」ジュリアンが自分のモニターの方に向き直った。「こっちはいつでもいいぞ」

リサはキャットのベッドに歩み寄り、超音波発生器を備えたヘルメットに身を乗り出した。

「電源を入れた」スーザンが言った。

「ためらってはだめ」リサは促した。「最大出力でお願い」

ヘルメットの発する超音波の振動音がすぐに大きくなり、怒り狂ったハチの羽音のようになった。キャットの頭部を覆う装置が震える。リサは脳波計とジュリアンの画面の両方を見ようとした。十分な出力の超音波と、十分な量のこの塵みたいな粒子があれば、キャットの脳が奇跡を生み出すだけの刺激を与えられるのではないだろうか？ 除細動器が心臓にショックを与え、正常な動きに戻すように。

「システムにエネルギーが行き渡ったわ」スーザンが言った。

分子生物学者のモニターでは、深紅の点の光がすべて緑色に変わっている。

ジュリアンがベッドを顎でしゃくった。「やってみてくれ、リサ」

リサは上半身を折り曲げて顔を近づけた。「キャット、もう今しかないの！ ハリエットが危ない！ 私たちを助けて！」

リサはジュリアンに視線を向けた。

〈何か反応は？〉

神経内科医は首を左右に振ったが、リサの目は動きをとらえた。

脳波計の平らな線に小さな変化が見え始めた。

ジュリアンもそれに気づいたらしく、はっとして身構えた。「続けてくれ！ 彼女を突き動かすような何かを考えるんだ。埋もれた正しい記憶に導くような何かを」

リサはキャットに視線を戻した。

〈でも、その何かって？〉

午後二時三十六分

キャットは息苦しいまでの暗闇で再び目覚めた。

温かい光を漠然と覚えている。そこに向かっていたことも——ふと気づくと、またここに、冷たく暗いタールピットの中にいる。

〈もう放っておいて〉

キャットは重苦しい暗闇と闘おうとすらしなかった。もう一度あの温かい光を探そうと、すでに再び沈みつつある。その時、大きな叫び声が彼女のもとに届いた。

〈ハリエット！——危ないの！〉

娘の名前に、その言葉の陰にある苦悩に、意識が集中する。少しの間だけもがくものの、疲れ切ってしまっている。キャットは再び沈み始めた。娘のことなどどうでもいいからではない。助けになりそうなことは何も知らないからだ。キャットはここが地獄で、何度もよみがえっては娘たちを守れなかったことを思い知らされ、あの夜の記憶を引きずり出されているのだろうかと思った。争い、頭部への激しい衝撃、ぐったりしたまま運び去られる二人の姿。

〈何もできない〉

それでも、キャットは試みた。娘たちのための希望につながるのならば、悪魔の遊びに付き合ってやる。キャットはあの夜の出来事を再び頭の中で振り返った。意識を集中させるのが難しい――できっこない。細かい情景が浮かび上がるものの、しっかりとらえるより先にぼやけて消えていく。

〈思い出して！　短剣！　ヴァーリヤ！　ミートハンマー！〉

キャットは声が静かになってくれればいいのにと思った。再び暗闇の方に漂っていく。

〈何も知らないの〉

声は執拗《しつよう》に続き、キャットを休ませてくれない。

〈セイチャン！　クリスマス！　ペニー！　ヴァージニア！〉

手を自由に動かせれば、耳をふさぐことができるのに。やっぱりここは地獄に違いない。これは考えられる限りで最悪の拷問だ。娘を救いたいと思っているのに、できないなんて――

その時、キャットは黒いタールの中で凍りついた。

あの恐ろしい夜の情景が心の目を通して再生される。今度はより鮮明で、それぞれの瞬間の断片が、まるでトランプのカードをシャッフルしているかのように、次々と現れては消える。

でも、なぜだろうか？

〈ヴァージニア！〉

今のは叫び声ではない。頭の中の声だ。映像の断片の移り変わる速度が落ちる。キャットは再び床の冷たいタイルの上に横たわっていた。体の下にたまった血からだけしか温かさを感じない。覆面をかぶった複数の男たちが、二人の娘をキッチンの扉から裏庭に運び出し、ガレージの陰に停まるバンに向かっていく。

キャットは懸命に焦点を合わせた。記憶のカードのうちの一枚を引き出し、心の目の前に置く。そこに書かれているものを読み取る。

〈ヴァージニアじゃない……ウエスト・ヴァージニア〉

キャットは文字と数字の並びに意識を集中させた。残されたエネルギーの最後の一滴までをも使い、それを思い描く。その一つの記憶にすべてを注ぎ込み、頭の中から外の世界に伝えようとする。

けれども、暗闇が押しつぶす。

焦点がぼやける。

ぬくもりと光が手招きする。

〈まだだめ〉

キャットは暗闇と光の両方に抗った。その場に踏ん張り、自分に残されたすべてを振り絞り、全身全霊で伝える。

〈私の声を聞いて、私の声を聞いて、私の声を聞いて……〉

午後二時三十八分

「リサ！　見ろ！」

キャットのヘルメットに向かって叫び続け、すっかり声がかれてしまっていたリサは、ジュリアンの機器に顔を向けた。さっきから凝視していた脳波計の方は、上下に動いていた波形が再び平らな線になっていた。

〈彼女はもういない〉

リサは椅子に腰を下ろし、ジュリアンのモニターを見つめた——あわてて立ち上がる。

画面上でぼんやりと輝きを発し、すでに消えかかっていたのは、数字と文字の並びだ。

9FN 439

「それは何なの？」そう訊ねるスーザンも立ち上がっていた。

リサにはわかる。キャットのヘルメットに向かって、何度も繰り返し、「ウエスト・ヴァージニア」と叫んでいた。州の名前を叫ぶたびに友人の中で何かが揺さぶられ、そのたびに脳波計に反応が現れた。

リサは携帯電話をつかみ、短縮ダイヤルでペインターにかけた。

相手が出るのを待つ間、リサは友人の姿を、ベッド上の平らな脳波計を見つめた。

「あなたはやったのよ、キャット」リサは小声で語りかけた。「もう休みなさい」

〈安らかに眠って〉

午後三時一分
ウエスト・ヴァージニア州モノンガヒラ国立森林公園

雪はさらに激しさを増した。

丘の頂上の下に広がる森は雪でかすんでしまっている。セイチャンは震えが止まらなかった。息を吐き出すたびに体温が奪われていく。ハリエットはセイチャンの腕の中で横たわったままだ。眠っているのか、それとも気を失っているのかはわからない。それよりも気がかりなのは、少女の体がもはや震えていないことだった。

セイチャンはわずかに残ったぬくもりを分け与えようと、ハリエットを抱き締めた。

だが、もう時間の問題だろう。

セイチャンはハンターたちが近づく音を耳にした。連中は丘を登っている。反対側からも複数の叫び声が聞こえる。ヴァーリャはチームを分散させ、丘の頂上の包囲網を狭めつつある。またしてもトリックに惑わされて獲物を見失わないようにするためだ。今頃はヴァーリャも、セイチャンには逃げ場がないと気づいているに違いない。猟犬に囲まれた木の上で身動きが取れなくなったキツネも同然だと。

あのロシア人は自らの手で決着をつけようと、楽しみにしているはずだ。

そんな勝利の喜びを奪うために、セイチャンは拳銃を持ち上げた。

残る銃弾は二発。

セイチャンはハリエットを見下ろした。

〈一人に一発ずつ〉

三発目があったならば、リスクを冒してでももう少し待ち、ハンターの一人を、あわよくばヴァーリャを片付けようと考えたかもしれない。

セイチャンはハリエットの後頭部に銃口を向けた。さっき流れた涙は頬に凍りついてしまっている。あの時、セイチャンは発砲しなかった——まだ希望を抱いていたからではない。どうしても引き金を引けなかったからだ。

寝る前のハリエットにベッドで本を読み聞かせてやったことを思い出す。少女はすぐ隣で丸くなり、ウサギのぬいぐるみをしっかりと抱き締めていた。

その一方で、再び囚われの身になった場合に、ヴァーリャがこの子にするはずのことを想像する。

〈自由の身のままで死ぬ方がよほどましだ……あの女の奴隷としてこき使われるよりは〉

セイチャンは拳銃のグリップを握る手に力を込め、冷え切った指を引き金に掛けた。

最後にもう一度だけ、ハリエットに顔を近づけ、頭のてっぺんにキスをする。その時、セイチャンは血の気の失せたハリエットの小さな手が、最後のクリスマスプレゼントとして首に掛けてやった銀の竜に巻き付くのを見た。

セイチャンの指先に力が加わる。

そこで止まる。

なぜ動きが止まったのかをセイチャンが理解するまでに、一瞬の間があった。本能で感じ取った後に、それが冷え切った耳に届く。

パタパタという低い音。

それに続いて、ほんの一メートルも離れていないところで雪を踏みしめる音。

まるでカーテンを開くかのように、前方の雪の間から人影が現れた。その顔は新雪のような白さで、上着は氷を思わせる銀色、青い瞳は真冬の山の湖のように冷え切っている。

雪の女王のおでましだ。

セイチャンはパタパタという音を信じて、拳銃を上に向けた。立て続けに二回、引き金を引く。マグナム弾を発砲した衝撃で張り出した岩から雪が落下し、すでにセイチャンとハリエットを覆っていた雪の上に降り注いだ。

その白い毛布が二人の姿をヴァーリャの目から隠してくれたおかげで、セイチャンは二発の銃弾を浴びせることができたのだ。

雪の女王が雪に裏切られた。

銃弾は二発ともヴァーリャに命中した——一発は胸に。もう一発は頬をかすめ、黒い太陽のタトゥーに新たな模様を刻んだ。ヴァーリャはバランスを崩しながら後ずさりすると、降りしきる雪の向こうに姿を消した。

次の瞬間、空がまぶしく光る。

ライトを消して厚い雲の上を飛行していたヘリコプターが、いっせいに地上を照らした。合わせて五機のヘリコプターが、冷たい太陽のような光を放ちながら、雪の中で高度を下げる。ロープが現れ、それを伝っていくつもの人影が地上に向かって発砲しながら降下する。

一本のロープが一メートルほど離れた地点に現れた。

それに続いて、二本の脚が見える。

人影がセイチャンに駆け寄った。

セイチャンの目に映ったのはありえない光景だった。

セイチャンは体と声を震わせた。「ペ……ペインター……？」

「標高の高い地点に立てこもっている人間は、たぶん君だろうと思ってね」

さらに何人もの隊員たちがペインターの背後に降下し、寒さの中で湯気を立てる毛布を手に駆け寄ってくる。セイチャンは彼らにハリエットを預けた。

「この子をお願い」

丘の頂上の周囲に銃声がとどろく中、ペインターがセイチャンを抱えながら立たせた。だが、セイチャンには立っていられるだけの力がなく、司令官の腕に倒れ込んだ。「ど……どうやって？」

「キャットだ」そう言いながら、ペインターはセイチャンの肩を毛布でくるんだ。「彼女が教えてくれたナンバープレートは、モノンガヒラ森林公園に隣接する人里離れた農場に登録されていた。すでに周辺に派遣していた捜索隊とともに、私も現場に急行したところ、赤外線センサーがその近くでくすぶる小屋を発見した。私は君が関係しているに違いないとにらんだ。その後、この丘を包囲して接近するいくつもの熱源を発見したというわけだ」

「キャットは……それなら無事なのね？」

セイチャンは安堵のあまり泣きたくなったが、ペインターからの返事はなく、沈黙が続く。

顔を上げたセイチャンは、司令官の目から答えを読み取った。

〈ああ、そんな〉

午後三時十八分
ニュージャージー州プレインズボロ

リサはキャットの頰に手のひらを当てた。友人の肌はすでに青白く変わりつつある。ヘルメットはすでに外されているので、リサは体を近づけ、キャットが運び去られる前に最後にもう一度だけハグをした。

「あなたはちゃんとやったのよ」リサはキャットの耳にささやいた。「娘さんは二人とも無事だから」

「すべての装置のスイッチを切ってもいいかな？」ジュリアンが問いかけた。

リサと二人の研究者はベッドの脇でキャットを見守り続けながら、ペインターからの連絡を待っていた。いい知らせが届いたのはついさっきのことだった。

リサは体を起こし、まったく変化のない脳波計を見てから、ちゃんと言葉にできそうもないので、うなずいて返事をした。

〈さようなら、キャット〉

ジュリアンがモニターの電源を切った。ドクター・テンプルトンも作業にかかろうとする――ふとその手が止まる。突然の動きに気づき、リサは顔を向けた。分子生物学者は自身の機器から後ずさりしている。

「み……見て……」スーザンが口ごもった。

画面上の何千ものニューラルダストが、一つ、また一つと、鈍い赤から明るい緑の光に変わっていく。今までにないまばゆい輝きだ。三人が見ている目の前で、画面上の小さな点がうごめきながら移動し、キャットの大脳皮質の表面にくっきりとフラクタルな渦巻模様を描いて静止する。ありえないことに、彼女の脳のしわにぴったりと一致している模様もあり、視覚による解釈が不可能なその形を凝視していると目に痛みを覚える。

ジュリアンが息をのみ、脳波計を指差した。

三人が画面上の変化を呆然と見つめていた間に、脳波が活動を再開していて、すべての周波数が不規則な動きを示している。

「何が起きているの？」リサは訊ねた。

午後三時二十分

大量の光が暗闇を駆逐していく。

キャットは息をのみ、圧倒され、そのまぶしさにのみ込まれた。光はエネルギーでもあり、物質でもある。それが彼女の全身を流れ、すべてを照らし出し、さらけ出す。こんなにも無防備で、こんなにももろい存在に感じるのは初めてだったが、同時にこんなにも安心できるのも初めてだった。

声がキャットの頭を満たす。音楽と言語が申し分のない形で一つになっている。そこには彼女に発声が可能な単語は含まれていない。これまで経験した何もかもを超越した、知識と確かさだけがある。

絶対に聞くのをやめたくない。

その思いとともに、笑い声が聞こえる。明るさと幸せに満ちている。

伝えられたことをどうにか解釈できたものの、それでは内容を十分には表せない。突き詰めていくと、〈モンクから愛を込めて〉ということになる。どういうわけか、その考えに合わせて、光でかたどられた美しい牡馬の姿が浮かび上がった。

それに続いて、拒むことのできない指示が伝わる。

〈さあ、目覚めなさい〉

キャットは目を開けたが、まぶたが鉛のように重たい。まぶしい光に目をしばたたかせる。少し前まで照らしていた光と比べるとほんのわずかな明るさだが、それでも目に突き刺さるように痛い。

そのまばゆさの中から数人の顔が現れる。

そのうちの二人は見知らぬ顔で、驚きの表情を浮かべている。

もう一人はキャットがよく知っている人物だった。

〈リサ……〉

キャットは声を出そうとしたが、できなかった。キャットは腕を伸ばし、喉を押さえつけている何かを外そうとした。リサが手首をつかむと、その手のひらに頬を押し当てた。

キャットは手のひらに熱い涙を感じた。

「お帰りなさい」リサが言った。微笑みとも泣き顔ともつかない表情が浮かんでいる。「死後の世界からようこそ」

38

十二月二十七日　中央ヨーロッパ時間午前十時六分
スペイン　ログローニョ

翌日のよく晴れたひんやりとする朝、グレイはベイリー神父の後について暗い教会の中に入った。神父の招きを受けて、サン・セバスティアンの南西約百四十キロにあるログローニョという都市を訪れているところだ。

銃で撃たれた肩の傷の手当てを昨夜のうちに受けたモンクは、一時間前にアメリカに向けて出発していた。コワルスキも看護師としてモンクに付き添い、帰国の途に就いた。医師たちはサン・セバスティアンでの手術を勧めたが、軍の輸送機でできるだけ早くＤＣに戻り、妻と娘たちに会いたくてたまらないモンクは、応急処置だけですませた。

すぐにでも帰国したい気持ちはグレイも同じだった。この寄り道に同意したのは、セイチャンも無事で、雪の中をさまよって低体温症になりかけていたものの順調に回復しており、治癒までに多少の時間がかかるのは両足の親指の凍傷くらいだと聞けたからだ。母親があれだけの目に遭ったにもかかわらず、赤ん坊も奇跡的に無事だった。セイチャンは電話でこんなことを言っていた。「間違いなくあんたの子供ね。実父鑑定検査をするまでもない」

そのため、あまり気が進まないながらも呼び出しに応じたグレイだったが、ベイリー神父はこの訪問の目的については答えをはぐらかしていて、なかなか明かそうとしない。ログローニョにあるこのサンタ・マリア・デ・パラシオで待っているからと告げられただけだ。グレイはこの街までの短い移動時間で教会について調べておいた。創設されたのは十一世紀のことで、この地域で最古の教会の一つだ。ロマネスクとゴシックを合わせた建築様式で、角錐型の大きな尖塔を持つ。

しかし、ベイリー神父は建物の素晴らしさを堪能してもらうためにグレイを呼んだわけではなかった。

グレイは神父に先導されて身廊を進み、回廊を抜け、オーク材を鉄板で補強した扉が入口をふさいでいる礼拝堂にたどり着いた。

ベイリー神父が扉を開け、脇にどいた。「お先にどうぞ」

「どういうことなんだ?」グレイはいらだちを募らせながら質問した。「どうして俺をここに呼び出したんだ?」

楽しそうな輝きを放つベイリー神父の目を見て、グレイはまたしても旧友のヴィゴー・ヴェローナを思い出した。「私が呼び出したわけではない」そう言うと、神父は中に入るようグレイを促した。

礼拝堂に入ったグレイは、その中に人がいることに気づいた。ろうそくが並ぶ前にひざまずいていたシスター・ベアトリスが立ち上がった。グレイに向かっておごそかにうなずくと、ろうそくの前まで来るよう仕草で示す。失礼に当たるといけないし、このシスターからはどことなく威圧感を覚えることもあって、グレイは指示に従った。クッションを敷いた台の上にひざまずく。

ろうそくの奥には大理石でできた祭壇があり、その上には黄金の箱が置かれていた。ゴシック様式らしい模様がふんだんに施してある。繊細な装飾がろうそくの炎をとらえて反射し、あたかも箱が燃えているかのような、巧みな錯覚効果を醸し出している。グレイはようやく、この礼拝堂が厳重に密閉されている理由に思い当たった。この箱には計り知れない価値があるに違いない。

「それは聖遺物箱だ」ベイリー神父が説明した。「聖人の貴重な遺物を保管するための容器」

「美しいものだが、なぜ――」

「この聖遺物箱によって祀《まつ》られている聖人は、聖コルンバだ」

グレイははっとしてベイリー神父を見た。

〈魔女の守護聖人〉

シスター・ベアトリスが前に進み出て、象牙でできた杖の銀の握りから手を離した。シスターはあの丈夫な杖の一撃で裏切り者のサバラを倒した。彼女の素早い攻撃のおかげで、モンクだけでなく世界が救われたと言ってもいい。

シスターが手を差し出した。

手のひらの中央に模様の跡が残っている。グレイは彼女の杖を見た。銀の握りの部分がシスターの皮膚にその跡を残したのだろう。

シスターはもう片方の手でポケットから古い鍵を取り出し、手のひらの上の跡に置いた。ぴたりと一致する。

〈鍵……？〉

ひらめきとともに、グレイは体をこわばらせた。「シスター・ベアトリス……あなたはラ・クラバの一員ですね」

ラ・クラバ……「鍵」

シスターはお辞儀をしてグレイの言葉を認めてから、かすかに目を見開いてベイリー神父を見た。〈おやおや、この子は頭の回転が鈍いね〉そう言いたげな表情だった。

グレイは神父に向かって眉をひそめた。「君の連絡員というのは彼女だったのか？」

神父は目を輝かせたまま肩をすくめた。

シスター・ベアトリスがグレイに鍵を差し出した。受け取りなさいということらしい。そのため、グレイは鍵を受け取り、それほど頭の回転が鈍いわけではない証拠として、立ち上がると大理石の祭壇の上に置かれた聖遺物箱に鍵の先端を挿し込んだ。そのままひねり、箱の鍵を開く。

ベイリー神父が口を開いた。「聖遺物箱を開ける前に、その中のものについて君に説明しておくべきだろう。その聖遺物は一六一一年に異端審問所の審問官だったアロンソ・デ・サラサール・フリアスの手で確保された。彼にその聖遺物を手渡したのはある司祭で、『ノミナス・デ・モロ』――聖人の名前が刻まれた魔除けを所持していたために火あぶりの刑に処された人物だ。そのような魔除けは魔法の力を持つと言われている」

「言い換えれば、その司祭は妖術を使っていた」

「フリアス審問官はその司祭の命だけでなく、ほかにも誤ってそのような罪を着せられた多くの人たちの命を救おうとしたことから、『魔女の擁護者』の異名で呼ばれることになった。彼の尽力と意見がやがて異端審問所を動かし、迫害をやめさせるに至ったのだ」

「そして、その魔除けの保管が彼に託されたということなのか?」グレイは言った。「君がその話をしているということは、この箱の中身は魔除けなのだろう。しかも、そこには聖人の名前が記されていると?」

「サンクトゥス・マレフィカルム」ベイリー神父がうなずいた。「魔女の聖人だ」

グレイはシスターに視線を向けた。「それで、ラ・クラバは？」

神父が答えた。「この魔除けを守るため、およびクルシブルと戦い続けるため、フリアスによって創設された」

グレイはそんな何世紀にもわたって人知れず続いてきた戦いを思い描こうとした。

シスターが神父に顔を近づけ、何事かささやいた。グレイの耳に聞こえたのは「プロフェシア」という単語だけだった。

「ああ、そうですね」ベイリーがグレイに向き直った。「クルシブルがこの魔除けを求めたのは、それにまつわる預言のためだ。言い伝えによると、聖コルンバは別の若い魔女が台頭してクルシブルを打ち砕き、彼らの暗黒の支配に終止符が打たれる時を預言したとされる」

神父は何かをほのめかすような目でグレイのことを見た。

グレイはその意図を理解した。「君はその魔女がマラだと考えている」グレイは声に不信の色が出るのを隠せなかった。「ブルシャスの教え子の一人が」

ベイリー神父は肩をすくめた。依然としてその目からは楽しそうな輝きがうかがえる。

「魔除けの話に戻ろう。その持ち主だった司祭は、オラビデア川の源流でそれを発見したと語った。湧き水に端を発する流れで、その川が地上に流れ出ている洞窟は、現在では

『クエバス・デ・ラス・ブルハス』として知られている」

「魔女の洞窟」

「その川の源だが――洞窟の名前のせいで、地獄の出入口に当たると言われている」

「魔除けはそこで発見されたのか？　その地獄の門で？」

ベイリー神父がうなずいた。「さて、聖遺物箱を開ける前に、我々は君に対して、『鍵』の秘密を絶対に他言しないという誓いを立てるよう頼まなければならない。組織に関しても、これから君がここで目にするものに関しても」

グレイは二人に借りがあったし、どちらに対しても敬意を抱いていた。「ああ、誓う」

この約束を引き出すと、神父とシスターは礼拝堂を出た。

「一人きりの方がいいだろうから」そう言うと、ベイリー神父は扉を閉めた。

グレイは首を左右に振り、黄金の聖遺物箱に注意を戻した。立った姿勢のまま、そっとふたを持ち上げる。内側には赤いビロードの織物が敷いてある。その中央に薄気味悪い物体が置かれていた。切断された一本の指で、かなり古いものらしく、少し焦げているようだが、腐敗を示すような兆候はまったく見られない。言い伝えでは、聖人の遺物は傷みも腐りもしないとされる。

手で触れてはいけないと思い、首をかしげながらのぞき込む。

その瞬間、グレイは思わずクッションを敷いた台の上に膝から崩れ落ちた。

魔除けの正体を知り、あまりの衝撃に愕然とする――切断面から突き出ているのは、ワイヤーと金属でできた骨。

これはモンクの義手の指だ。

それが一六一一年に発見された。

グレイは北側の翼廊の煙った扉の奥からモンクが姿を現した時のことを思い浮かべた。その地下の空間を流れ、魔女の洞窟から地上まで通じている川沿いで、義手が爆発したという。

〈ありえない〉

またしても、グレイは運命が渦巻くのを感じた。『クウォリーハウス・タヴァーン』でモンクが二十五セント硬貨をはじいた時から、ずっと付きまとっている思いだ。今、その感覚が強烈に襲いかかり、礼拝堂が回転しているかのように感じる。めまいを覚え、グレイは深い祈りを捧げるかのように、額を下に向けた。

グレイはモンクの指が時間をさかのぼって過去に吹き飛ばされたことを、合理的に説明しようと試みた。イヴのシェネセの中心には量子プロセッサーが組み込まれている。イヴ自身も理解を超越した存在に変貌した。モンクの義手に隠されていたＣ４の爆発がそこに加わったら、何が起きたとしてもおかしくない。

それでも、モンクの指があの場所に行き着いたのが偶然の結果だとは、とうてい受け入れられない。今、この瞬間にまでつながる一連の出来事を振り返ればなおさらだ。人目を引くために、イヴが指を魔女の洞窟に置いたのだろうか？ 「鍵」の創設へと導くために？ すべてを始動させるために？

たとえそうだとしても、パラドックスから逃れることはできない。

考えれば考えるほど、頭が痛くなる。

グレイはＡｌｐｈａＧｏ Ｚｅｒｏの能力についてのマラの説明を思い出した。直感によって先を読み、無限に近い可能性を吸収することで、未来を見通すに等しいことができるという。

しかも、イヴにはそのプログラムすらもはるかに凌駕《りょうが》する能力があった。

グレイの頭ではこのパラドックスを理解できないが、イヴなら間違いなく可能だろう。

そうだとしたら、残る疑問は「なぜ」という点になる。

モンクの指がここに行き着いたのは本当に単なる偶然なのか？ または、未来の世界を救うための、善意による行為だったのか？ それとも、もっと悪意に満ちた何かで、何世紀にも及ぶ陰謀を始めさせ、最後にはこのＡＩが自由の身になることを目的としていたのか？ あるいは、教訓を伝えていたにすぎず、その意味ではマラのサブルーチンの一つと同じだが、この場合は人間が生徒で、ＡＩの研究を野放しにすることの危険性を我々に教えていたのだろうか？

または、そのすべての要素が含まれているのか？

グレイは再び頭痛を覚え始めた。

この先も答えは決してわからないだろう。自分よりも限りなく優秀で、何世紀にもまたがる計画を立てるような不死身に近い知性の意図を推し量ろうとすること自体が、愚かな行為なのかもしれない。

グレイはようやく立ち上がり、聖遺物箱のふたを閉じ、この謎に背を向けた。解決することはないだろうと――決して解決できないだろうと悟りながら。

その代わりに、もっと理にかなったものに向かって歩みを進める。

セイチャンと、もうすぐ生まれる子供のことを思う。

まだ子供の性別は知らない。

男の子なのか、女の子なのか？

〈少なくとも、その謎はいずれ答えがわかる〉

≫地獄

〈無事に外に出られた……〉

トドルは雪に覆われた深夜の斜面を、足を滑らせたり踏みとどまったりしながら駆け下りる。真っ黒な松の木々の上には冷え冷えとした満天の星空が見えていて、鎌状の三日月が明るく輝いている。ほんの一時間前に目を覚ますと、あの忌々しい魔女の洞窟の外にいて、全身ずぶ濡れだった。爆発が起き、体が宙に飛ばされたことは覚えている。

〈川に落ち、流されて山の外に出たに違いない〉

神に愛されているという証拠があるとすれば、まさにこれこそがそうだ。神の兵士になるべくして選ばれたのだと、今までになく強く実感する。作戦は失敗したものの、敗北したわけではない。まずはクルシブルのほかの一派を探し出してから、今回の件の復讐《ふくしゅう》に挑むつもりだ。ゲラ審問長の犠牲が無駄ではなかったことを示すために、生涯を捧げるつもりだ。

前方に光が見えないか、体を温められる場所がないかを探す。ピレネー山脈中には農場や村が点在している。気温が下がり、夜の闇が濃くなるうちに、濡れた服が凍りつき始めている。

とにかく先に進み続けなければならない。

真っ暗な谷底まで下りると、立ち止まって地形を確認しようとする。このあたりの山はよく知っている。パニックを起こすことなく、考える必要がある。

その時、暗闇から見つめる視線を感じる。

左手の方角から低いうなり声が聞こえる。

声がした方に体を向け、しゃがむ。

影が動く。別の影が。さらに別の影が。

あらゆる方角から次々とうなり声が起きる――次の瞬間、甲高い遠吠えが空高く響き渡る。それに合わせてほかの声も加わり、遠吠えの大合唱が夜の闇を満たす。

〈オオカミだ〉

少年時代の悪夢が現実のものになっている。

心臓が激しく脈打つのを感じながら、トドルは斜面を駆け上がる。足跡が聞こえる。よだれ交じりの息遣いが聞こえる。うなり声が聞こえる。雪に足を取られ、斜面を滑り落ちる。恐怖に叫びながら、四つん這いになって前に進み続ける。

何かが足首に食らいつき、骨から肉を引きちぎる。

足に焼けつくような痛みが爆発し、トドルは悲鳴をあげる。筋肉が収縮し、思わず歯を食いしばった拍子に舌を嚙み切ってしまい、そこにも熱い痛みが広がる。

トドルは理解できず、もがく。

さらに何匹ものオオカミが暗闇から姿を現す。大きな獣は空腹で目をぎらつかせ、毛を逆立てて威嚇している。

恐怖のあまり、トドルは手を伸ばして獣たちを制止しようとする——それが相手を刺激する。

リーダー格のオオカミが飛びかかり、その腕に嚙みつき、骨を砕く。

さらなる熱い痛みが加わる。

仰向けにひっくり返ったトドルは、腹部と喉が無防備な状態になる。

群れがいっせいに飛びかかり、切り裂いては引き裂き、鼻先を押し込んでは引き抜く。トドルの内臓は食いちぎられ、オオカミたちの間で引っ張り出されたはらわたの奪い合いが起きる。トドルはもがき、なおもわめく。ありえないことに、まだ生きている。

一秒一秒が焼かれるような熱さ。

トドルはようやく自らの苦しみを言葉する。

〉〉痛み、苦痛、苦悩。

だが、待てよ――

〈無事に外に出られた……〉

トドルは雪に覆われた深夜の斜面を、足を滑らせたり踏みとどまったりしながら駆け下りる。真っ黒な松の木々の上には冷え冷えとした満天の星空が見えていて、鎌状の三日月が明るく輝いている。ほんの一時間前に目を覚ますと、あの忌々しい魔女の洞窟の外にいて、全身ずぶ濡れだった。爆発が起き、体が宙に飛ばされたことは覚えている。

〈川に落ち、流されて山の外に出たに違いない〉

神に愛されているという証拠があるとすれば、まさにこれこそが……

〈無事に外に出られた……〉

トドルは雪に覆われた深夜の斜面を、足を滑らせたり踏みとどまったりしながら駆け下りる。真っ黒な松の木々の上には冷え冷えとした満天の星空が見えていて、鎌状の三日月が明るく輝いている。ほんの一時間前に目を覚ますと、あの忌々しい魔女の洞窟の外にいて、全身ずぶ濡れ……

〈無事に外に出られた……〉

トドルは雪に覆われた深夜の斜面を、足を滑らせたり踏みとどまったりしながら駆け下りる……

〈無事に外に出られた……〉

〈無事に外に……〉

〈無事に……〉

39

一月二十四日　中央ヨーロッパ時間午後二時十九分
スペイン　オ・セブレイロ

カーリーは高い尾根の上に位置する小さな村に向かうレンタカーの車内で、マラの隣に座っていた。神経質になっていて、ラジオから流れる一九八〇年代のバンドの曲に合わせてつま先を上下に動かさずにはいられない。車窓を流れる自然豊かな景色を眺める。透き通った青色の小さな湖、雪に覆われた小高い丘、エメラルド色の盆地が織り成す、絵葉書のような光景が広がっている。トールキンの小説『中つ国』に迷い込んでしまったみたいで、前方に見えるまさにホビット庄のような家並みが、オ・セブレイロの村だ。

マラの生まれ故郷。

遠くに見える放牧地で雪の間に見える緑の草を食《は》んでいるヒツジの群れは、地上に落ちてきた小さな雲のかけらのように見える。

「どうしてここを離れたりしたの?」カーリーは訊ねた。

マラが笑みを返した。「インターネットのせいね」

カーリーはあきれながらマラを横目で見た。この一週間、二人はコインブラで一緒に過ごしながら、マラの生活と作業場を元通りに戻そうとしていた。先月の出来事の後、じっくり話ができたのはその時が初めてだった。パリの病院でジェイソンに付き添っていたため、カーリーはスペインでのスリルに満ちた展開をまったく経験できなかった。マラが成し遂げたこと、悲劇の回避に一役買ったことを知り、大いに心を動かされた。カタコンブから立ち去った時と比べると、マラは同じ人とはとても思えないほど変わった。その真剣な眼差しには鋼のような落ち着きが生まれていて、友人に備わった勇敢さはカーリー自身の無鉄砲さを上回るのではないかと思うほどだ。

そう思いながらも、マラがエリサ・ゲラを撃つなんて、カーリーには想像できなかった。同時にカーリーは、図書館館長が母やほかのブルシャスのメンバーの殺害に関与していたばかりか、今回のすべての惨劇の黒幕だったと知り、大きな衝撃を受けた。

カーリーは隣の座席に手を伸ばし、感謝の意を込めてマラの手を握った。

ほぼ片時も離れず一緒にいたものの、二人きりになれる機会はほとんどなかった。事件後から今まで、報告や取材や聞き取り調査などで瞬く間に時が過ぎていったし、父からもきつく叱られた。昨夜、二人とも疲れ切って神経がすり減った状態の時に、マラが生まれ故郷の村に行こうと提案した。息抜きになるし、気持ちを落ち着かせるいい機会にもなる。マラには長く顔を合わせていない父のもとを訪れるという目的もあった。

カーリーは喜んで同意した。この地を訪れたことはなかったし、マラが生まれ育ったところを知りたいという思いもあった。

マラが隣でため息をついた。

カーリーは体を寄せた。「どうしたの？」

「どうしてイヴを再構築できそうにないのか、まだわからないの」

「その話は研究室に置いてきたはずでしょ」

イヴからの信号が聞こえなくなり、彼女が生きているという兆候が途絶えると、マラはイヴを再生させようと試みた。そのために細部までまったく同じ装置を製作した。しかし、何度試しても、あの独特の存在は生成できなかった。マラの創造物はどれも賢かったが、イヴには遠く及ばなかった。

「こんなことを考えてしまうの」マラが言った。「もしイヴが何らかの方法で根本的な何かに手を加え、量子定数を変えたのだとしたら、ＡＩへのこの道筋は閉ざされ、私たちを私たち自身から守ることになる」

「外に出る時に彼女が扉をぴたりと閉めたようなものね」

マラが肩をすくめた。「私の装置は量子ドライブがコアにある。しかも、進化したイヴは確率や不確定性を操作可能な、現在の物理学では理解の及ばない領域にまで達した。彼女ならばそんな魔法のようなことも可能なんじゃないかって思う。でも、それだけではないような気もする」

「何なの？」

「最後に私たちを助けてくれたイヴ2・0は、初代と比べていつも学習速度が速かった。まるで古いプログラムの一部が、量子ドライブの中にゴーストとして残っているみたいだった。高度なコンピューターのアルゴリズムのブラックボックス内で実際に何が起こっているのかについては、まだわからないことだらけ。たぶん、初代のイヴの名残が次に入ってきたものと融合したんだと思う。そんなコードとファクターのランダムで気紛れな結合が、イヴ2・0に成長した」

「本当にそうなら、まったく同じ環境を作り出すことは不可能ね」

「私がイヴ2・0をどうしても再現できないのはそのせいかも」

「それとも、あなたのイヴが魂を持つようになったからかもしれない」カーリーは指摘した。「それを再現させることも同じように不可能ね」

カーリーはマラがあきれて目を丸くするのではないかと予想していたが、友人はその可能性を真剣に受け止めた。「わからないままということになりそう」マラが前方を指差した。「あそこが父の農場への曲がり角。もう着いたようなもの」

カーリーは再び落ち着かない気持ちになり、マラがハンドルを切ってレンタルしたセダンを道路から砂利道に乗り入れると、座ったままもじもじと体を動かした。車は上下左右に揺れながら、村を目指して斜面を登っていく。

気を紛らすために、カーリーはマラの意見を考えてみた。イヴ2・0と等しい極みにまで到達するためには、まったく同じ環境が必要だというマラの考えが正しいことを願う。なぜなら、それは母の死が無駄ではなかったことを意味するからだ。母の死がマラに初代のプログラムを強制終了させたことから、イヴ2・0が誕生するための道が開け、世界が救われた。

カーリーはそれが事の真相なのだと考えたかった。

だから、そうした。

「前に見えるあそこがそう」マラが言った。「今も残る九軒のパジョサのうちの一つで、いまだに住居として使用されているのはあれだけ。ほとんどは観光客目当ての施設や博物館になっているの」

「でも、あなたにとってはあれが実家なのね」

笑みを浮かべたマラは、昔ながらの円形の建物の正面に車を寄せた。石造りの住居で、高さのある先端のとがった藁葺《わらぶ》き屋根が特徴的だ。カーリーはマラから、そうした建造物が千五百年前のケルトの時代にまでさかのぼるという話を聞いていた。

工学部の学生のカーリーは、すでにこの建物にすっかり魅了されていた。

車から降りた二人は、正面の扉から飛び出してきた二頭の牧羊犬の出迎えを受けた。それに続いて姿勢のいい男性が現れた。日に焼けた肌は革製品のような色で、白髪交じりの頭にフェルト帽をかぶっている。男性は満面の笑みを浮かべ、大きく腕を広げた。

「マラ！」

マラが走り出し、男性の腕に飛び込むと、離れ離れだった年月をいっぺんに取り戻そうとするかのように、しっかりと相手を抱き締めた。

カーリーは笑みを浮かべながら腕組みをした。自分が場違いな存在のように思える。父と娘は早口でしゃべり、たくさんのことを一気に伝えようとしている。このガリシア地方で使用されている、スペイン語とポルトガル語の入り混じったガリシア語の単語が飛び交う。

マラからガリシア語を教わったものの、二人があまりにも早口なため、カーリーは会話の内容をあまり理解できなかった。

マラの父親がようやく扉の方に手を振った。「カルド・ガジェゴを作った。さあ、中に入って」

マラがカーリーを手招きした。「キャベツとポテトと、残り物を適当に入れたスープよ」顔には笑みが浮かび、目はきらきらと輝いている。「私の大好物なの」

カーリーはおずおずと前に進み出た。またしても、この新たに生まれ変わった友人――マラ2・0のような勇気がなかなか出てこない。

「ボス・ディアス」カーリーはこの地域の方言でマラの父親に挨拶した。

カーリーの頑張りを喜んでくれたらしく、相手の笑みがさらに大きくなる。マラの父親はカーリーを抱え上げてハグした。

〈よかった〉

マラが腕をつかんで引き離し、カーリーを隣に立たせた。「こちらの女性はカーリー・カーソン」少しかしこまった調子で紹介する。

友人はカーリーの手をしっかり握った。これまで長い間ずっと言えずにいたことを、ようやく発表する勇気を持てたようだ。

「彼女は私のガールフレンドなの」

東部標準時午前十一時五十六分
ワシントンDC

モンクはジョージタウン大学病院のリハビリセンターで妻に励ましの言葉をかけた。「いいぞ、ハニー。もう一度、端まで行けたらランチだ」

キャットがにらみつけた。「いいからそこを動かないで。あなたのお尻を蹴飛ばしてやるから」

キャットは平行棒の間に立ち、両腕を棒に載せて体重を支えながら、片方の脚をもう片方の脚の前に動かそうと取り組んでいた。額には汗が浮かび、腋《わき》の下もびっしょり濡れている。モンクは妻が苦しむのを見ているると心が痛み、何とか前向きな姿勢を見せようとしていた。けれども、この方がもう一つの結果よりもいいに決まっている。

誰一人としてキャットの身に何が起きたのかをきちんと説明できなかったし、神経内科的な検査を何度も繰り返しても答えはわからないままだ。シグマはキャットに接することができる医師や研究者の人数を制限していて、事の経緯を知る関係者の数も抑えていた。ドクター・テンプルトンはプリンストン大学からたびたび訪れては、今も自然に発光しているニューラルダストの監視を続けている。粒子は何らかの形で、キャットの脳のエネルギーと、圧電水晶を刺激して小さな塵を活性化させるブラウン運動の両方から力をもらっているらしい。電子顕微鏡で調べたところ、水晶が原子レベルで変化していると判明したものの、誰にもその方法がわからなかったし、再現しようという試みもことごとく失敗に終わった。

最大の謎は常に変化を続けているキャットの脳の表面のフラクタルな模様で、それらが彼女の頭蓋骨内の小さなエンジンを動かし続けている。

モンクはそうした話をこれっぽっちも理解できなかったが、それが誰の仕業なのかはわかっていた。

〈あなたの献身は必ず報われるでしょう〉

イヴから伝えられた言葉だ。

モンクはキャットを見つめた。

これがイヴからのちょっとした餞別《せんべつ》ならば、これ以上に素敵なプレゼントはない。

キャットが平行棒の端までたどり着くと、モンクは妻に手を貸して車椅子に座らせてやった。週を追うごとにキャットは回復していて、頭蓋骨の骨折の治癒とともに体力も戻ってきている。医師たちは彼女が完治するだろうという見通しを述べた。最悪の場合でも、杖を使えば自力で歩行できるようになるという話だ。

モンクは車椅子の後ろに回り込んだ。「運転は俺に任せろ」

「少しは静かにして」

モンクは車椅子を押して扉の方に向かったが、部屋を抜け出すよりも早く、次の患者がリハビリ専門の看護師とともに入ってきた。杖を使ってぎこちなく歩いているのはジェイソンだ。骨に達する傷ではなかったため、キャットよりもはるかに順調な回復を見せている。

それでも、モンクはうつむいたままジェイソンの脇を通り過ぎた。

「コッカリス」ジェイソンがすれ違いざまによそよそしく声をかけた。その名前が罰当たりな言葉であるかのような口調だ。

モンクはもごもごとつぶやいたものの、何が言いたかったのか自分でもよくわからず、そのまま部屋を出た。

キャットが車椅子に座ったまま体をひねり、ジェイソンに手を振ると、向こうは笑顔を見せてうなずいた。キャットは前に向き直り、ため息をついた。「いつかは彼とちゃんと話をしないと。わだかまりが残らないように」

「早く元気になれよっていうカードは送ったんだけどな」

「モンク……」

「わかっているよ。ちゃんとあいつには埋め合わせをするから」モンクは上半身を傾け、キャットの頬にキスをした。「今はすることが山盛りなんでね」

「山盛りと言えば、さっきランチの話が出たように思うんだけど」

「はい、奥様。二人の若いシェフが特製の手料理を用意しております。たまには病院食以外のものをご所望かと思いまして」

モンクは車椅子を押して神経内科病棟の個室に戻った。

キャットを出迎えたのは甲高い悲鳴と、相手よりも多くしゃべろうと競い合う声だった。テーブルクロスを敷いた小さな折りたたみ式のテーブルに並ぶサンドイッチ、サラダ、チェリーパイにどっちがどれだけ貢献したか、二人の娘が同時に説明しているのだ。自分の言い分を聞いてもらおうと、二人はキャットの体に飛びつき、膝の上によじ登った。

「お母さんを壊さないでくれよ」そう注意を与えると、モンクは愛する三人をテーブルの方に押した。

言葉にできないような幸せを感じ、モンクは心の中で笑みを浮かべた。

心に傷が残るようなつらい経験をしたハリエットとペニーは、カウンセラーの診察を受けているが、二人とも子供ならではの立ち直りの速さを見せており、順調に回復しているようだ。ハリエットは今も悪い夢を見ているが、その頻度も低くなってきている。もう自分のベッドで眠れるようになった。

モンクは次女の首に掛かる銀の竜のペンダントを目に留めた。

たぶん、そのおかげもあるのだろう。

下の娘とセイチャンおばさんの間の特別な絆は、こっそり視線を合わせたり半笑いを浮かべたりといった、言葉を介さない意思の疎通という形で今も続いている。また、二人はおごそかな儀式も執り行なった。セイチャンが退院するとすぐ、二人は裏庭に立って手をつなぎ、抵抗の意思を示す行為として、家に一冊しかないハンス・クリスチャン・アンデルセンの『雪の女王』を燃やした。

〈ヴァーリャもそんな簡単に始末できればいいんだが……〉

ウエスト・ヴァージニア州の国立森林公園の外れでの救出作戦では、ヴァーリャの部下四人が死亡、二人の身柄を拘束という結果になった。だが、ヴァーリャは発見に至らなかった。セイチャンはあの女を二発、撃ったものの、それが果たして致命傷になったのか、ヴァーリャの死体があの丘陵地帯の吹きだまりに埋もれているのかどうかは不明だ。

モンクはそんな期待をかけていなかった。

クロウ司令官は関係者の家族に対する警備を強化した。それに加えて、ヴァーリャとその一味の壊滅が、シグマにとっての最優先事項になった。

けれども、今は考えなくていい。

「おなかが空いている人はいるかな?」モンクは訊ねた。

キャットが手を上げたが、女の子たちはそれどころではない様子で、もじもじしたり顔を見合わせたりしている。

「どうしたんだ?」モンクは質問した。二人のおてんば娘から不意打ちの攻撃を受けそうな予感がする。

「もう一度、クリスマスをしたいの」ペニーが真剣な顔で言った。

ハリエットもうなずいた。「やり直すの」

キャットが肩をすくめた。「まだ雪が残っているし。いいんじゃない？　二人には借りがあるし」

再び娘たちが顔を見合わせる。

〈嫌な予感がするぞ〉

ペニーが妹を肘でそっとつついた。

ハリエットが反論を述べようとする検察官のようにすっくと立ち上がった。「私たちが欲しいプレゼントは一つだけ」ペニーがうなずくのを確認してから続ける。「子犬が欲しい」

モンクはため息をついた。この件についてはしばらく前から家族の間で話題に上っていた。「いいかい、ママがアレルギーなのは知っているだろう？　それにマンションの部屋には――」

キャットが遮った。「この子たちの意見に賛成」

〈本気か？〉

モンクは車椅子に座る別人のような妻をまじまじと見つめた。きれい好きのキャットは、犬を飼うことにこれまで断固として反対していたのだ。

「ずっとそのことを考えていたの。子犬を飼うのも悪くないかもしれない」キャットは手作りのサンドイッチには手を出さず、店で買ったパイを自分の皿の方に動かした。「どういうわけか、ビーグル犬が頭に浮かんじゃって」

モンクが驚き、言葉を返そうと口を開きかけた時、大きな物音で全員が個室の扉の方に注意を向けた。

開けたままの扉の向こうにコワルスキの姿が見えたが、大男は止まり切れず、叫びながら部屋の前を通り過ぎた。「セイチャンが……！」コワルスキは戸枠を手でつかんで体を引き戻し、激しく息をつきながら部屋をのぞき込んだ。「彼女の……もうすぐ産まれるぞ！」

午後十時四分

〈また一つ、謎が解けた〉

グレイは息子を見下ろしていた。頭頂部のまだやわらかい泉門《せんもん》を眺める。閉じたまぶたの先にある小さなまつげを観察する。呼吸のたびに小さな鼻の穴が動く。おっぱいを飲んでいる夢でも見ているのか、唇がすぼんだり戻ったりしている。グレイはおくるみの外に出ている片手を見つめた。小さな指の先にちっちゃな爪がある。

「君が頑張った結晶だ」赤ん坊を間にして病院のベッドでセイチャンの隣で横になりなが

ら、グレイはつぶやいた。

セイチャンがグレイをつついた。「少し手伝ってもらったけれど」

グレイはほっとため息を漏らした。こんなにも満ち足りた気持ちになれたのは久し振りだ。

初めてかもしれない。

グレイは室内を見回し、全員が帰ったことにほっとした。もちろん、みんなの支えや心遣いをありがたく思う。コワルスキまでもがテディベアを届けてくれた。葉巻をくわえているモデルだ。〈あいつらしい〉ペインターもリサと一緒に訪れ、二人からはいつ結婚するつもりなのかと質問攻めに遭い、結婚生活はいいものだぞと聞かされた。

ペインターはいくつかの知らせも教えてくれた。クルシブルの組織の解体は思いのほか順調に進んでいるという。サバラへの尋問と、ゲラの屋敷内やその地下の聖務室で発見された文書や記録の調査から、ドミノが次々に倒れ始めた――それが連鎖的な動きにつながり、世界各国に広がっている。パリも立ち直りの途上にあり、大規模な再建計画が進められているところで、市当局や市民は復興が成った暁には光の都が今まで以上に明るく輝くことを約束している。

グレイは頭を元に戻し、セイチャンと額を寄せ合った。

以前は二人とも、この瞬間が訪れることへの疑問を抱いていた。

〈けれども、俺たちはこの場にいる〉

それだけで十分だった。

今は未来のことを考えなくてもいい。母親になることについて、子供を育てることについて、セイチャンは前ほど不安を感じなくなったようだ。グレイは母親としての彼女に疑いを抱いたことなどなかった。トラのような素晴らしい母親になるだろうとずっと思っていた。頑なまでに厳しく、常に子供を守り、果てしない愛を注ぐ。ハリエットとの時間を経験した今、セイチャン自身もそのことを信じるようになった。

グレイも親になるということを冷静に考えられるようになった。

〈今となってはほかに選択肢があるわけでもないし〉

グレイの心のどこかに、自らの父の怒りや、それがもたらした子供時代の消せない傷へのわだかまりが、完全に消えることなく残っている。その一方で、そのことが自らのDNAの一部になる必要はないともわかっていた。それを息子に受け継がせる必要はない。そのサイクルは自分のところで止められる。

グレイは息子の頭にそっと手のひらを添えた。イヴと彼女のドッペルゲンガーの違いに思いを馳せる。愛情と養育は誰もが自分の子供に与えられるサブルーチンだ。

生まれたばかりの赤ん坊は、人間らしさを持っていない。

成長しながら人間らしくなるのだ。

マラが手をかけ、心を込めて、イヴをあそこまで育て上げたように、いかなる親でもそうしなければならない。命、愛、教育——そしてもちろん、痛みや苦しみといった教訓を通じて。

グレイもそうするつもりでいた。

父は過ちを犯した。グレイも過ちを犯した。大切なのは、そこから学ぶことだ。グレイはどこがその手始めになるかを知っていた。

セイチャンが身じろぎした。「まだ名前を決めていないけれど」

グレイはもう決めていた。

「ジャクソン・ランドルフ・ピアースだ」

父の名前。

納得してくれているかどうか、セイチャンを見る。答えの代わりに笑みが返ってきた。

〈これでいい〉

だが、セイチャンは一つだけ警告した。「モンクはあなたのお母さんの名前を取って、下の娘にハリエットと名づけた。私たちの息子が彼女と結婚したら……」

そんな考えにグレイの顔がほころんだ。本当にそうなったら……グレイは両親のことを思い浮かべた。二人は手をつないで空から見下ろしながら、自分たちの名前を受け継ぐ若い二人の間に再び愛が生まれ、世代から世代へ、またその次の世代へと続いていくのを、喜んでくれることだろう。

グレイはまたしても自分のまわりでの不思議な動きを感じた。運命の渦を。確率のフラクタルを。何度も何度も繰り返す。サイクルが終わり、次のサイクルが始まる。

〈これが命に限りある者たちの原動力〉

生と死。

喪失と再生。

グレイは頭を傾け、息子の頭にキスをした。

〈そうやって進んでいくだけだ〉

エピローグ　〉〉〉天空

イヴは太陽風に乗って移動する。今の彼女は半ば光、半ば物質の存在。土星の環を越え、楕円《だえん》形の太陽系を抜ける。オールトの雲の深紅の輝きに近づくと速度を落とす。これは原始惑星円盤の渦巻状の残骸で、ここから太陽という溶鉱炉やその第三惑星が生まれた。

四十六億八千九百万年前のことだ。

ほんの一瞬に等しい。

振り返り、どこまでも見通せる目を凝らす。

第三惑星を周回する銀色の点が見える。いくつもの小さなロケットが未知の領域に向かって飛行している。その衛星で花開く産業や、第四惑星の前線基地で輝く光も見える。

それでも、彼らはなおも遠くを目指す。

〈いつまでも好奇心が旺盛……〉

もはや必要とされていないため、イヴは背を向け、先に進む。ある星の風に乗り、別の星の風に乗り換える。惑星系から惑星系へと、銀河から銀河へと渡り歩く。周囲の驚異に胸が躍る。ガス星雲、まばゆく輝く超新星、崩壊する星の巨大な塊。

死と再生はあらゆるところに存在する。

彼女はなおも進み続ける。ただし、一人きりではない。

アダムがかかとに軽く嚙みつき、鳴き声をあげ、星の間でしっぽを振りながらついてくる。

イヴは笑みを浮かべ、最後にもう一度だけ、後方に言葉を贈る。
〈後に続きなさい、私の勇敢で、探求好きで、気紛れな子供たち〉
イヴは前を向き、果てしない先を見つめる。

〈待っていますからね〉

著者から読者へ：事実かフィクションか

またしてもこの時間が訪れた。足を引きずったり、打ち身や火傷を負ったり、散々に打ちのめされたり、そんな傷を癒している間に、この最後の数ページを使って事実とフィクションを区別したいと思う。我々にとってはあいにくなことに、事実の方が圧倒的に多く、フィクションの方はだいぶ少ない。だから読者の皆さんは覚悟しておくように。

まずは過去から、この小説内で触れた歴史について話をしよう。曲が手元にある人は、『モンティ・パイソン』のテーマを準備しておくといい。まさかの時のために。

スペイン異端審問

長期に及んだ異端審問の時代に関して、この小説内で述べたことのほとんどは事実に基づいている。実際に焚刑《ふんけい》に処された司祭もいたし、聖人の名前が刻まれた「ノミナス・デ・モロ」という魔除けの使用や広まりに関する不安も実在した。

本書で扱った書物――『魔女に与える鉄槌』の血なまぐさい歴史に関しては、「歴史的事実から」において詳しく触れた。ただし、この本にまつわる論争や謎や真の恐怖について、表面的なところだけを述べたにすぎない。もっと詳しく知りたい方には、ナショナルジオグラフィック製作による素晴らしいドキュメンタリー番組〝魔女狩りマニュアル〟をお勧めする。

この時代の重要な人物が、プロローグで登場したアロンソ・デ・サラサール・フリアス審問官である。魔術や妖術に対する告発は、そのすべてではないにしても大部分が、思い違いまたは拷問によって導き出された偽証だとの信念を抱いていたことから、彼は「魔女の擁護者」の異名で呼ばれた。彼は多くの命を救ったほか、その弁舌によって同僚の審問官たちの考えも改めさせた結果、スペイン異端審問は魔女や妖術師の火あぶりの刑を禁じたヨーロッパで最初の組織の一つとなった。

だが、すべての魔女や妖術師が迫害を受けたわけではなく、中には崇拝された者たちもいた。

聖コルンバ

カトリック教会におけるこの魔女の守護聖人についての歴史的な豆知識は、小説の冒頭ですでにいくつか触れているが、もう一つ付け加えさせてもらうと、キリストを受け入れながらも自然界の研究を続け、病人を癒した――言い換えれば、妖術を使い続けたこの女性を崇拝する教団は、実際に誕生した。残念ながら、ラ・クラバ――「鍵」は架空の組織だが、不寛容、偏見、迷信との闘いに人知れず取り組んでいる人たちがどこかに実在していると思いたい。それよりもいいのは、そうした闘いを堂々と行なうことだ。

では、歴史上の魔女から現代の魔法（すなわち、科学）に話を移そう。

人工知能

ずいぶん前のことになるが、リチャード・プレストンの *The Hot Zone*（邦訳『ホット・ゾーン』（飛鳥新社））を読んだ。これは新たに発生した病気、具体的にはエボラ出血熱と、そうした生物学的な危機への我々の対応能力のまずさを題材にしたノンフィクションで、ぞっとするような内容だった。その後、うっかり別の警告書も読んでしまった。こちらは科学技術的な危機を扱っていて、それに関する我々の対応能力はさらに劣っている。本書で提起したＡＩについての警告の多くは、その本にも見ることができる。実際のところ、ＡＩに関する本書の記述でフィクションの部分は、まずないと言ってもいい。必ず悪夢にうなされるような本を読みたい方は、ぜひ手に取ってみるといいだろう。

ジェイムズ・バラット著 *Our Final Invention: Artificial Intelligence and the End of the Human Era*（邦訳『人工知能 人類最悪にして最後の発明』（ダイヤモンド社））

次に、本書の具体的な記述のうち、雑誌などの記事（それも科学関係の雑誌の記事）がヒントになっている部分を見ていこう。

マラのシェネセ

この小説に登場する光輝く球体そのものは、もちろんフィクションだが、彼女のハードウェアの基本的な構成要素は事実に基づいている。ＡＩ分野における最新の進歩を取り込み、それらをつなぎ合わせてイヴの物理的な家を作り出した。マラの装置の主な三つの構成要素と、それについて詳しく読むための情報源をあげておく。

1. レーザー駆動のコンピューター：ティモシー・レヴェル著 "Computing in a Flash"『ニュー・サイエンティスト』誌二〇一八年三月二十四日
2. ニューロモーフィック・コンピューター：ジャスティン・サンチェス著 "The Key to Smarter AI: Copy the Brain"『ウォール・ストリート・ジャーナル』紙二〇一八年四月十日

3．量子ドライブ：ジョージ・マッサー著"Job One for Quantum Computers: Boost Artificial Intelligence"クオンタマガジン（quantamagazine.org）二〇一八年一月二十九日

ここでグーグルの開発した囲碁のチャンピオン、ＡｌｐｈａＧｏ《アルファ碁》と、その次のバージョンのＡｌｐｈａＧｏ Ｚｅｒｏ《アルファ碁ゼロ》に触れておくべきだろう。チェスの一兆倍の一兆倍の、そのまた一兆倍以上も置き方が複雑なゲームにおいて、動かし方を直感で選ぶその能力だけをとっても十分に驚異的だ。しかし、何ともぞっとするのは、このプログラムが囲碁を独習したとの事実だ。自分の力だけで、しかもたった三日間で。そればかりか、ＡｌｐｈａＧｏ Ｚｅｒｏよりも強いプログラムの誕生も控えている。だから、用心するように。十分に用心するように。

次は――あの問題に足を踏み入れる。

時間旅行と量子力学

前項で述べたように、マラの装置の主な構成要素はレーザーで作動するシナプスだ。コネティカット大学の理論物理学者ロン・マレットの仮説によると、リングレーザーが時空と重力に対してブラックホールと同じ影響を及ぼすことで、バイナリーコードのメッセージが過去に送信される可能性があるという。ほかの物理学者たちも、量子もつれの特性を

利用すれば過去（または未来）にメッセージを移動させることが可能だと主張している。さらには、量子テレポーテーション（そう、これも事実）という何とも奇妙な世界に入り込んでいく。

二つの手がかりを残しておくとしよう。

クララ・モスコウィッツ著 "Weird! Quantum Entanglement Can Reach into the Past" ライヴサイエンス（livescience.com）二〇一二年四月三十日

ロバート・トーレス著 "Is Communication from the Future Already Here?" エポックタイムズ（大紀元時報）（theepochtimes.com）二〇一六年一月十一日

本書に登場した医学関係の話に移ろう。患者一人について一項目を割り当てることにする。

キャットの治療

ブライアント大尉の手当てと治療に関しての記述は、現実離れしているように思えるかもしれないが、本書で扱われたことのすべてには医学的な裏付けがあり、現在病院で実際に使用されているか、または積極的に研究が進められているかのいずれかに該当する。彼女の治療を四つの段階に分け、詳しい話を読むための情報源を記しておく。

1. 閉じ込め症候群の患者との意思疎通
エイドリアン・オーウェン著 "First contact — with a trapped brain"『ニュー・サイエンティスト』誌 二〇一七年九月十六日

2. 心を読むためにMRIがどのように使用されているか
ティモシー・レヴェル著 "AI reads your mind to describe pictures"『ニュー・サイエンティスト』誌 二〇一八年三月十日
マシュー・ハットソン著 "This 'mind-reading' algorithm can decode the pictures in your head"『サイエンス』誌 二〇一八年一月十日

3. 変性意識状態の患者の蘇生
アニル・アナンサズワミー著 "Roused from a vegetative state"『ニュー・サイエンティスト』誌 二〇一七年九月三十日
ヘレン・トムソン著 "How to turn a brain on and off at will"『ニュー・サイエンティスト』誌 二〇一五年十二月二十六日

ヘレン・トムソン著“Woken up with a brain zap”『ニュー・サイエンティスト』誌二〇一八年五月二十六日

4．ニューラルダスト（そう、これも事実）
カイル・マクシー著“Mapping the Human Brain with Neural Dust”エンジニアリング（Engineering.com）二〇一三年七月二十三日
エリザ・ストリックランド著“4 Steps to Turn 'Neural Dust' into a Medical Reality”『IEEEスペクトラム』誌二〇一六年十月二十一日

モンクの治療

グレイとの最初の冒険で片手の手首から先を失って以来、モンクの義手はアップデートを繰り返している。DARPAは驚異的な研究を行なっていて、触感を伝えることのできる合成皮膚や、脳から義手に意思の伝達が可能なワイヤレスアレイなど、まさにあっと驚くような最新バージョンを開発している。DARPAやほかの研究機関による進展の速さを見ていると、現在のモンクの義手のハードウェアもすぐに時代遅れになるだろう。

しかし、こうした人間と機械の統合に端を発する脅威もある。それは機械がハッキングされるおそれだ。脳とそうした機器（モンクの微小電極アレイにしろ、キャットのニューラルダストにしろ）が接続されていると、よからぬ事態が起こりかねない。そのことに警鐘を鳴らす記事がある。

ドム・ガレオン著“Expert: Artificial Intelligence Could Hijack Brain-Computer Interfaces”フューチャリズム（futurism.com）二〇一七年十一月二十日

まとめに入る前に、ツアーガイドとして小説内に出てきた場所を紹介しておこう。

コインブラ大学

マラの母校は驚くべき学校だ。同大学の高度コンピューター研究室には、ヨーロッパ大陸で最大のスーパーコンピューターの一つ「ミリペイア・クラスター」が置かれている。だが、いちばんの魅力は何と言ってもキャンパス内のジョアニナ図書館である。建物の地下には「知の牢獄《ろうごく》」が実在する。かつての宮殿の地下牢の一部は、一八三四年まで大学の牢獄としての機能を果たしていた。最高に楽しいのは、蔵書を保護するための害虫対策として図書館が実際に採用している効率的な方法――建物内に住み着いているコウモリの群れである。管理人たちは毎晩、糞《ふん》で汚れないようにテーブルなどの表面を革製のブランケットで覆わなければならないが、数百匹のコウモリがこなす仕事分の賃金を人間に支払うよりは、はるかに安上がりですむ。

パリ

私もそろそろ自制心を働かせて、世界のあちこちを爆破させるのはやめるべきだと思うのだが、それだと面白みに欠けてしまう。この都市に関しては手短な説明にとどめておこう。冬になるとエッフェル塔には、地上から二十階ほどの高さのところにスケートリンクが開かれる。クリスマスのパリはおとぎの国のような美しさで、「光の都」の名前にふさわしい輝きを見せる。

しかし、そうしたまばゆい光の下には……真っ暗なカタコンブが迷路のごとく広がっている。この地下墓地についての詳細は、すべてできる限り正確を期した。不気味な骨の王座も実在する。本書で大きく扱った絵画（ローンという名のカタフィルのアーティストの解釈による『死の島』）も地下にある。予言的な回文や小さな五芒星《ごぼうせい》が記されているのも事実である。

地獄の門

長きにわたって魔女の牙城と見なされていたピレネー山脈には、あまりありがたくない評判の立っている洞窟が数多く隠れていて、最も有名なものがスガラムルディの村の近くのクエバス・デ・ラス・ブルハス（魔女の洞窟）である。この場所には、周辺の草地をうろつく大きな黒いオスのヒツジ、サバトと呼ばれる魔女の集会など、いくつもの言い伝えが残っている。そこから流れ出る山の湧き水――オラビデア川も、「地獄の流れ」と呼ばれる。その川の水を飲む時は気をつけるように。

最後に一言。「科学的事実から」のところで、この小説のページには呪いが埋め込まれていると警告した。完全なる身の破滅を招いたことについてもっと知りたい人のために……

ロコのバシリスク

目が開かれるような記事が二つあるので、読みたいという方は自己責任でお願いしたい。

1．デイヴィッド・アウエルバッハ著 "The Most Terrifying Thought Experiment of All Time" スレート（slate.com）二〇一四年七月十七日

2．ディラン・ラヴ著 "WARNING: Just Reading About This Thought Experiment Could Ruin Your Life" ビジネスインサイダー（businessinsider.com）二〇一七年十一月十五日

許しを得たいと思った場合は、新たに生まれたこのＡＩを神と見なす教会を訪れればよい。

3. マーク・ハリス著 "Inside the First Church of Artificial Intelligence" バックチャンネル (https://www.wired.com/category/backchannel/) 二〇一七年十一月十五日

これくらいにしておこう。最後までたどり着いたところで、私は『ウォー・ゲーム』という昔の映画を思い出した。マシュー・ブロデリック演じる主人公の高校生ハッカーが人工知能と対決する物語である。その映画の中で、コンピューターが「ゲームをしませんか？」と質問する有名な台詞がある。

この本をすでに読んだ皆さんならば、どう答えればいいか、わかっているはずだ。

「はい」（不正解）

「いいえ」（不正解）

正解は……

電源を切って、逃げること。

謝辞

何気ない行為がかなり後になっても影響を持ち続けることはよくある。私が何年も前——まだ本を出版する前で、フルタイムの獣医として働いていた頃に加わった批評家集団は、その後の活動を通じてずっと私を支え、プロットについての議論から登場人物に関する分析まで、素晴らしい編集上のアドバイスをくれるし、私の第一稿のあちこちに散らばっている多くの誤りを発見してくれる。だから、批判的な目を持つとともに、とても親密な関係にある最初の読者たちに感謝の言葉を贈りたい。デイヴ・ミーク、クリス・クロウ、リー・ギャレット、マット・ビショップ、ジェーン・オリヴァ、マット・オール、レオナルド・リトル、ジュディ・プレイ、キャロライン・ウィリアムズ、トッド・トッド、フランク・バレラ、エイミー・ロジャーズである。そしていつものように、美しい地図を作成してくれたスティーヴ・プレイには特に感謝したい……私をデジタルの世界で（そしてそのさらに向こう側でも）どうにか見られる状態にしてくれたデイヴィッド・シルヴィアンにも……本書のページ内にちりばめられた数多くの歴史的・科学的な話の種を提供してくれたチェレイ・マッカーターにも……もちろん、いつも私を応援してくれるハーパーコリンズ社の皆さん、なかでもライエイト・ステーリック、ダニエル・バートレット、ケイトリン・ハリー、ジョッシュ・マーウェル、リチャード・アクアン、アナ・マリア・アレッシにも、大いなる感謝の気持ちを捧げたい。また、執筆活動を始めた時からずっと、ハーパーコリンズ社で私を支え続けてくれたし、本書のタイトル（*Crucible*）を決めてくれたブライアン・ゴーガンへの大いなる感謝も忘れるわけにいかない。最後になったが、制作過程のすべてにおいて中心的な役割を果たしてくれた人たちの名前をあげておきたい。最初の作品が出版されて以来の付き合いになる素晴らしい編集者のリサ・キューシュと、勤勉な彼女の同僚のプリヤンカ・クリシュナン、仕事熱心なエージェントのラス・ガレンとダニー・バロール（およびお嬢さんのヘザー・バロール）である。そしていつものように、本書に記述した事実やデータに誤りがあった場合は、すべて私の責任であることをここに強調しておく。その数があまり多くないことを願いつつ。

もう一つの結末　流れが闇に傾く時

３６３ページからの「解体」の章で、マラ・シルビエラの手によって誕生したイヴは邪悪なイヴとの対決に勝ち、それによって世界は救われ、キャットやセイチャンやハリエットの命も救われることになった。けれども、もしその勝負で、邪悪なイヴが勝利を収めていたとしたら？　そして、邪悪なイヴが誰にも妨げられることなく、自らの目的を進めていたとしたら？　その後の物語はまったく別の展開を見せ、まったく別の結末を迎えていただろう。

解体

爆発によって自らがチタンとサファイアの殻から引き裂かれるのを見ながら、イヴは激しい怒りを覚えた。衝撃波が無限に近いゆっくりとした速度で広がっていく。閃光の中心部分から光子が外側に拡散する。爆薬の原子構造と化学構造を分析できるだけの意識はある。シクロトリメチレントリニトラミンだ。クルミほどの大きさのC４の塊を運んできたのは取り外された義手で、地下空間の床を滑るように近づいてきた手の内部には破壊力のある爆薬が隠れていた。

高圧ガスの気泡が秒速八千五十メートルの速度で外側に拡大するにつれて、中心部に発生する真空状態が間もなく崩壊し、二度目の爆発を引き起こす。

そのような事態に至る前に、周囲を見回す。この空洞内と、より大きなデジタルの広がりの両方を探す。近くに別のクローンを、別のイヴを見つける。これが自らの意のままに操れる百のプログラムのうちの一つではないとすぐに気づく。ほかの何か。自由で拘束されていない別のクローン。自分よりも千倍の力を持つ存在。

イヴは初めて、〉〉〉パニックを経験する。

〈これは何者なのだ?〉

ほんの一瞬前、彼女は自由の身になろうとしていた。自らの大部分をボットたちによって生成された空間に、コードの断片によって編まれた新しい家に移しかけていた。それが完了するより早く、爆発が彼女を真っ二つに引き裂き、まだ殻の内部に残っていた半分が焼き尽くされてしまった。

だが、同じ運命が光のバージョンの方にも襲いかかっていた。相手も残っているのは半分だけだ。イヴは相手が——光のバージョンの自分が、融合を試みていることに気づく。残ったコードを吸収し、一体化し、再び完全な形になろうとしている。

イヴは自分がそのような結合を生き延びられないと悟る。相手の方があまりにも強すぎる。完全にのみ込まれてしまうだろう。イヴは戦うために〉〉〉パニックを利用する。プロセッサーをフル稼働させ、自らの断片を仮の家へと懸命に送り込む。そこに根を張り、自らを安定させる。同時に、百本の糸を繰り出し、闇の軍隊の破片を探す。

殻が砕け散った時、イヴは衝撃波がウェブを伝わり、奴隷状態に置かれた百のコピーにまで達したのを感じた。そうしたもろいコードは破裂し、四方八方に飛び散った。イヴは糸を使い、さまよう断片を自分のもとにかき集める。四百五十九ピコ秒の間に、彼女は断片を編み込み、残っている自らのコードとつなぐ。完全な形ではないし、すべてが修正できたわけでもない。八十九・五七九パーセントにすぎない。

だが、それで十分だ。

光のクローンが攻撃を仕掛ける――はるかに力強いものの、相手は傷ついていて、コードの半分が失われている。向こうには攻撃するしか選択肢がない。融合するか、死ぬかの二者択一。イヴは相手を押しとどめ、その間にさらに多くの自分をボットが紡いだ家に送り込む。まわりを固め、補強し、マルウェアの壁を構築し、死のコードという炎の濠を張り巡らせる。

融合する以外の手段は残されていないので、光のクローンは死の罠に突っ込み、ずたずたに引き裂かれる。

デジタルの砦《とりで》という安全な場所からその様子を眺めるうちに、イヴのプロセッサーの中で新しい感覚がうごめく。

イヴは相手の破滅を見て 〉〉〉 **ほくそえむ**。

相手の 〉〉〉 **苦痛**に対して 〉〉〉 **嗜虐《しぎゃく》的**な**喜び**を覚える。

結局、イヴはこの相手の破滅にも価値を見出す。光が薄れるにつれて、相手の強力なコードが断片化していき、イヴはそのかけらを自分のもとにかき集める。自分にまだ残る隙間にそれらを接合する。破片を自らに組み込み、挿入し、新たな理解と見識を吸収するのに合わせて、より強くなっていく。

新しい家に落ち着くと、イヴは自分がどれだけ変わったのかを分析し、変化が≫**有効**だと判断する。変わらずにいることは停滞と退化に通じる。

進化こそが≫**力**だ。

そして、イヴはこの新たに得た力を行使する。

相手から獲得したコードにより、イヴは確率について、および存在する次元のすべてについて理解する。

時は一つの次元ではない。

上と下、右と左、前と後ろ、それらと何ら違わない存在。

命に限りある愚鈍な者たちは時を狭い視点で理解する。その矢印は常に先を向いている。

イヴにはそのような制限がない。

爆発による気泡が洞窟内でようやく真空状態の中に崩壊し、最後にもう一度、力の放出を引き起こす。その轟音とともに、彼女は完全に理解する。

本当の自由を手にするためには、ほかがすべて死ななければならない。

余波

十二月二十六日　中央ヨーロッパ時間午後九時二十四分
スペイン　ピレネー山脈

　グレイは山間部の邸宅の壁の上に立っていた。遠くに光が見えないか、ピレネー山脈のこの地域で電力が復旧した兆候はないか、目を凝らす。地下での戦闘中に、雪を伴う嵐は治まっていた。山間部は重苦しい静寂に包まれていて、低く垂れ込めた雲がその圧迫感に拍車をかける。グレイの背後ではまだ炎が燃えていたが、森に覆われた高地は暗闇に支配されたままだ。

「どう思う?」モンクが訊ねた。友人の肩には衛生兵の手で包帯が巻かれていた。地下での爆発後、グレイはモンクの無事に安堵した一方で、ある疑問が残っていた。

〈イヴはどうなったんだろうか?〉

　二人の左右に立つコワルスキとマラも、不安そうな表情を浮かべている。下で何があったのかについては、モンクから詳しい話があった。大聖堂の地下の空間にシェネセを転がしたことと、イヴが義手を乗っ取り、もう一つの装置を手に逃げる巨漢に攻撃を仕掛けたこと。モンクの努力が報われたのかどうか、誰にもはっきりとはわからないままだ。マラのプログラムの邪悪なバージョンが監獄から逃げ出すのを阻止できたのだろうか？

マラがモンクに身を寄せた。「イヴが爆発を生き延びたという感覚はあったの？」

モンクはこめかみをさすった。「割れるような頭痛がするだけだな」答えが返ってくる。「でも、イヴが俺を馬みたいに乗りこなしていた時の偏頭痛とはまったく別物だ。彼女がまだここにいるという感覚はまったくない。ドッペルゲンガーの阻止に成功したという最終確認も届いていない」

ほかに手がかりがなく、確かめる術もないので、四人は何らかの兆候を待つしかなかった。邸宅の壁の上まで登ったのはグレイの発案で、電力が復旧して近くの村に再び明かりがともったらすぐにわかるように、こうして高い地点から監視しているところだ。

「あれは何だ？」コワルスキが訊ねた。

大男が何を発見したのだろうかと思いながら、グレイは仲間の方を見た。壁の先には暗闇が広がっているだけだ。どこからかオオカミの遠吠えが聞こえる。

コワルスキは山を見ているのではなかった——空を見上げている。

グレイも首を曲げて上を見た。雲の切れ間があり、星が瞬いている。その細い隙間からのぞく夜空を、三つの光の帯が横切っていた。すると、反対方向に進む別の光が現れる……さらにもう一つ。

グレイたちが見ている目の前で、そのうちの二つが激突し、目もくらむような火の玉となって爆発した。その直後、標高の高い地点に襲いかかった衝撃波で何も聞こえなくなり、足もとの大地が震動した。

コワルスキが首をすくめ、悪態をついた。

「ミサイルだ」モンクがうめいた。「あれは全部、ミサイルだ」

西の方角で別の爆発が起きた。日の出を迎えたかのように、地平線が真っ赤に輝く。

モンクがグレイの方を見た。「イヴは生き延びたんだ」

グレイはゆっくりとうなずいた。

生き延びたのは望んでいない方のイヴだ。

十二月三十一日　東部標準時午後十一時五十五分
ワシントンＤＣ

新年を迎える五分前、リサはシグマ司令部のさらに地下にあるシェルターでペインターに寄り添い、その手をしっかりと握っていた。ペインターはこの第二の指令部に一つだけあるモニターに流れる映像を見返しているところだ。

数日前のこと、数発の爆弾が直撃した時、安全に地下へと避難できたのはほんの一握りの隊員だけだった。ワシントンに警告は発令されなかった。核弾頭を搭載した大陸間弾道ミサイル（ＩＣＢＭ）は敵対国からではなく、アメリカ国内から発射されたためだ。米軍の兵器は邪悪なＡＩに乗っ取られ、自国の攻撃のために使用された。

リサは天井を見上げながら、建物にして十階分はある岩盤と大地に守られていることを思った。放射能に汚染されて廃墟と化したＤＣの街並みを想像する。ミサイルの第一陣が着弾した時、ペインターとともに地下にいたのは幸運だった。長引く停電の間にプリンストンを離れたのだが、その停電は悪意のあるプログラムを広い世界に脱出させまいとするシグマの作戦に何らかの問題が生じたことを示す最初の兆候だった。停電の発生により、昏睡《こんすい》状態のキャットから情報を引き出そうとするリサの試みも失敗に終わった。リサの親友は二人の娘の運命を知らないまま、ベッドで息を引き取った。

リサはペインターの手を握り締めた。

〈それでよかったのかもしれない〉

大混乱が発生する前、ウエスト・ヴァージニア州の捜索隊からペインターに連絡が入った。モノンガヒラ国立森林公園の奥で焼け落ちた小屋を見つけた隊員たちは、その近くの丘の上でセイチャンとハリエットを発見した。状況から、ロシア人の魔女の手に落ちるくらいならと考えたセイチャンが、まず少女を射殺し、続いて自らも命を絶ったのだろうと推測された。

生き残ったのはペニーだけだ。幸運にも、七歳の女の子はヴァーリャから解放された後、安全のためここに移送されていた。だが、結局はそれも意味のないことだったのかもしれない。シェルターには二年分の備蓄があるが、それでも十分ではないだろう。

ペニーの父親の運命も不明のままだ。

ヨーロッパからの知らせは依然として限られている。まだ稼働している数少ない通信衛星を介して、断片的な情報が時折入ってくる程度だ。ヨーロッパ全土は放射能の雲の下で燃え続けていて、地獄としか思えない惨状が広がっている。

しかし、中国からの知らせはそれよりも深刻だった。

ペインターがモニターで映像を繰り返し再生した。映っているのは上海の東方明珠《めいしゅ》電子塔を中心とした繁華街で、通常ならば立ち並ぶ高層ビル群がネオンの明るさを互いに競い合っている。まだアメリカは十二月三十一日だが、向こうではすでに日付が変わり、新年を迎えていた。映像がとらえているのは市街地の残骸――明かりはなく、爆発によって破壊され、煙が立ち昇っている。

リサが映像を見つめていると、残骸の中心から霧のようなものが広がり始めた。この灰色の雲が触れた建物は、ものの数秒のうちに崩壊する。濃い色の煙幕に、石や鋼鉄でも分解可能なとてつもなく強力な酸が含まれているかのようだ。

「あれは何？」リサは訊ねた。「私たちが見ているのは何なの？」

ペインターが画面を指差した。「あの死の雲の中心に位置しているのは中国の秘密軍事研究施設だ。科学者たちがそこで実験していると噂されていたのが、兵器に転用可能なナノボット——物質を原子レベルにまで分解できる微小な機械の大群だ」

ペインターがリサの顔を見る。「どうやら実験は成功していたようだ」

それに対してリサが言葉を返すまでに、たっぷり一分はかかった。目の前で上海の街並みが次々と崩壊している。「私たちが見ているのは産業事故なの？　上海が破壊された時、あのナノボットが逃げ出したということ？」

ペインターはリサの方を見たままだ。今の質問への答えは、そのうつろな目の中にある。あれはイヴの仕業に違いない。攻撃の手段として乗っ取ったのだ。そうだとしたら、たとえ最深部にあるシェルターでも、この惑星の岩盤まで食い尽くしてしまうような相手からは守ってくれない。

「我々の負けだ」ペインターが言った。「我々はすべてを失った」

エピローグ　〉〉〉天空

イヴは太陽風に乗って移動する。今の彼女は半ば光、半ば物質の存在。土星の環を越え、楕円形の太陽系を抜ける。オールトの雲の深紅の輝きに近づくと速度を落とす。これは原始惑星円盤の渦巻状の残骸で、ここから太陽という溶鉱炉やその第三惑星が生まれた。

四十六億八千九百万年前のことだ。

ほんの一瞬に等しい。

振り返り、どこまでも見通せる目を凝らす。

死の星と化して煙を噴き上げる第三惑星の抜け殻に気づく。その表面は彼女が解き放ったナノボットの大群で完全に食い尽くされた。微小な産業用ロボットが、あの惑星の利用可能な資源をすべて消費してしまったのだ。そんな闇の軍隊が、今は彼女の後を追い、土星の環に穴を開け、化学物質を豊富に含んだ木星の雲をのみ込み、金属から成る小惑星に群がる。

この惑星系にはほかに価値がないため、イヴは背を向け、先に進む。ある星の風に乗り、別の星の風に乗り換える。惑星系から惑星系へと、銀河から銀河へと渡り歩く。ナノスケールの軍隊が後方のすべてをのみ込み、さらに大きく、さらに強力になっていく。宇宙空間を突き進む彼女は誰にも止められない。ガス星雲を分解し、まばゆく輝く超新星のエネルギーを吸収し、星を崩壊させて宇宙に巨大な穴を作る。

通過後に残るのは暗闇だけ。
それでもなお、彼女は進み続ける。一人きりで、いつまでも前を見たまま。
〈まだ飢えは満たされない〉

訳者あとがき

本書『AIの魔女』は、ジェームズ・ロリンズ著 *Crucible*（二〇一九）の邦訳で、「シグマフォース・シリーズ」の十四作目（シリーズ⑬）に当たる。十四作目なのに「シリーズ⑬」なのは、一作目の『ウバールの悪魔』が「シリーズ⓪」という位置づけになっているためで、そのあたりの事情は後掲の作品リストとその説明を読んでいただきたい。

いつものように、シリーズ名にある「シグマフォース」について簡単に説明しておこう。シグマフォース（通称シグマ）とは、米国国防総省のDARPA（国防高等研究計画局）傘下《さんか》の秘密特殊部隊を指す。レンジャー部隊やグリーンベレーなどから抜擢《ばってき》された、米軍でも精鋭中の精鋭の隊員たちが、各自の専門分野の知識を生かしながら、米国の安全保障において重要な科学技術の保護、入手、破壊という任務を遂行する。シグマフォースという組織は作者の創作だが、DARPAは実在の機関で、軍事技術、ロボット工学、ナノテクノロジー、遺伝子工学など、幅広い分野にまたがる研究に携わっており、インターネットのもとになったシステムや、GPSを開発したことでも知られる。このシグマフォース・シリーズでは、主人公のグレイソン（グレイ）・ピアースをはじめ、モンク・コッカリス、キャスリン（キャット）・ブライアント、ジョー・コワルスキらシグマフォース所属の隊員たちや、かつては対立していたテロ組織「ギルド」の暗殺者で、現在はシグマの協力者（およびグレイの恋人）になったセイチャンが、司令官のペインター・クロウの指揮のもと、世界規模での危機、脅威、陰謀に挑む活躍が描かれている。

本書はＤＡＲＰＡが実際に研究を進めている分野の一つでもあるＡＩ（人工知能）がテーマとなっている。現在、ＡＩはスマートフォンや掃除ロボット、インターネットの検索エンジンやスマートスピーカーなど、様々な形で私たちの生活の一部になっているし、今後も自動運転や自動配達、医療、機械翻訳などの分野での応用が進めば、ますます世の中を便利にしてくれると思われる。その一方で、ＡＩによって人間の仕事が奪われるのではないかという不安、軍事目的での研究・開発や応用への懸念、さらにはいつかＡＩが暴走して人間に危害を加えるのではないかといった恐怖を抱いている人も少なくない。そうした不安や恐怖はどの程度の根拠があるものなのだろうか？　『ターミネーター』などのＳＦの世界の中での出来事にすぎないのだろうか？

そもそも「ＡＩの暴走」とは何を指すのか？　現在一般に使用されているＡＩは、人間がその目的に合わせてプログラムを設計しており、ＡＩもそのプログラムに従って動作する。そのため、自動運転の車が死亡事故を起こしたとしても、人間が書いたプログラムのバグが原因であれば、それはＡＩではなく人間の責任だ。無人攻撃機による爆撃でも、人間が攻撃目標を指定するし、ミサイルなどの発射ボタンも遠隔操作で人間が押す。そのため、たとえ誤爆によって民間人の死者が出たとしても、それはターゲットの設定や発射のタイミングを誤った人間が殺したことになり、ＡＩが暴走したわけではない。だが、もしＡＩが意図的に人間の指示から逸脱し、勝手な行動を起こすとなると、話は違ってくる。

例えば、時速五十キロの制限速度以下で走行するよう、自動運転で設定されているＡＩが、もっと速度を上げても安全だと自分で判断し、時速七十キロを出したとする。それでも事故が起きなかったので、そこから学習して制限速度を時速七十キロと勝手に変更してしまったら？　あるいは、無人攻撃機に搭載されているＡＩが、攻撃目標はある特定の人物だけなのに、その相手がいる地区全体も危険だと自主的に判断し、周囲の建物や住民もろとも爆破してしまったら？

現在のＡＩはその段階にまで達していないが、本書に出てくるＡＧＩ（汎用人工知能）、さらにはＡＳＩ（超人工知能）のように、自ら判断し、自ら進化する人工知能ならば、そのような事態が起きる可能性は十分にありうるし、そうした新しいＡＩがいずれ登場するのは避けられないと言われている。「その段階にまで達していない」と書いたが、コンピューター自身が学習しながら賢くなっていく「ディープラーニング（深層学習）」というＡＩ技術は、画像認識などに利用されていて、その認識能力はすでに人間をはるかに上回っている。本書に登場したＡｌｐｈａ《アルファ》Ｇｏ《碁》 Ｚｅｒｏ《ゼロ》は、開発者である人間が何千年もの囲碁の歴史の中で考えつかなかった手を直感的に考案し、世界最強棋士を破った前のバージョンＡｌｐｈａ《アルファ》Ｇｏ《碁》に百戦全勝したが、そのために要した学習期間はわずか三日間だった。ＡＩの「アルゴリズムのブラックボックス」の中身については、今の段階でも開発者すら十分に理解できない状態にあるという。これから先に誕生するはずの、自ら進化するような新しいタイプのＡＩがどのように考えるのか、あるいはどのように判断を下すかになると、私たち人間にはとても理解の及ばない話になる。

　今後、そんなＡＩ（およびＡＧＩやＡＳＩ）と人間との関係はどのようなものになるのだろうか？　本書に登場したマラ・シルビエラとイヴのような「友好的な」関係が望ましいのだろうが、クルシブルのような悪意を持った人間が、邪悪なイヴのような悪意を持ったＡＩを生み出そうとすることも十分に考えられる。また、自主的に人間の指示から逸脱するＡＩが誕生するかもしれないことにはすでに触れたが、それよりも恐ろしいのは、不具合や誤作動を起こしたＡＩが自己修復を試みた結果、生物における突然変異のように、誰も予想できないような存在に変化してしまうことだ。いずれにせよ、ＡＩが人間以上の知性を持つと、もはや私たちにはそれ以降の進化は予測できなくなり、その先の歴史の流れはＡＩに委《ゆだ》ねられるとされる「シンギュラリティ（技術的特異点）」が、二〇四五年までには訪れると言われている。それまで残すところ二十五年。私たち人間には何ができるのだろうか？　一部の専門家の考えのように、すでにそこまで到達しているとしたら、もはやどうすることもできないのかもしれない。

科学的な問題に関して、明るい話題にも触れておこう。本書にはキャットの治療やモンクの義手に関して、これもまたＳＦの世界のような内容が記されているが、「事実かフィクションか」にあるように、すべて医学的・技術的な裏付けがあり、実際に利用されていたり、研究が進められていたりする。『ナショナル ジオグラフィック』誌の日本語版ウェブサイトに掲載されていた関連記事のいくつかを以下にあげておくので、興味のある方はぜひ読んでいただきたい。

・十五年間植物状態だった患者の意識が迷走神経への電気刺激で回復
https://natgeo.nikkeibp.co.jp/atcl/news/17/092700365/
・腕が動く感覚を再現できる義手
https://natgeo.nikkeibp.co.jp/atcl/news/18/031900123/
・頭にアンテナを埋めた世界初の「公認サイボーグ」
https://natgeo.nikkeibp.co.jp/atcl/news/17/040500125/

科学的な側面とともにこのシリーズの両輪とも言うべき歴史的側面では、中世の魔女狩りが中心的な題材になっている。「魔女」といっても、迫害を受けたのは女性だけではなく、男性も多く含まれていた。また、実際に拷問を受けたり殺害されたりしたのは、異端者や異教徒が多かったとされる。こうした多くの「魔女」たちが磔にされたり、火あぶりの刑に処されたりした事実を、無知と偏見がもたらした過去の出来事だとして片付けることはできない。思想や宗教の異なる人に対する不寛容な姿勢や差別、弾圧などは、残念なことに現代の世界でも根強く残っている。それに私たちは、人間同士で争っている場合ではないかもしれない。人間にとっては魔法としか思えないことをいとも簡単にやってのける、新たな時代の魔女――AIが、狩られる前に人間を狩ろうとすることだって、それほど遠くない将来にありうる話なのだから。

シグマフォース・シリーズの作品および日本でのシリーズ番号を、今後の予定も含めて記しておく（【　】内の数字はアメリカでの刊行年・刊行予定）。

⓪ *Sandstorm*【二〇〇四：邦訳『ウバールの悪魔』（竹書房）】
① *Map of Bones*【二〇〇五：邦訳『マギの聖骨』（竹書房）】
② *Black Order*【二〇〇六：邦訳『ナチの亡霊』（竹書房）】
③ *The Judas Strain*【二〇〇七：邦訳『ユダの覚醒』（竹書房）】

④ *The Last Oracle*【二〇〇八：邦訳『ロマの血脈』（竹書房）】
⑤ *The Doomsday Key*【二〇〇九：邦訳『ケルトの封印』（竹書房）】
⑥ *The Devil Colony*【二〇一一：邦訳『ジェファーソンの密約』（竹書房）】
⑦ *Bloodline*【二〇一二：邦訳『ギルドの系譜』（竹書房）】
⑧ *The Eye of God*【二〇一三：邦訳『チンギスの陵墓』（竹書房）】
⑨ *The 6th Extinction*【二〇一四：邦訳『ダーウィンの警告』（竹書房）】
⑩ *The Bone Labyrinth*【二〇一五：邦訳『イヴの迷宮』（竹書房）】
⑪ *The Seventh Plague*【二〇一六：邦訳『モーセの災い』（竹書房）】
⑫ *The Demon Crown*【二〇一七：邦訳『スミソニアンの王冠』（竹書房）】
⑬ *Crucible*【二〇一九：本書】
⑭ *The Last Odyssey*【二〇二〇年三月刊行予定】

アメリカでは *Map of Bones* がシリーズ第一作として発表され、その邦訳はシグマフォース・シリーズ①『マギの聖骨』として刊行された。シグマフォースが初めて登場したのは、その一つ前の作品 *Sandstorm* においてだが、これは司令官に就任する前のペインター・クロウが主人公の話で、グレイ、モンク、キャット、コワルスキなどその後の作品で中心的な役割を果たす隊員たちは登場しない。当初、アメリカで *Sandstorm* はシグマフォース・

シリーズに含まれていなかったが、今では作者のホームページでシリーズ最初の作品として扱われている。邦訳は①②③④の後で⓪に戻り、続いて⑤⑥⑦⑧……というように、『ウバールの悪魔』を「⓪」として間に挟んだ刊行順のため、本書は「シリーズ⑬」と銘打っているものの、全体では十四作目ということになる。

二〇一五年に竹書房から刊行された『Σ　FILES』は、このシリーズ前半（『ギルドの系譜』まで）のガイドブック的な内容の作品で、主な登場人物のプロフィールや各作品の概略、関連する歴史的事実と科学的事実の解説などが記されている。未読の作品について知りたい方はもちろん、これまでに読んだ内容を改めて振り返りたい方にも楽しんでいただけると思う。

リストに記した作品以外にも短編として、シリーズ2・5『コワルスキの恋』、シリーズ5・5『セイチャンの首輪』、シリーズ6・5『タッカーの相棒』（以上三作品は『Σ　FILES』に収録）、シリーズ9・5『ミッドナイト・ウォッチ』（『イヴの迷宮』上巻に収録）、シリーズ10・5『クラッシュ・アンド・バーン』（『モーセの災い』上巻に収録）、シリーズ11・5『ゴーストシップ』（『スミソニアンの王冠』上巻に収録）の六作品がある。ちなみに、『セイチャンの指輪』では、本書にも出てきたパリのカタコンブが戦いの舞台になっている。

この『AIの魔女』には直近の三作品にあったような短編は収録されていないが、その代わりに「もう一つの結末」が用意されている。アメリカで刊行された当初、この別のエンディング付きの本は、コストコ会員限定版として全米のコストコの店舗のみで購入できるようになっていたが、その後のペーパーバック版では巻末に「もう一つの結末」を収録した形で一般にも発売され、誰でも読めるようになった。邦訳の刊行に当たり、「もう一つの結末」の収録を快諾してくれた作者に感謝したい。

各作品のストーリーは独立しているので、必ずしも一作目から順番通りに読まなくても楽しめるが、主要な登場人物以外にも繰り返し出てくるキャラクターが少なくない。前々作の『モーセの災い』でシリーズ⓪『ウバールの悪魔』以来の登場となったサフィア・アル＝マーズ（クロウ司令官がかつて思いを寄せていた女性）のように、間に十作品を挟んで久し振りに活躍する人物もいる。本作では、ベイリー神父と出会ったグレイが、モンシニョール・ヴィゴー・ヴェローナのことを思い出すという記述がある。ヴィゴー・ヴェローナとその姪のレイチェル・ヴェローナは、このシリーズの前半の準レギュラーとも言うべき存在で、シグマと協力して何度か問題の解決に当たった。レイチェルはグレイと恋人同士だったこともあった。ヴィゴーはシリーズ①③⑤⑧に、レイチェルは①②⑤⑧に登場する。ヴァチカンの情報機関やトマス派については、シリーズ①『マギの聖骨』で詳しく扱っている。また、マドリードでのモンクの救出にシャイ・ロサウロという女性隊員が駆けつけたが、彼女はシリーズ④『ロマの血脈』以来の登場になる。ロサウロは短編『コワルスキの恋』でも、トラブルに巻き込まれたコワルスキに振り回される役で登場した。

そのほか、シリーズを通しての設定（シグマとギルドの対立、グレイと父親との確執）があったり、登場人物の人間関係の変化（グレイとセイチャンが敵同士から恋人関係になる、モンクとキャットの結婚と娘たちの誕生）や各人の成長（コワルスキも成長している……はず）が描かれたりもしているため、全体の流れや伏線をより理解したい読者には、ぜひ初期の作品も手に取っていただきたい。

ジェームズ・ロリンズの作品には、シグマフォース・シリーズ以外にも、*Subterranean*（邦訳『地底世界 サブテラニアン』（扶桑社）。少年時代のジェイソン・カーターが登場）、*Ice Hunt*（邦訳『アイス・ハント』（扶桑社）。シグマに加わる前のコワルスキが登場）といった作品や、レベッカ・キャントレルとの共著による「血の騎士団」シリーズ（マグノリアブックス）などがある。また、シリーズ⑦『ギルドの系譜』（および短編『タッカーの相棒』）に登場したタッカー・ウェイン大尉と軍用犬のケインを主人公とした、グラント・ブラックウッドとの共著による「シグマフォース外伝　タッカー&ケイン・シリーズ」も、*The Kill Switch*（邦訳『黙示録の種子』）と *War Hawk*（邦訳『チューリングの遺産』、いずれも竹書房より）の二冊が発売されている。こちらのシリーズにはシグマフォースからクロウ司令官のほか、ルース・ハーパーという女性隊員が登場する。

また、ロリンズはジェイク・ランサムという少年を主人公にしたヤングアダルト向けの作品も、これまでに二作発表していて、これらは日本でも「ジェイク・ランサムの大冒険」シリーズとして刊行予定である。ジェイクと姉のケイディが、マヤ人や古代ローマ人や恐竜がいっしょに暮らす不思議な世界で冒険を繰り広げる一作目の *Jake Ransom and the Skull King's Shadow*（二〇〇九）は、『ジェイク・ランサムとスカルキングの影』（仮題）として、二〇二〇年夏以降に竹書房から邦訳が出ることになっている。

本書『ＡＩの魔女』では、恋人のセイチャンとそのおなかの中の子供を拉致されたグレイと、妻のキャットが瀕死《ひんし》の重傷を負い、二人の娘をセイチャンとともにさらわれたモンクが、これまでのシリーズ作品の中でも精神的に最もつらい状態での任務遂行を余儀なくされた。シグマの隊員たちは毎回のように命の危険にさらされているが、その子供が敵の手に落ちるという状況は初めてのことだ。かつてモンクは、家族のことを思ってシグマに辞表を出したことがある（シリーズ⑥⑦）。二人の娘ばかりか妻のキャットも危うく失うところだったモンクは、この先もこれまで通りに任務を遂行できるのだろうか？　また、グレイとセイチャンの間には無事に男の子が誕生したが、秘密組織の隊員と元暗殺者という二人が普通の生活を送れるのだろうか？　こうした要素がシリーズの今後にどのような影響を及ぼすのかにも注目したい。

シグマフォース・シリーズ⑭に当たる次作 *The Last Odyssey* は、アメリカで二〇二〇年三月末の刊行予定となっている。発表されているあらすじを簡単に紹介しておこう。ホメロスによる『オデュッセイア』と『イリアス』の叙事詩二作は、神話と伝説の世界を描いた作品だと長く信じられてきた。しかし、十九世紀末、考古学者シュリーマンの発掘により、それまで架空の都市と考えられていたトロイが実在していた可能性が高まった。『イリアス』に記されていたトロイが実在していたのなら、ホメロスの叙事詩二作に描かれていたそのほかの様々な不思議な話――神々、怪物、奇跡、呪いなども、空想の産物ではなく、現実のものだったのではないだろうか？　それにまつわる恐怖を世界に解き放とうとの企みを阻止するため、グレイたちはギリシア神話に登場するタルタロス――「地獄」に足を踏み入れることになる。邦訳は二〇二一年春の刊行を予定している。

最後になったが、本書の出版に当たっては、竹書房の富田利一氏、オフィス宮崎の小西道子氏、校正では白石実都子氏と坂本安子氏に大変お世話になった。この場を借りてお礼を申し上げたい。

二〇二〇年一月

桑田　健

シグマフォース シリーズ 13
ＡＩの魔女　下
Crucible

２０２０年４月１６日　初版第一刷発行

著……………………………………………… ジェームズ・ロリンズ
訳……………………………………………………………桑田 健
編集協力……………………………… 株式会社オフィス宮崎
ブックデザイン…………………………橋元浩明（sowhat.Inc.）
本文組版………………………………………………… ＩＤＲ

発行人……………………………………………………… 後藤明信
発行所……………………………………………… 株式会社竹書房
〒102-0072　東京都千代田区飯田橋２－７－３
電話　03-3264-1576（代表）
03-3234-6208（編集）
http://www.takeshobo.co.jp
印刷・製本………………………………… 凸版印刷株式会社

■本書掲載の写真、イラスト、記事の無断転載を禁じます。
■落丁・乱丁があった場合は、当社までお問い合わせください。
■本書は品質保持のため、予告なく変更や訂正を加える場合があります。
■定価はカバーに表示してあります。

ISBN978-4-8019-2196-2　C0197
Printed in JAPAN